S0-BAV-594

新 潮 文 庫

鎖

下　巻

乃南アサ著

新 潮 社 版

7308

目次

鎖

下巻

第四章

1

　捜査状況が、午後になって大きく動いた。

　まず昨日の午前、音道《おとみち》の銀行の口座から現金が引き出されていることが分かった。キャッシュカードを使用して、現金二万円が引き出されていたのだ。音道が口座を開いている銀行の支店ではなく、提携都市銀行の支店からで、それも静岡県熱海《あたみ》市内にあるのだという。捜査員が二人、熱海に急行した。銀行に残っている防犯カメラのビデオテープを確認するためだ。

　さらに滝沢と保戸田とが、サラ金の取り立てのふりをして中田加恵子の娘から聞き出した母親の携帯電話の番号について調べたところ、その番号の電話が、その時点で熱海市内に所在することが分かった。携帯電話の場合、電源さえ入っていれば、常に微弱な電波を発している。その電波から、どこのアンテナがカバーしている地域にいるかが分かるのである。携帯電話の無線基地局は、およそ一・五キロ程度の間隔で設置されている。この技術を利用して、現在は社員の管理システムや、ナビゲーションシステムなどが開発されてきている。

念のために送受信記録も確認してみたところ、その番号の電話は今日も頻繁に使用されていることが分かった。かけている先はすべて同じ番号で、やはり携帯電話だ。こちらの番号については電源が切られているらしく、所在を確認することは出来なかった。しかもプリペイド式の携帯電話のため、所有者も確認が出来ていない。これは、熱海にある電話の方も同様である。

一方、受信記録については、今日は一度しか受信しておらず、それは昭島市内からかけられた有線電話だった。番号からたぐったところ、中田の娘が通う中学校内に設置されている公衆電話であることが分かった。その段階で、熱海にある携帯電話は、ほぼ間違いなく中田加恵子が所有しているだろうと結論が下された。滝沢たちは、すぐにでも熱海に駆けつけることになるのだろうと勇み立った。だが、上の方は「もう少し待て」と言った。

「無論、ことと次第によっては、前進拠点を熱海に置くことになるかも知れん。指示があり次第、早急に本部に戻ってくれ」

無線を通して吉村管理官の声を聞いたとき、滝沢は保戸田と顔を見合わせ、思わず舌打ちをした。何を待つというのだ。中田加恵子は熱海にいる。その熱海から、音道の預金が引き出されているのだから、迷う必要などないではないか。

「銀行の、ビデオの確認ですね」

隣の保戸田も、悔しそうに言う。

「その報告を待つしか、ないですよ」

「分かってるよ、そんなこたあ」

分かっている。捜査活動は常に組織で動くべきものだ。大所高所から全体の状況を把握している上司が「待て」と言うのだから、待つべきなのだろう。いや、そうするより他にないのだ。だが、それにしても焦《じ》れったい。

今、滝沢たちは、環状八号線沿いに点在する中古車会社を端から当たっていた。手にしているのは堤健輔の顔写真。本当は、電話の線から当たりたかった。だが、基本的には身体《からだ》を使う必要がなく、NTTに貼《は》りついていれば良い作業だけに、一番高齢と一番若造というコンビに回された。それも、上の指示だ。文句を言う筋合いはない。

それにしても中古車業者の数の多さときたら、改めてため息が出るほどだ。昨日から、優に五十人を越す捜査員たちが都内を駆けずり回っているのに、未《いま》だにすべてを当たり終えていない。

「さあ――覚えがないですけど」

環八を少し走ると、すぐに派手な色合いの「中古車売買」とか「即買い取り」などという文字が目に飛び込んでくる。その都度、車を停めて、安手のぎらぎらしたアーチや、風車のような装飾が施された埃《ほこり》っぽい車の並ぶスペースに足を踏み入れる。そして、ものの一分もしないうちに、そんな答えを聞くのだ。もう何度目か分かったものではなかった。それを聞く度に、苛立《いらだ》ちが募った。いつもの滝沢なら、この程度で苛々するものではない。そんなことでは、刑事などやってはいられないのだが、今度ばかりは違っていた。

「本当に？　堤っていうんですけどね、堤健輔。そういう名前にも、心当たりないですかね」

「ありませんね」

「ああ、そう。はい、どうもね」

足早に車に戻る度、つい口の中で「くそっ」と呟《つぶや》いている。どいつもこいつも、どうしてピンぼけの答え方しか出来ねえんだ。頭の中で、さらさら、さらさらという音が聞こえる気がする。

現在の特殊班に配属になって以来、滝沢はいつの頃からか頭の中に砂時計を思い浮かべるようになっていた。多分、娘が借りてきたアニメのビデオか何かで、そんなシーンを観《み》たことがあるのかも知れない。生命という砂が、さらさら、さらさらと真ん中のくびれたガラス容器の中を滑り落ちていくのだ。以来、子どもが帰ってこない、年老いた母がいなくなったと、そんな通報を受けて動き出す度に、滝沢は砂時計を思い浮かべ、今こうしている間にも、誰かの生命が消えつつあるのではないかと、ほとんど恐怖に近い感覚を抱くようになった。

それでも、これまで本当の意味で、その砂の落下を気にしなければならないような事態に行き当たったことはなかった。行方が分からなくなっていた人物はやがて見つかり、人騒がせなと言いながらも、その時点で、砂時計のことなど、すっかり忘れることが出来ていた。だが、今度ばかりは違っている。音道の生命が、さらさら、さらさらと少しずつ滑り落ちていく。その様子が思い浮かぶだけで、滝沢の呼吸は浅くなり、嫌でも息苦しくなった。

「畜生、好《い》い加減に見つかってくれよ」

つい独り言が出る。この苛立ちを鎮《しず》める方法は一つしかないと分かっていながら、当たり散らす何かが欲しかった。

「知らないっすね。こんな人。見たこと、ないっす」

何軒目に訪れたか分からない中古車屋で、まだ二十代に違いない「社長」という肩書きの男に言われた途端、その苛立ちが弾《はじ》けかかった。差し出した写真を大して真剣に見もせずに、銀の指輪が光る指先で写真をひらひらとさせた男を睨《にら》みつけ、滝沢は、思わず襟首でも摑《つか》みたい衝動に駆られた。

「ちょっと。もう少し真剣に見てくれねえかな」

「同じですって。で、何やったんすか、こいつ」

余計なことを聞くな、と言いかけたとき、保戸田が滝沢の背広を強く摑んだ。そして、滝沢の前に立ちはだかるようにして「本当に見ていませんか」などと言う。畜生。余計なことしやがる。相方の心遣いは有り難いが、癪《しゃく》に障《さわ》る。滝沢は、保戸田の肩を押しのけ、その社長とやらの指先から堤の写真をひったくって、礼も言わずにきびすを返した。背後で保戸田が礼を言っているのが聞こえた。

「何なんだ、あの態度は。人がものを尋ねてるっていうのに、ろくな口のきき方もしやがらねえで」

道路沿いに停めたままの車に戻るなり、滝沢は吐き捨てるように言った。後から小走りに追いかけてきた保戸田は、黙ってエンジンをかける。

「あんな態度で車が売れるのかよ。どっかから盗んできた車でもさばいていやがるんじゃねえだろうな」

「暇になったら、ちょっと突っついてやりますか」

「冗談じゃねえや。そんな暇なんか出来るもんか」

自分でも何を言っているか分からない。完璧《かんぺき》な八つ当たりなのだ。分かっている。こんな時こそ、冷静にならなければならない。分かってはいるのだ。

「何とかなんねえのかよっ」

つい、ダッシュボードの下を蹴《け》り上げた。ぼこりと鈍い音がして、つま先の痺《しび》れと嫌な沈黙だけが残る。ああ、たまらない。あとどれくらい、こんな思いをし続けなければならないのだ。いや、あとどれくらい、音道の生命の砂は残っているのだろうか。気まずい沈黙。保戸田の方から何か言ってはくれないだろうか。だが、何が聞きたいのだろう。下手な慰めでも言われたら、余計に腹が立つに決まっている。かといって他人事のように冷静なことを言われても、「てめえだって仲間だろう」とか何とか、言い返しそうだ。頭を掻《か》きむしりたくなる。後頭部に手を回しかけたとき、車載の無線機が鳴った。

〈警視庁から警視三四七〉

　この車のコールサインだ。滝沢は、飛びつくように無線機の送信マイクをとった。

「警視三四七どうぞ」

〈至急、戻ってくれ。音道の口座から金を引き出した人物が特定できた。中田加恵子に間違いない〉

「警視三四七、了解！」

　滝沢が送信マイクを戻している間に、保戸田はもう緊急走行用のサイレンを鳴らし、ハンドルを大きく切り始めている。身体が大きく左に振られて、灰色の風景が斜めに見えた。

「熱海ですね。絶対、音道刑事も熱海にいますよね」

　そりゃあ、まだ分からねえ、と言いかけた滝沢の耳に、「そうじゃなきゃ、困りますよ」という保戸田の呟きが届いた。ファンファンと、耳障りな音が響いている。前をふさぐ車がのろのろと車線をあける。そうだ。そうでなければ困る。滝沢は、ドアの上のグリップを握りしめ、いつの間にか歯を食いしばって前を睨みつけていた。

　午後四時二十分。急遽《きゅうきょ》、召集をかけられた特殊班の刑事たちに、吉村管理官は、さらに新しい情報をもたらした。関東相銀立川支店に照会したところ、御子貝春男が開設していた架空名義口座の金を引き出しにきた人物の一人が、井川一徳におそらく間違いないという証言が得られたこと、さらに、井川が所有する車のナンバーをＮシステム検索により当たったところ、井川の車はこの数日間、東京と静岡県内を往復していることが分かったというのだ。

「車は今朝、また都内に戻ってきている。この数時間はヒットしていない」

Ｎシステムというのは、一般の道路を走行している車両のナンバーを自動的に読み取り、記録する一方で、必要とするナンバーを瞬時にして照合することの出来るシステムのことである。全国の高速道路および主要幹線道路には、かなりの数、このＮシステムが設置されている。Ｎシステムの開発によって、手配車両などの発見は飛躍的に容易になり、また、それらの車両の運転者の確認、移動経路などもリアルタイムで把握出来るようになった。滝沢たちが「Ｎヒット」と呼ぶのは、予《あらかじ》めインプットしておいた車両のナンバーが、どこかのＮシステムにチェックされたという意味である。

「まだ断定は出来ないが、おそらく、熱海に連中のアジトがあると見ていいはずだ。井川の車両については、Ｎヒットし次第、発見、随時、通過地点を把握することになっている」

井川一徳という名前が、どこで出たのか思い出せずに、滝沢は少しの間、ぼんやりしそうになっていた。頭の中は中田加恵子と堤健輔のことでいっぱいだったからだ。手帳を覗《のぞ》き込んで初めて、「風呂敷画商《ふろしき》」という文字が飛び込んできた。ははあ、そういえば、そんな奴《やつ》の話が出ていた。殺しを請け負った組と、金を引き出した組が、ここで合わさったというわけか。

「だが、くれぐれも慎重にな。ここから先は、あくまでも隠密裡《おんみつり》に行動することが重要になる。何しろ、敵がどこにいるか分かっていないんだ。あんな観光地で一斉に動き出したら、嫌でも目立つだろう。ホシはどこから我々を見ているか分からない、それを肝に銘じて欲しい」

たしかに熱海のような観光地で、目つきの悪い男たちが背広姿でうろついていては、目立つことこの上もない。しかも、これから準備して向かうとなったら、嫌でも夜になる。浴衣《ゆかた》でそぞろ歩きのふりでもするか。

滝沢たちは大急ぎで本庁に戻り、準備に取りかかった。無線機、コードレスマイクやイヤホンなどの通信資機材は日頃から準備出来ているが、今回はさらに、赤外線カメラやファイバースコープ、デジタルカメラなどの撮影資機材を充実させる。投光器や変装用具など、あらゆる場面を想定して、洩《も》れのないように確認をとる。前進拠点となる、管理官が使用する特殊車両には、撮影したフィルムをその場で現像するために鑑識係員も一人、同乗することになった。さらに今回は、犯人がライフルを奪っていることから、滝沢たちも拳銃《けんじゅう》を携行することという指示が出た。否《いや》が応でも気持ちが高まってくる。今夜中にも、これを使うような事態が起こりうるかも知れない。

午後六時三十分、滝沢たちは五台の車に分乗し、鑑識も含めて十一人で熱海へ向けて出発した。霞《かすみ》が関《せき》のインターから首都高速道路に乗り、そのまま東名高速道路、小田原厚木道路を経由して、真鶴《まなづる》道路、熱海ビーチラインへと入る予定だ。つまり、熱海という土地は、一般道をほとんど使うことなく、渋滞さえなければ都内からノンストップで行かれる場所だった。

「今のうちに、髭《ひげ》を剃《そ》っておけや」

とにかく進むべき方向が見えてきたというだけで、滝沢の気持ちは幾分、落ち着きを取り戻していた。今度は自分がハンドルを握りながら、滝沢は相方をちらりと見た。

「何せ温泉町だ。こざっぱりしてなきゃ、変だろう」

そうですかね、と言いながら、保戸田は素直にシェーバーで髭を剃り始める。首都高は、夕方の渋滞が始まっていた。のろのろとしか進まない車の列の、前に連なるテールランプが、夕暮れの中で赤い色を滲《にじ》ませつつある。

「なんか、こう、ぐぐっときますね」

じょりじょりという音と共に顎《あご》を上に向けたり、そっぽを向いたりしながら、保戸田が言った。

「だんだん、気持ちが入れ込んでくるっていうか」

滝沢は思わず苦笑しそうになった。格好と言葉とが、まるで結びついていない。真面目《まじめ》なことは間違いないのだが、この空とぼけた味わいが、滝沢にとっては、ずい分と救いになっていると思う。ことに今回のようなヤマの時には、一緒にカリカリするタイプの刑事と組んでいたら、滝沢の血圧は簡単に二百を超えたことだろう。

「それにしても、風呂敷画商って、どういうんですかね」

「さあなあ。風呂敷持って歩く画商ってことだろうから、店を持たない画商、かな」

「詐欺《さぎ》のマエがある奴なんでしょう。どうせ、贋作《がんさく》かなんか売り歩いてるような仕事なんじゃないですかね」

「どっちにしろ、胡散臭《うさんくさ》いわな」

東京の街が、光を発し始めていた。醜く薄汚れた部分は闇《やみ》に閉じこめて、代わりにきらめくような無数の明かりが街を彩《いろど》る。

「奴らがまだ会っている、行動を共にしてるとすると、まだ何か企《たくら》んでいやがるかも知れねえな。それに、音道を利用するつもり、か」

ああ、そうかも知れないですね、と保戸田が頷《うなず》く。刑事としての音道を利用するつもりか、それとも女として利用価値があるのか。何かの片棒を担《かつ》がせるつもりなのだろうか。

ホシの仲間は、少なくともあと一人、井川と銀行に行った男がいるはずだ。その男の身元の割り出しは、現在、他の班が急いでいることだろうが、分かっているだけでも相手は最低四人ということになる。四人の男女が出入りしていても目立たない場所。普通の旅館やホテルとは考えにくい。やはりマンションか、または貸し別荘のようなところだろうか。

いずれにせよ、彼らにこちらの動きを察知されないことが何よりも重要だった。人質は、逃走の足手まといになった時に殺害される危険性が、一番高くなる。しかも、相手は大の大人だ。手に余ると思えば、すぐに殺すだろう。ホシは既に五人の男女を殺害している。逮捕されれば死刑は免れない。追い詰められて自棄《やけ》を起こせば、余計に音道は危険になる。

いつの間にか、辺りはすっかり夜になっていた。都心を離れて街の灯も少なくなり、道路は順調に流れ始めている。

「万事、無事に解決して、熱海で温泉にでも入れるといいんですがね」

保戸田の言葉に、滝沢は無言で頷いた。温泉なんて、もう何年も行っていない。それこそ十年ほど前までは、熱海へもよく行っていたものだ。数ある温泉地の中でも、もっとも馴染《なじ》み深い印象のある土地へ、こんなことで行くことになろうとは、思ってもみなかった。

2

夜気が、とろけるように流れている。その流れの中に沈んだまま、貴子は膝《ひざ》を抱き、見えない何かを捉《とら》えようとするかのように、落ち着きなく視線だけをさまよわせていた。胸が苦しい。手錠をはめられたままの手で顔を覆《おお》うと、震えながら吐く息が、手のひらを暖める。

やめて、と小さな声が聞こえた。まただ。貴子は思わず目をつぶり、絶望的な気分で、自分も顔を覆ったまま、「やめて」と囁《ささや》いた。一体、いつまで続けるつもりだろうか。

加恵子の愛人が帰ってきたのは、辺りが暗くなってしばらくしてからだ。彼は部屋に入ってくるなり、ものも言わずに土足のまま貴子の二の腕を一度蹴り、貴子が痛みに顔を歪《ゆが》めている間に奥の部屋へ進んだ。その直後、加恵子の小さな悲鳴が聞こえた。

「何なんだよ、あの電話！」

男の声は、決して大きくはなかった。だが、押し殺しているだけに不気味さが増した。両腕を胸の前に引き寄せ、身体《からだ》を縮めたままの姿勢で、貴子は奥の様子を探った。

明らかに叩《たた》いているらしい音が、一度、二度と聞こえた。

「何回も何回も、同じようなことばっかり言いやがって」

「だって――」

加恵子の言葉を遮るように、また叩く音。

「ごめんなさい、ごめんなさい、だって、心配だったのよ――」

それから男は「こっち、来い」と言いながら加恵子の腕を引っ張って、部屋を出ていってしまった。彼らが目の前を通過する時、貴子はまた蹴られるのではないかと、頭首をすくめ、身体を縮めた。やめなさいよ、どうして殴るのと言いたかったのに、頭では思い浮かんだそれらの言葉は、貴子の中で完全に凍りついていた。その直後から今に至るまで、ずっと貴子の耳には微《かす》かな悲鳴と、男が何か言っているらしい声だけが聞こえてきているのだ。暗くなって、時計が見えないから時間の経過は分からない。だが、少なくとも一時間以上は、続いていると思う。

もう、堪忍《かんにん》して。悪かったわ。謝るから。お願い――。

男の声は低くくぐもっていて、何を言っているのか聞き取れない。ただ、その語気が荒いことだけは分かった。そして、繰り返される加恵子の哀願だけが、時折の悲鳴と共に聞こえてくるのだ。

――何ていうこと。

心のどこかでは、そんなことだろうと思っていた。加恵子がしつこく留守番電話にメッセージを入れ続けている間、これを聞いた相手はさぞかし苛立《いらだ》つことだろうと思ったことも確かだ。いずれにせよ、ろくでもない連中なのだ。どんな目に遭おうと知ったことではないという気持ちもあった。だが実際に、加恵子が暴力を振るわれているらしい音は、貴子を想像以上に怯《おび》えさせ、恐怖を呼び起こした。たった一度、蹴られただけなのに、貴子の二の腕にはまだ痛みが残っているし、顔の痛みも完全に引いたわけではない。それなのに、加恵子はその何倍の痛みを味わっていることだろうか。果たして自分なら耐えられるものか、それを考えると、身動きもままならなくなる。

どん、と何かにぶつかるような音が響いてきた。貴子の想像の中では、それは、加恵子が壁に叩きつけられる音に聞こえた。そしてまた、お願い、という声。こんな声を聞かされるくらいなら、まだ睦《むつ》み合っている声でも聞かされる方がましだ。貴子は祈るように両手を組み合わせ、目を固く閉じた。あの暴力が、いつ貴子に向けられるかも分からない。この状況で自分の身を守るためには、どうすれば良いのだろうか。たとえ今、何かのはずみにこの鎖が切れて、逃げ出すことが可能になったとしても、絶対に相手の手が及ばない逃げ方をしなければ、とんでもない目に遭わされる。

——早く、助けに来て。早く。

祈るより他に出来ることがない。情けないと思う、腹立たしいことは間違いがないが、それよりも、心細さと悲しみの方が勝ってきている気がする。貴子だって涙を流して、「助けて」と口に出して言ってみたい。だが、泣いたところでどうなるわけでもないことは、自分がいちばんよく承知している。

それからもしばらくの間、時折、加恵子の声が聞こえてきた。だが貴子は、もう意識的にその声を聞くまいと自分に言い聞かせることにした。耳をふさいでしまうと、闇の中でさらに不安が募るから、ひたすら他のことを考えて過ごすことにする。昂一《こういち》のこと。出会ってから今日までの月日のこと。彼から贈られた椅子《いす》のこと。ああ、またあの椅子に座り、窓からの風に吹かれて過ごすことが出来るだろうか。このまま、もう二度と戻れないことになったら、あの部屋は誰が整理することになるのだろう。

——私が死んだら。

ふいに、背中と二の腕を恐怖が這《は》い上がった。死ぬかも知れない、殺されるかも知れないという思いが、突然、大きく膨れ上がって、闇と共に貴子を覆い尽くし、押し潰《つぶ》そうとする。死ぬ。ここで。まさか。絶対に生き残ってみせる、ここから無事に抜け出してみせる。だが何度、自分に言い聞かせても、貴子はどうしても悲観的な場面を思い描き、息苦しさを覚えた。

――やめて。助けて。

闇の中で目を凝らし、貴子はひたすらその闇に向かって囁いた。

これまで、多少の危険は覚悟していると口では言いながら、現実には、明日のことなど心配して暮らしたことはなかった。こんな闇の中に取り残されたことはなかった。遠くから靴音が聞こえてきた。それだけで全身に電気が走るように感じる。貴子は息を殺し、気配を探った。やがてドアが開かれ、昨日と同様のライターの火が見えた。その火の向こうから、「あれ」という声がする。それも、昨日の男の声だ。年上の方。

「堤は」

貴子は顎をしゃくるようにして首を巡らせ、背後の壁を示した。あの男の名前がようやく分かった。堤。堤健輔。死んでも忘れない。

「それじゃあ、分かんねえよ。どこにいる」

「だから、向こうの部屋」

「何、してるんだ」

「知るわけ、ないわ」

「女は」

「一緒」

何をどう答えても、次の瞬間には殴られるのではないかという恐怖がある。そんな程度のことで怖がってたまるかと思うのに、痛い思いはしたくない、もうたくさんだという気持ちの方がどうしても勝ってしまう。

「何、してんのかね」

もう一人、若い方の男の声が聞こえた。この二人は、いつも行動を共にしている。親しい友人なのだろうか。

「また、やってんのかな」

「しょうがねえな。急に覗くってわけにもいかねえし。おい、電話で呼べや」

ライターの火が揺れる。やがて、若い方の男の声が「もしもし」と言った。

「お楽しみのところ、すまないがね。ちょっと出てきてくんないか。ええ？　隣の部屋だって。ああ、今、来たところだ」

それだけ言って電話を切る。貴子は顔を背けた姿勢のまま、視線だけを男たちに向けていた。ものの一分もたたないうちに、隣の部屋の扉が開く音がした。「よう」という声は、さっきまでの堤の声とはまるで異なる、快活この上もないものだった。

「好きだねえ。よくもまあ、そうしょっちゅう、やってられるもんだ」

「あいつがさ、我慢できないとか言うんだよな。もう、すげえんだから」

そして男たちは、くっくっと含み笑いのような声を出した。貴子は、吐き気さえ催しそうになりながら、ライターの火の向こうに浮かび上がった堤の顔を盗み見ていた。口元の薄笑い。余裕たっぷりといった、ふてぶてしいまでの目つき。

「で、どうだった」

「今のところは予定通りだ」

「どっか出かけたりは、しねえかな」

「家に電話して確かめた。女房らしい女が出たんで、それとなく聞き出してみたんだが、一応な、明後日《あさって》は夕方から出かけることになってるとかいう話だった」

話しながら、一番年かさの男が、ちらりとこちらを見た。反射的に視線を逸《そ》らして、貴子は出来るだけ知らん顔をしていた。

「ガキは」

堤が短く尋ねる。

「一人は留学中だし、もう一人は、どうやら一緒に住んでる風がない。ベランダの洗濯物を見てみたが、若い娘っこの着そうなものは、干されてなかった。もしかすると一緒に住んでないのかも知れんし、その辺は心配いらんだろう」

「マジかよ。この前みたいに、関係ない奴《やつ》まで巻き込むってのは、俺だって嫌なんだからな」

「だからって、何も殺すこたあ、なかったんだぞ」

しっ、と会話を鋭く制する音がした。そして、今度は三人の視線がこちらに向いた。

貴子は大きく息を吸い込んで、出来るだけゆっくりと吐き出した。動揺している、怯えている、そんな素振りは出来るだけ見せたくない。こちらが怖がっていると分かれば、相手は一層、攻撃的になる。

「今さら隠すこともねえだろう。もう、とっくにバレてんだしさ」

堤が薄ら笑いを浮かべたままで言った。

「若松のことだって、この女は見てんだ。なあ？」

貴子の中で、記憶の彼方《かなた》にあるシーンが蘇《よみがえ》った。頭が痺《しび》れていた。手足が自由に動かなかった。加恵子以外、誰もいないと思ったのに、奥の部屋から堤が顔を出した。

どす黒い血の海が広がっていた。堤は――ライフルのようなものを持っていた。今も、あの銃を彼らは持っているのだろうか。だとすると、余計に逃走の機会はなくなるということだ。下手をすれば人差し指一本で、貴子はこの身体に穴を開けられ、脳味噌《のうみそ》を吹っ飛ばされる。

「とにかく、色々と相談しなけりゃならんことがある。決めておかなきゃならんこともあるしな」

「だったら、ちょっと出ねえか。俺、腹減ってんだよな。何かうまいもん、食いたいんだよ」

堤が、いかにも楽しそうな口調で言った。

「どうせ、ここじゃ暗くて、地図も満足に広げられねえだろう？　何か食いながらにしようよ」

後から来た二人の男は、自分たちは軽く食べてきたのだが、などと言いながら、結局、居酒屋にでも行こうかと相談を始めた。貴子は急に自分が空腹だったことを思い出し、一層情けない気持ちになった。一日中、ただ座っているだけでも、体力は激しく消耗している。空腹感は時折、嵐《あらし》のように襲ってくる。今日になって何度目か分からない、その嵐が、男たちの会話によって呼び覚まされた。

「彼女も、行くんだろう？」

「加恵子？　あいつは、いいよ。今は疲れて寝てるはずなんだ」

「腰が立たねえってか」

また野卑な含み笑いが広がった。それから堤は、一応、声だけはかけていくかと言いながら、貴子の視界から消えた。わざとらしいほど柔らかい声で、「ねえ、加恵ちゃん」と呼びかける声がする。

「起きてたけど、何か、買ってきてくれってさ。見張りがいなくなるのもまずいだろうから、自分はここに残るからって」

少しして、再び堤が姿を現した。口元には相変わらず薄笑いを浮かべて、片手でしきりに長めの髪を掻《か》き上げている。

「まあ、逃げるってえのは不可能だけどな」

「そういえば、どうだった、サツの方」

「動いてねえみてえだな。やっぱり、昨日の電話を信じてるんだろう」

部屋の入り口にたまっている視線が、また一斉にこちらを向く。貴子は唇を嚙《か》み、視線を虚《うつ》ろにさまよわせていた。そう思っていてくれるうちが、自分の生命が保証される期間だという気がする。警察が動き出したと分かったら、彼らは当然のことながら慌《あわ》て始めるに決まっている。そして苛立ち、貴子の始末に困り、いっそのこと殺してしまおうという結論に達するかも知れない。昨日、貴子は二、三日ほど休むという言い方をした。今日か明日にでも救出してくれなければ、貴子は本当に覚悟を決めなければならなくなる。

「サツも、意外に間抜けなんだな」

「そりゃあ、証拠がないんだ。本人が休むって言ってんだから、それを信じるより他、ねえだろうよ」

そんなことを言い合いながら、彼らはどやどやと貴子の視界から消えていった。今度は、ドアを開け放したままだ。これまでよりも、ずっと明瞭《めいりょう》に遠ざかる靴音が聞こえた。廊下を進む。階段を下り始めた。時折、低い声で何か言葉を交わしているらしいのが響いてくる。そして、また階段を下りる。やがて、静寂が戻ってきた。

——三階以上。

ずい分、大きな建物のようだ。靴音からしても木造の家屋ではない。つまり、和風旅館などではないらしいということだ。一体、ここはどこなのだろうか。こんなに大きな廃屋が放置されている場所。やはり、辺鄙《へんぴ》な片田舎なのか。だが、彼らはいかにも気軽に居酒屋にでも行こうと話し合っていた。つまり、飲食店が近くにあるということではないのか。

空腹を抱え、神経を尖《とが》らせながら、貴子は必死で考えを巡らせた。奥の部屋を覗《のぞ》くと、真《ま》っ暗闇《くらやみ》のようではあるが、窓辺の天井には青白い光が弱々しく届いている。やはり、光は下から射《さ》し込んでいる。ここは上の階なのに違いない。二階以上なら、飛び降りることも不可能か。

——説得するなら、加恵子しかいない。

それにしても、今さっきの男たちの会話から察すると、彼らはまた何か新しいことを企《たくら》んでいる様子だ。明後日、また何かが起こる。下手をすると、また死人が出る。何とかして、それだけでも阻止できないものだろうか。だが、貴子自身の生命まで賭《か》けて、阻止など出来るものか。新しい犯行を食い止めても、自分が死んでは元も子もないのではないか。そんな考え方は、警察官としてあるまじき思考なのだろうか。だんだん自分が分からなくなりそうだ。助かるためなら、何でもしようとしているような気がする。それが、果たして正しいことなのか間違った選択なのかも、よく分からない。いや、考えられない。

——時間がない。早く、助けに来て。

誰にでも良いから、そう叫びたかった。貴子は闇を睨《にら》みつけ、膝《ひざ》を抱く腕に力を込めた。苛立《いらだ》ち。焦《あせ》り。絶望感――落ち着くべきだと分かっていても、感情をコントロール出来なくなりそうな自分がいる。どうして自分が、こんな目に遭わなければならないのだ、どうして自分が、こんな思いをしなければならない。どうして、どうしてという思いは容易に怒りに変わり、あの憎らしい星野の顔が思い浮かんでくる。元はと言えば、あんな男と組まされたのがすべての始まりだった。デスク要員は一体何を考えて、よりによって星野などと貴子を組ませたのだろう。刑事の性格や素質など、恐らく何も考えていないのに違いない。だから、所詮《しょせん》はお役所仕事だなどと言われる。右から左へ流すだけ。頭を使わないから、こんなことになる。指示すべき立場にいる者が馬鹿《ばか》なのだ。

それに、機捜の大下係長だって馬鹿だ。貴子を捜査本部などに派遣しなければ、こんなことにはならなかった。八十田が行きたがっていたのに。彼ならば、たとえ星野と組もうとどうしようと、こんなことにはならなかった。そうだ。八十田も八十田で はないか。自分が行きたければ、もっと強く主張すれば良かったのだ。上司の言うことがいくら絶対だとはいえ、本部側から貴子が名指しされていたわけではないのだから。普段の彼なら、思ったことを言う方が多いのに。

――最低。最低。最低。

誰に怒りを向ければ良いのか分からなかった。本当は、迂闊《うかつ》だった自分自身をこそ、もっとも怒るべきだという気もする。それは、頭の片隅では分かっている。だが、その報いは、こうしてちゃんと受けている。

気がつくと、自分でも驚くほどの大きさで、意味もない雄叫《おたけ》びのような声を上げていた。これ以上、闇の中に放りっ放しにされるのに、もう耐えられそうにない。

「いるんでしょうっ、聞こえる？　中田さん！」

鼓動が速まっている。苛立ちが涙になって目に沁《し》みる。それを拭《ぬぐ》おうとする手のざらつきも不愉快だった。どこもかしこも埃《ほこり》まみれになって、飢えて、渇いて、こんな惨《みじ》めな思いをしなければならない、一番の原因は、あの加恵子ではないか。

「返事くらい、しなさいよっ！　そうじゃないと、大声を出し続けるわよっ。この部屋は窓が開いてるんだから。叫び続ければ、きっと外まで聞こえるんだから！」

ストッキングの足で、床を踏みならした。いつの間にか足の裏まで伝線しているらしい。ぺたりと直に床に触れる箇所がある。貴子は身体《からだ》を捻《ねじ》り、今度は手錠をはめられたままの両手で壁を叩《たた》き始めた。だん、だん、と腕が壁を叩くごとに、脳味噌が震える。

「聞こえてないはずがないでしょうっ。中田さん！」

嗚咽《おえつ》が洩《も》れそうになりながら、もう一度怒鳴ったとき、開け放たれたドアの向こうから、がたん、という音が聞こえた。加恵子の独特の足音が聞こえてくる。貴子は壁を殴る手を休めて、闇の中で音のする方を向いた。

「——聞こえてるわよ」

やがて人の気配がして、加恵子の声が聞こえた。顔は見えない。だが、絞り出すようなかすれた声だ。彼女はのろのろと部屋に上がり込んでくると、そのまま貴子の前を通り抜けようとした。反射的に、貴子は闇に飛びかかった。確かな手応《てごた》えがあった。足を覆《おお》うジーンズの感触が手に触れる。両手を自由に使えないから、そのジーンズの余った部分を強く摑んだ。途端に「痛いっ」という悲鳴が上がった。それでも貴子は、手を緩めなかった。加恵子が憎い。こんな服でも何でも良い、切り裂いてやりたい。

「やめてっ。痛いったら！」

加恵子の足には驚くほど力がこもっていなかった。貴子が強く引くと、そのまま簡単に崩れ落ちてしまう。ごん、と鈍い音がして、彼女が床に手か膝を突いたのが分かった。貴子は再び手探りで、今度は加恵子のポロシャツを握りしめた。

「私を、ここから出すのよ。あいつらがいない間に、早く！」

「やめてったら。痛い、痛いから！」

加恵子の声は完璧《かんぺき》に震えて涙を含んでいた。貴子は、服は強く握っているが、別段、彼女の身体に拳《こぶし》を押しつけているわけでも何でもない。

「お、願い——触ら、ないで」

あえぐような声が途切れ途切れに聞こえた。怒りに渦巻いていた貴子の頭が、一瞬、冷静さを取り戻した。はあ、はあ、と震える呼吸が聞こえてくる。それに続いて、鼻をすする音。貴子は自分のすぐ目の前にあるに違いない加恵子の顔を探した。両手を少しずつ移動させる。加恵子のシャツの襟。首。緊張しているのか、筋がぴくぴくと動く。顎《あご》。頰——熱い。腫《は》れているらしいのが、触っただけでも分かる。涙。

「——南京錠《なんきん》の鍵《かぎ》は、井川さんが持ってるのよ。それに、たとえ鍵があったとしても、あんたを逃がしたりしたら、私が——殺される」

加恵子の言葉が闇の中に広がった。

貴子は、その闇をただ見つめていた。その時になって初めて分かった。自分だけではない。目の前にいるに違いない、この加恵子だって、ほとんど人質と同じなのだ。

「こんな目に遭ってまで、どうして一緒にいる理由があるのよ」

新たな怒りがこみ上げてきた。そうだ。加恵子が受けていた暴行は、貴子が受けたものの比ではない。何分にも、何十分にもわたって、彼女は全身を痛めつけられているのに違いなかった。

「私が——怒らせたのが悪かったのよ」

やがて、絶望的な呟《つぶや》きが聞こえた。

「な——何、言ってんの。だって——」

「私が悪かったの！　健輔は、あの子は悪くないっ」

一瞬、すべての感情が、底の抜けた自分という肉体からこぼれ落ちていったような気がした。もう、何か感じたり、考えたりすること自体が嫌になりそうだ。悪いのは私なのよと言いながらすすり泣く加恵子の声を聞きながら、貴子は、思わず自分の頭を抱え込んだ。

3

午後十時を回った頃、滝沢たちはそれぞれ浴衣《ゆかた》や普段着姿で旅館を後にした。銀行の防犯ビデオを確認に来た先発の捜査員が予《あらかじ》め借り受けておいた小さな旅館は、熱海駅にほど近い坂道の途中にある。そこから旅館の下駄を引っかけて、いかにも呑気《のんき》な風を装《よそお》いながら、夜の街を歩く。

午後七時過ぎ、井川一徳の車がNヒットしたという連絡が入った。東京都国分寺市西恋ヶ窪《こいくぼ》の府中街道から始まって、国立市内の国道二十号線を経由し、中央自動車道石川パーキングエリアを通過、その後、八王子バイパス御殿山料金所でNヒット。最後にヒットした地点は、神奈川県小田原市早川の西湘《せいしょう》バイパスから真鶴道路に入る地点だという。追尾については、万に一つも井川本人にこちらの動きを察知され、その上で失尾した場合、音道に危険が及ぶ可能性があることを考えて、行っていない。

さらに、午後八時半過ぎ、中田加恵子が所有していると思われる携帯電話が再三、連絡を入れていた番号の電話が、ようやく電波を発した。ちょうど滝沢たちが熱海に到着するかしないかの頃だった。その時点では、二つの電話は極めて近い地点から微弱な電波を発し続けていたが、数分後、そのうちの一つが移動を始めた。

「だが、やはり熱海にいる。こちらの中継アンテナがカバーしている地域だ。かけてきた相手も携帯電話で、同様に熱海だ。その番号についても現在、確認中。つまり、井川も熱海に来ているとすると、やつらはお互いに連絡を取り合いながら、この界隈《かいわい》を移動しているということになる。電話が発信している場所の近くに、車を停めている可能性もあるだろう」

午後九時半、吉村管理官は、まず旅館の一室に捜査員たちを集め、今後の捜査方針の確認を始めた。

「これで三本の電話番号が分かったことになる。それがくっついたり離れたりしてるわけだ」

旅館は古い木造の建物だった。懐《なつ》かしさを覚える黒光りする柱や、飴色《あめいろ》に変色した天井、障子の桟も郷愁を誘うし、天井から下がっている白熱灯は、いかにも年代物らしい磨《す》りガラス製の笠《かさ》に包まれて、黄色く柔らかい光を投げかけていた。片隅に螺鈿《らでん》の施されている座卓は、漆の剝《は》げかかった箇所もあった。部屋の片隅には姫鏡台。床の間には額紫陽花《がくあじさい》が一輪だけ活《い》けられていた。まるで昭和三十年代の映画にでも出てきそうな光景だ。吉村管理官が大きな座卓の上に熱海の市街地図を広げ、海沿いのある地点を指す。

「中田のものと思われる携帯電話が電波を発している地域は、ここの中継アンテナを中心とした、この辺りだ。田原本町、春日町、そして、東海岸町などがカバーされている。そして、もう一つの電話は、現在、この地域にある。銀座町、中央町、渚《なぎさ》町などの地域だな」

指示棒代わりにボールペンの尻《しり》で、管理官は二つの地点を次々に指す。熱海は急《きゅう》峻《しゅん》で入り組んだ地形が多く、また観光地として人が密集する地域でもあることから、携帯電話の中継アンテナは都内とあまり変わらないくらいに密に設置されているという。管理官が指したアンテナは、それぞれ、およそ半径七百メートルほどの地域をカバーしていた。その範囲内に、中田加恵子と、少なくとももう一人がいる。

「この、中田がいると思われる地域はホテル・旅館街ですが、最近になって東海道本線が走っている方向、つまり、高台の方から徐々にマンションなどが増え始めています。リゾートマンションもあれば高齢者向けのマンション、ごく普通のマンションもあるという具合ですね。つまり、人口が密集している地域ともいえると思います」

先発隊の刑事が管理官に代わって説明を始めた。滝沢たちは、座卓の四方八方から、その地図を覗き込んだ。

「ただ、不景気とは聞いていましたが、想像以上の様子なんです。廃墟《はいきょ》になってる旅館やホテルが結構多くて、ざっと調べたところでも、ホームレスが入り込んで火災が起きたことや、十代の連中が中で騒いでいたこともあるということでした。それだけに、建物の管理者には、外から建物内に入り込めないように、窓をふさいだり建物の回りに囲いを巡らすなどの対策を講じるように、厳重に申し渡してあるそうですが、それでも、地元に管理者がいるとは限らないので、その気になれば、入り込めないことはないでしょう。そんな建物が、一つや二つじゃないようです。無論、地元の消防の方でも、見回りは怠らないようにしているという話でした」

なるほど。滝沢は思わず腕組みをして、その地図を見つめていた。確かに、熱海の街にたどり着いた時にも、意外な気がしていた。以前は夜景の素晴らしさをうたわれて、特に海岸沿いの道は、日本有数の観光地らしく、きらびやかな照明がずらりと続いていたはずなのに、久しぶりに訪れた街は、どことなくひっそりとして闇が深かったのだ。

「一方の、もう一つの地域は、いわゆる歓楽街で、スナックやバー、居酒屋などが並んでいます。こちらの方も景気は今ひとつという話で、やはり廃屋になっている建物が少なくありません。ただし、旅館などの建物に比べればスケールは小さくて、せいぜい三階建てどまりという感じでしょうか」

銀行で防犯カメラのビデオを確認した後、彼らは彼らで忙しく動き回っていたのだろう。半日足らずの間に、熱海の事情を大分、頭に叩き込んだようだ。

「とにかく今夜は、井川の車の発見と内偵からだな。平日ということもあるし、それだけ不景気なら、夜の街をそぞろ歩きするような観光客は、そうはおらんかも知れん。ただでさえ目立つから、その辺を十分に注意して欲しい」

そして滝沢たちは、それぞれに担当を割り振られ、変装してから、地元の観光地図を懐《ふところ》に、ワイヤレスのイヤホンや無線機を装着して街へ出た。着替えをする間も、何か話すものはいなかった。誰もが緊張の度合いを高めつつある。いよいよ犯人に近づいてきている、一刻も早く音道を救出しなければならないという思いが、否応《いやおう》なく気持ちをはやらせ、無駄口など叩いている余裕を奪う。

滝沢と保戸田とが割り当てられたのは東海岸町で、お宮の松を中心とした海岸沿いの道から熱海駅へ上る界隈だった。歓楽街へ向かう連中は浴衣に着替え、その他の者は、普段着になる。印象に残らないように、闇《やみ》に紛れて見えるような地味なシャツなどを着込んで、素足に下駄を履く。宿でくつろいでいたが、夜ちょっと買い物へ出てきたという雰囲気に見せるための工夫だった。

「のんびり歩かなきゃならないっていうのも、苛々《いらいら》しますね」

下駄の音を響かせながら坂道を下りる時、保戸田が言った。滝沢は小さく頷《うなず》き、それにしても、と辺りを見回した。確かに人の姿が少ない。十一時近いとはいっても、熱海の夜だ。誰もが寝静まるには早すぎる。こうして歩いていれば、それぞれの宿からは歓声などが聞こえてきても良いはずだし、窓の明かりが、もう少し辺りを照らしていても良いはずだと思う。それなのに、全体にひっそりとしていて、何とも寂れた雰囲気が漂っている。

「急ごうがどうしようが、人なんか見てやしねえって気がするがな。それに、この下駄じゃあ、そうそう早くなんか、歩けやしねえや」

第一、ポロシャツの下には防刃防弾《ぼうじんぼうだん》チョッキを着ている。窮屈で暑い上に、朝から穿《は》きっ放しのステテコだって、汗をたっぷり吸ったままだ。海からは、湿った風が上がってくる。二人の下駄の音は、ひっそりとした界隈に虚《むな》しく響いた。

「入り組んでるんですね。こっち、行ってみますか」

坂道の途中に小さな曲がり角があった。覗き込んでみたが、街灯もろくに立っていない、奇妙に曲がりくねった細い道が続いているばかりだった。この辺りは、こうなのだ。車が通る広い道だって傾斜はきついが、その隙間《すきま》を、ただ一軒の別荘にだけ続く小道が通っていたり、急に階段があったりする。

「その先に、車が停められるような場所があると思うか」

「分かりませんけど。どこかにつながってることは確かでしょう。広い道に沿って建ってるのは大きな宿ばっかりでしょうし、泊まり客以外の駐車スペースだって、そうはないだろうから」

そう言われれば、その通りだ。とにかく、この地域をくまなく歩かなければならない。それにしても、こういう地形の場所を歩くのには、下駄はいかにも不便だった。

それでも滝沢たちは、路地という路地を曲がり、坂も階段も、すべてを歩かなければならない。

カーブしながら上っていく小道の右手に、いかにも歳月を感じさせる家があった。昔からの金持ちが所有する別荘か、数組の客しかとらない旅館といった風情《ふぜい》だ。板塀が続き、塀の上からは大きく育った松が、黒々とした枝を広げている。もしかすると、ここにいるかも知れないと思う。一軒ずつ、声をかけて歩くことが出来たら、どんなに良いだろう。

「人が、いるんですかね。門灯がついてますから」

「防犯のためかも知れねえしな」

左手には空き地があった。以前は建物があったに違いないが、何かの理由で持ち主が手放したのだろう。その証拠に、ところどころに塀だけが残っている。

「熱海に別荘なんて、優雅ですよね」

「それを維持し続けてる連中っていうのは、少ないんじゃないか」

「そうだろうなあ。でも、今の時代じゃあ、熱海に別荘があっても、あんまり金持ちだとは思われませんかね」

「どっちにしたって、俺らには無縁だ」

小声で言葉を交わしながら、今度は下り坂になった道を歩く。未舗装の道には砂利が敷かれていて、下駄の歯が小石を踏みつける音が、時々ぎしっと嫌な音に変わった。坂道を利用して建てた、平屋だか二階建てか分からない家がある。ひっそりと静まり返っているが、窓の向こうにはぼんやりとした明かりが見えた。やはり、旅館か民家か分からない建物があり、また小さな旅館がある。続いて、鈍い光を放つ金属板を周囲に巡らした建物があった。和風旅館らしい看板が掲げられてはいるが、入り口は鉄板と有刺鉄線が塞《ふさ》ぎ、朽ちかけている看板よりも大きく、管財人の名前と東京の市外局番を持つ連絡先が記されていた。かなりの老舗《しにせ》に見える、かつては豪壮な構えの宿だったのだろうに、今となっては見る影もない。夜の闇に、ただ巨大で惨《みじ》めな姿をさらす、本物の幽霊屋敷のような不気味さだ。そして、急な石段。奈落の底へ落ち込むのではないかと思うほど、その向こうは暗い。久しぶりの下駄履きで階段を下りるのは、なかなか難しいものがある。滝沢は突き出した腹の上から、注意深く足もとを見下ろしながら、そろりそろりと石段を下りた。

左右にそれぞれ大きな建物が建っている。片方は手入れが行き届いていて、比較的新しく見え、庭にも照明があるようだ。建物の明かりは全体に及んでいて、いかにも人の気配が感じられる。それに対してもう片方は、積み上げられた石垣そのものも古そうで、やはり松の枝が夜空に広がっていた。階段の上からずっと続いていた、既に閉鎖された和風旅館がまだ続いているらしい。

「こっちがいくら立派でも、目の前がお化け屋敷みてえじゃあ、今ひとつだな」

「壊すわけにも、いかないんですかね」

「利権が入り組んでるんじゃねえか」

ひそひそと言葉を交わし、辺りを見回すときは転げ落ちないように立ち止まって、また足もとを見ながら階段を下りる。段差の大きな、決して歩きやすい階段ではなかった。やはり、明日は靴で来るべきだ。熱海は坂道だらけだということくらいは記憶していたが、実際に歩いてみると、それが実感された。

階段を下りると、また路地が続く。人の声どころか、物音一つしない。いや、さっきから続いているモーターのうなりだけは、どこからか、ぶーんと低く響いていた。傾斜のきつい小道の脇《わき》には何本もの鉄パイプが走っていて、それぞれが、どこかの旅館に続いているのだろう。見上げれば、道を横切る電線には植物の蔓《つる》が絡《から》みついていた。路地に迫った建物の壁も、同様にツタか何かで覆《おお》われている。建物によっては、今でもちゃんと機能しているに違いないのだが、こうして建物の谷間のような路地を歩いている限り、かつての熱海を知っている滝沢にとっては何とも淋《さび》しい、情けない風景といわざるを得なかった。

「これだけ廃屋が多かったら、絞り込みも難しいですよ」

「こんなにひどいとは、思わなかったな」

互いに囁《ささや》くような声で言葉を交わしながら、とにかく辺りを見回す。

「滝さん、あれ」

下っては上り、上っては下っていた小道が急に途切れたとき、目の前に広い空間が見えた。保戸田に呼ばれるまでもなく、滝沢も意外な思いで、そのぽっかりと開けた場所を見渡した。広場の向こうの山側には、夜目にも新築らしいと分かるマンションが何棟か、居丈高なほどにそびえ立ち、窓々から光を洩《も》らし、滅びゆくかつての温泉歓楽街を見下ろしているように並んでいる。そのマンションの下手に、まるで、戦後間もない頃に見かけた弾薬庫跡のような、ブロックで仕切られた洞穴型の場所が、その形の大半を失って、崖《がけ》に貼《は》りついていた。

「取り壊された跡だな。ここにもホテルか何か、建ってたんだろう」

その広い空間を歩き回りながら、滝沢は辺りを見回した。地面にもコンクリートが打ちっ放しになっているところがある。水道管やガス管らしいものが中途半端《はんぱ》に顔を出しているところもあった。兵《つわもの》どもが夢の跡——そんなひと言が思い浮かぶ。この闇の中で眺めても、何とも情けない光景なのだから、昼間見たら、もっと悲惨かも知れない。

「滝さん、こっち」

少し離れて歩き回っていた保戸田が手招きをした。近付いてみると、かなり古いひび割れたアスファルトの上に、剝げかかった文字でⒽと読みとれるマークがあった。

「ヘリコプターで、こんな場所まで来てた人がいるんですかね」

「いたのかもな。バブル長者みたいなのがさ」

「優雅だよなあ」

思わずため息混じりに保戸田が言った。今の段階では、誰もが勝手に車を停めているらしいスペースだった。そして、そこには四台の車が停まっていた。相模ナンバーが一台に、静岡ナンバーが三台だ。手帳を取り出して確認するまでもない。井川の車は品川ナンバーのはずだった。それでも一応、保戸田には、ナンバーのすべてを控えさせる。犯人が、こちらで車を借りていないとも限らないし、地元の一人が犯行に加わっている可能性だって考えられる。

「あっちから抜けると、車で下まで下りられるわけですね」

番号を控え終えた保戸田が指さしたとき、坂道を男の二人連れが歩いてくるのが見えた。思わずどきりとなって、どう知らん顔をしようかと思っていたら、仲間だった。彼らも一瞬、身構えた様子になり、相手が滝沢たちだと分かると、口元だけで小さく笑って通り過ぎる。つまり、その坂道よりも向こうは、彼らが見て歩いているということだ。

「引き返すか」

保戸田に声をかけて、滝沢は空き地になっている場所を横切った。そういえば、すぐ目の前の建物も、驚くほど暗いと思ったが、どうやら廃屋のようだ。塀の上には有刺鉄線が巡らされているが、その向こうの窓ガラスは多くが割れていた。七階か八階建てだろうか、各階の非常出口もガラスが割れ落ち、さらに仔細《しさい》に眺めまわしてみると、排気ダクトの上が黒くすすけている。滝沢は、その建物を回り込むように、脇の階段を下り始めた。

かなり大きな建物だ。相変わらず、ぶーんというモーター音以外は、何も聞こえない。街灯さえない道は、恐怖を感じる以前に先を見通すことさえ難しかった。ポケットライトは持っているのだが、もしも、犯人のアジトが傍にあるとすると、こんな時間に懐中電灯を持って歩き回る人間を警戒しないとも限らない。滝沢たちの姿を消してくれる闇は、犯人たちにとっても味方になっている。

――この辺にいるのか。いるのなら、何か合図でも出来ないものか。すぐ傍まで来ている。それは間違いないと思うのだ。それなのに、闇に阻《はば》まれている状況が歯がゆかった。小さな道を抜けているうちに、海岸に近い広い道に出てしまった。緩やかに弧を描いて、熱海の街が広がっている。その道の向こうに、広い駐車スペースと公園がある。ほとんど車の通っていない道を横切って、滝沢たちは、その駐車場へ向かった。全体に閑散としているが、それでも二十台ほどの車が停まっている。だが、やはり井川の車は発見されなかった。いつの間にか午前零時を回っている。畜生、水曜日になっちまった。滝沢の中では再び、さらさらという砂時計の音が聞こえていた。

4

空腹が限度を超えて、気分が悪い。脳貧血でも起こしそうな気がして、貴子は廊下に横たわっていた。寒いのは、自分の体力が低下しているせいかも知れない。温かいスープが欲しかった。炊《た》き立ての白いご飯を食べたい。想像するだけで唾液《だえき》が出てきて、余計に空腹を感じる。深呼吸かため息か分からないが、とにかく深々と息を吐き出すことばかり、さっきから数え切れないくらいに繰り返している。

「——もう、何時になるのかしら」

つい呟《つぶや》いていた。空腹を紛らすためなら、何でもしたい気分だ。そうは言っても身動きできないのだから、喋《しゃべ》るくらいしか出来ない。

「十二時半」

意外なことに、奥の部屋から加恵子の声がそれに応《こた》えた。

「どうして分かるの」

「窓の近くに時計、持ってくれば」

なるほど、その程度の光は届いているのだろう。貴子は首を巡らせて、奥の部屋に目をやった。やはり天井に青白い光が当たっている。そのお陰で、室内がぼんやりと明るいようだ。窓辺の広縁には黒い人影が見える。加恵子は、そこから外を見張っているのだろうか。それとも、男たちが戻ってくるのを待っているのか。

さっき、堤健輔に殴られるのは自分が悪いからだという言葉を聞いて以来、貴子は、加恵子に対して何を言ったら良いのか分からなくなっていた。興奮していた頭まで、一気に凍りついた思いだった。機捜にいれば、実に様々なトラブルに巡り合う。その中で、何年も前から家庭内暴力に苦しむ女性が、深夜に帰宅も出来ずに町を徘徊《はいかい》していたり、全身に入院するほどの怪我《けが》を負いながら、転んだだけだなどと言い張る場面に出会うことが、何回かあった。そんな彼女たちの大半が、自分に怪我を負わせた相手が夫や恋人であると知られた途端、苦しげな顔で言ったのだ。あの人は悪くない、私がいけないんです――それは、さっきの加恵子の言葉とまるで同じだった。

辺りが暗いから、彼女の怪我の度合いは分からない。だが闇《やみ》の中で、加恵子は少し身体《からだ》を動かすだけでも、うめき声のようなものを洩らした。その時になって初めて貴子は、加恵子の奇妙に特徴のある足音の理由を知った気分だった。加恵子が暴力を振るわれたのは、何も今日が初めてというわけではないに違いない。足を引きずっているのは、もしかすると傷を負っているからではないだろうか。以前の加恵子が、そんなに特徴のある歩き方をしていたという記憶はないのだ。彼女が勤務する病院を訪ねたときだって、加恵子はごく当たり前にナースシューズの音をさせ、きびきびとリズミカルに歩いていたと記憶している。それどころか、競輪場で会ったときだって、阿佐谷で会ったときだって、彼女の歩き方に特別、気を取られたことはなかった。つまり、それ以降に、彼女は足を痛めつけられたのではないだろうか。貴子がここに拉致《らち》された後に。

――あんな男と関わってる限り、あなたの人生は破滅なのよ。

何度か、そんな言葉が出かかった。だが、身内の暴力にさらされている女性の大半が、そう簡単に他人の意見を聞き入れることがないということは経験上、承知していたし、第一、自分をこんな目に遭わせている人間に、そんな進言をすること自体が、いかにも馬鹿《ばか》げたことのような気がした。可哀想《かわいそう》な目に遭っているからと言って、加恵子のしたことが許されるというものではない。貴子は生涯、彼女を許せないと思っている。そんな女に情けをかけてどうすると思った。

それにしても空腹だ。普段から食生活は不規則な方だし、バイクに乗っていれば休みの日だって、ほとんど飲まず食わずで半日以上も過ごしてしまうこともある。世間一般の人よりも空腹を覚え、空腹に耐える機会は多いと思ってきたが、そんなものさえ、今の状態に比べたら、どうということもなかった。考えてみれば、ずい分長い間、手洗いにも行っていない。排泄《はいせつ》すべきものがないのだ。

「こうしてると、思い出すわ」

生唾《なまつば》を飲み、またため息をついた時、加恵子の声が聞こえてきた。貴子は、半ば投げやりな気分で「何を」と答えた。気を紛らすことが出来るのなら、何でも良い。

「独りぼっちで、取り残されて、お腹《なか》はぺこぺこ、どうすることも出来ない――」

貴子だって昨夜はそんなことを思い出していた。子どもの頃なら誰だって、拗《す》ねたり叱《しか》られたりして、そんな思いをしたことくらい、あるだろう。

「このまま死ぬのかと思った」

ところが、次にそんな言葉が聞こえたから、貴子はうんざりしてため息をついた。

「大袈裟《おおげさ》ね」

「本当によ。このまま、からからに乾いて死ぬのかって、そう思ったもの」

「それじゃあ、今の私と一緒じゃない」

久しぶりの会話は大切にするべきだ。分かっていながら、嫌味が出た。また何も聞こえなくなる。ああ、馬鹿な貴子。だが、もう、どうでも良いような気になってくる。

「あなた、そんな目に遭ったこと、ある？」

しばらくの沈黙の後、また加恵子が話しかけてきた。貴子はぼんやりと闇を見つめていた。ある。今現在が、そうではないか。あんたのお陰で、そういう思いをしているではないか。

「今を除けば、ないわ」

「――普通、そうよね」

微《かす》かにため息が聞こえた気がした。反省している様子は微塵《みじん》もない。貴子の今の状況など、まるで気にも留めていないような受け答えだった。貴子は苛立《いらだ》ち、言い返す言葉を自分の中で探した。だが、それも馬鹿馬鹿しい。余計なエネルギーは残っていない。怒る気にもなれなかった。

「私は、ある。何度も」

あ、そう。飢えていれば、楽しい思い出など、そうそう蘇《よみがえ》らせることは出来ない。情けなく、淋しいことばかりが思い出される。加恵子もおそらく感傷的になっているのだろう。馬鹿みたい。自分で蒔《ま》いた種じゃないの。可哀想ぶるのは筋違いだ。貴子は白けた気分で寝返りを打った。嫌だと思えば逃げ出せば良いではないか。この際、貴子のことなど放っておいて、一人でとっとと逃げれば良いのだ。そうなれば、貴子は加恵子の分まで痛めつけられることだろう。どのみち、そう長く生きていられるわけではないのかも知れない。馬鹿なと思いながらも、半ば自棄《やけ》になった気分で、そんなことも考える。

「あなたには、分からないでしょうね。普通の親に育てられて、当たり前に、幸せに育った人にはね」

また加恵子が呟く。貴子は再び寝返りを打って、闇を探った。奥の部屋の、窓辺の人影は動かない。こちらを向いているのか、窓の方を見ているのかも分からなかった。だが、声だけは不思議なほどにはっきりと聞こえた。

「私の人生は最初から、普通じゃなかった。最初から、まともな人生なんか歩めないことになってたんだわ」

「——何が言いたいの」

「あなたがうちのアパートに来たとき、奥で寝てた父ね」

かつて加恵子が暮らしていた古ぼけたアパートを思い出した。だが貴子は、加恵子の父親には会っていない。ただ、茶の間で話していると、時折、痰《たん》のからんだ咳《せき》が聞こえたし、子どもがばたばたと走り回っているときなど、少しだけ開かれた襖《ふすま》の隙間《すきま》から、布団《ふとん》の端が見えたくらいだ。

「あの人は、私の本当の父親じゃない」

そんなこともあるのだろう。特に珍しいことではないという気がした。

「あの人は、父親じゃないどころか——犯罪者なのよ」

「犯罪者って？」

「人さらい。誘拐犯」

「誰を——さらったの」

「私よ」

すっかり失《う》せていた集中力が、一瞬のうちに戻ってきた。貴子は唾液を飲み下し、闇を探った。

「――どういうこと」

「あの男は、私をさらったのよ。私がほんの三歳の頃に」

「まさか」

「そう思うでしょう？　でも、本当のこと」

こんな状況で聞きたい話ではないと思った。だが、貴子が何か言うよりも先に、加恵子の声は続いた。

「本当の親は、別の場所にいる。今も元気に暮らしてるかどうか――十何年か前には、確かに生きてたけど」

頭の中が混乱しそうだ。加恵子は何を言おうとしているのだろう。ただ単に、幼い頃に養子に出されたとか、誰かに預けられたとか、そんなことではないのだろうか。それを、独りよがりな被害者意識で「さらわれた」と感じているのではないのか。だが、加恵子は貴子のことなどお構いなしに話を続けた。

「私が覚えてる一番古い記憶は、父と母とが笑いながら、私の顔を覗《のぞ》き込んでいるところ。傍には小さな赤ちゃんがいて、どこかの家の縁側のようなところだった。でも、縁側のついている家になんか住んだことはないはずだったし、家に小さな赤ちゃんなんかいなかった。弟が生まれたのは、私が小学校に入ってからだもの。それが、いつも不思議だった」

物心ついた頃から、加恵子は叱られる度に、おまえなどうちの子ではないのだからと言われたという。そう言っていたのは母だそうだ。彼女は、心の半分では、そんなはずがないと思いながら、だが、おそらく母の言うことは本当なのだろうと、漠然と感じていた。記憶の中におぼろに残っている母の面影と、目の前の母親の風貌《ふうぼう》があまりに違っている気がしたし、両親が加恵子に向かって揃《そろ》って笑いかけてくれたことなど、一度もなかった。母は、父とよく喧嘩《けんか》をしていた。その度に、母は「あの子をどうするの」などと言うことがあって、いつしか加恵子は、自分は拾われてきたのかも知れないなどと考えるようになったのだそうだ。

「特に、弟が生まれてからよね。母は、はっきりと私を嫌うようになった。私を叱るときの目つきなんて、子ども心にも、ああ、私を嫌ってる、憎んでるって分かるくらいのものだったわ。前から、何かあるとすぐに叩《たた》く母だったけど、その頃からだんだん、それがひどくなった。素手で叩くだけじゃなくて、すりこ木とか、ハエ叩きとか、その時、持ってるものを使うようになってね。そんなときの母の顔は、本当に鬼みたいに見えたものよ。顔を真っ赤《まか》にして、はあはあ、肩で息をしながら叩くんだ。もう、目つきが普通じゃなくなってた。どう謝っても、お願いだからぶたないでって、どれだけ頼んでも、絶対に駄目だったわね」

段々、胸が重く、息苦しくなってくる。どうして今、そんな話をするのだろう。貴子が知っているのは、生活力のない夫と病気の父親、幼い子どもを抱えてひたすら働いていた看護婦の加恵子だ。その時の姿を知っているからこそ、つい同情的になって、この罠《わな》にはまった。そんな子どもの頃のことを聞かされてしまったら、さらに余計なことに巻き込まれるような気がする。だが、つい話に引き込まれる。貴子は黙って加恵子の話の続きを待った。

「怖かったわ、ものすごく。それから母は、私を物置に閉じこめるわけよ。少しでも騒ごうものなら、余計に叩かれるって分かってるから、私はただ黙ってた。夏は蒸し風呂《ぶろ》みたいだし、冬の夜は凍りつきそうな中でね。父が帰ってこない晩なんて、一晩中、そうやって放っておかれたわ——あの時の感じに、今はそっくり」

加恵子の声が闇に広がる。口答え一つ出来ずに、ただ膝《ひざ》をかかえてうずくまる、幼い少女の姿が思い浮かんだ。身体中に痣《あざ》を作り、泣くことも出来ずに、ただ虚《うつ》ろに物置の狭い隙間に入り込んでいる子ども。やせっぽちで小さい少女。そんな子どもだったというのだろうか。

「そのうち、母が言ったのよね。『加恵子の名前を、お前になんか使わせたくなかった、お父さんが勝手にやったことなんだから』ってね。私は頭の中がぐるぐる回って、何が何だか分からなくなった。それじゃあ、まるっきり私がよその子の名前を横取りしたみたいじゃないって」

その言葉の意味が分かったのは、加恵子が中学二年生の時だった。母が病気で入院することになり、父と、その時には三人に増えていた弟の面倒を見なければならなくなった加恵子に、母は言ったという。ついてない子だ。まるで、自分たちの世話をするために、この家に来たようなものだね、と。

「母には聞き返せなかった。だって、それまでずっと、ちょっと気に入らないことがあったら、さんざん殴られて、物置に入れられたり食事を抜かれたりしてたんだもの。私はもうずっと前から、母の言うことにはただ『はい、はい』ってだけ、応えるようになってたわ」

だから加恵子は父親に尋ねた。自分は誰の子どもなのか。本当に父と母の子なのかと。当初、父は詳しいことは何も語らなかったという。だが、その代わりに、父は眠っている加恵子を襲った。そして、耳元で言ったのだそうだ。そうだ。お前は本当の娘じゃない。だから、こんなことをしたって構わない。だが、もしもこの家を逃げ出してみろ、お前はもうまともな身体じゃないっていうことを、皆にばらしてやる。傷物だっていうことを、と。加恵子は黙って父の言いなりになった。父が好きだったし、何よりも怖くて身動きが出来なかったからだ。母が入院している間中、そうやって加恵子は犯され続けた。

本当のことが分かったのは、加恵子が高校生になってからだそうだ。今度は母が真実を告げた。夫と加恵子との関係に気づき、逆上して喋ったのだという。

「信じられる？　その家には、もともと加恵子っていう名前の子どもがいて、その子が不慮の事故で死んだ。だから、身代わりにしたなんて」

「そんなこと――」

「そんなこと、あり得ないって、誰だってそう思うでしょう。でも、急に行方が分からなくなる子どもは、今でもいるじゃない。神隠しみたいにいなくなる子どもが、生きていないって言い切れる？　それに、私がさらわれたのは三十五年以上も前、まだまだ貧しくて、不便な時代だったわよね」

「――どこから、さらわれたの」

加恵子は、貴子の知らない町の名を口にした。茨城の、内陸部の町だという。

「当時、父は化粧品とか雑貨の卸問屋で、営業をしてたらしいわ。可愛《かわい》がってた娘が

――加恵子っていう子がね、お風呂で溺《おぼ》れて死んだんですって。本当に、ちょっと目を離した隙にね」――

若い夫婦は、その現実が信じられず、ただ呆然《ぼうぜん》としたまま一晩を過ごしたという。だが、病院にもどこにも届けることはしなかった。翌日、どうしても仕事を休むわけにいかなかった父親は、ほとんど眠らないまま、会社の車に乗り込んだ。加恵子の死は、未《いま》だに信じられない。ひょっとすると眠っているだけかも知れない、いつ息を吹き返すかも分からないと思うから、出がけには、妻に「そのまま寝かせておけ」と言い置いたという。

車で千葉、茨城と走り回り、夕方近くになってある町を通りかかったとき、父は田《たん》圃《ぼ》の傍で一人で遊んでいる幼い少女を見かけた。その子どもは、つい昨日まで生きていた娘にそっくりに見えた。父は何を考えるよりも先に車から降り、その子に走り寄ると、そのまま抱きかかえて車に乗せてしまったのだという。そして、一目散に東京に戻った。

「私は、泣きもしなかったって。ただ黙って、父の運転する車の助手席に乗せられて、目をまん丸にして前を見ていただけだって」――

貴子は信じられない思いで、加恵子の話を聞いていた。いくら三十五年以上前だからといったって、戦後の混乱期は既に過ぎているはずだ。そんなに簡単に、生きている人間を連れ去ることが出来るものか。いや、出来たとしても、そのままずっと誰にも見つからずに過ごすことなど出来るものか。もしかすると、作り話かも知れないと思う。こんな女の言うことを、鵜呑《うの》みにしてはいけない。だが今、そこまで手の込んだ嘘《うそ》をつく理由がどこにあるかも分からなかった。乾いた砂利道を、助手席に幼い女の子を乗せた車が、ごとごとと走る様が思い浮かんだ。

「その日から、私の名前は加恵子になった。でも、自分では覚えてないのよね、何も。生まれたときからずっと加恵子って呼ばれてたんだって、そう思ってた」

加恵子をさらった夫婦は、数日後にはそれまで住んでいたアパートを引き払い、別の土地へ移った。本物の加恵子の遺体は、奥多摩の山中に埋めてきたという。そして、世間にも誰にも知られず、子どもは加恵子として育てられることになった。

「考えてみれば、本物の加恵子だって可哀想《かわいそう》なのよ。供養《くよう》もされないで、お墓にも入れてもらえなくて、今頃、どこかで骨になってるんだから」

加恵子の声は、あくまでも淡々としていた。それだけに、貴子は背筋を寒いものが這《は》い上がるのを感じた。三歳にして闇《やみ》に葬《ほうむ》られた生命。三歳にして、別の人間の人生を歩むことになった生命――。

「あなたの、本当の親は？　どうしてたの。あなたを探してくれなかったの」

「そりゃあ、探したでしょうよ。当時はそれなりに騒ぎになったとも聞いたしね。だけど、父と母は短い間に引っ越しを繰り返して、どういうわけか、そのまま逃げおおせたわけよね」

それで、可愛がられて育ったというのなら話は別だ。だが彼女は、母親からは虐待《ぎゃくたい》を受け、父親からは強姦《ごうかん》されて育ったと言った。避けようもない運命だったというには、あまりにも過酷な話だ。こんな重い話を聞かされて、どう答えれば良いものかと考えているとき、遠くでごとん、と音がした。それに続いて複数の足音が近づいてくる。男たちが帰ってきたのかも知れない。貴子は気だるい身体《からだ》をやっとの思いで起こし、壁に寄りかかった。

「こんな話、初めてよ。人にするの」

最後に、加恵子の声はそう呟《つぶや》いた。足音が近くなる。同時に低い話し声と、くっくっという含み笑いのようなものも聞こえてきた。

「加恵ちゃん、いる？」

ごく小さな光が目を射た。緑色の弱々しい明かりは、暗がりで鍵穴《かぎあな》などを照らすためのものらしく、とても部屋の奥まで届くものではない。だが、その小さな明かりを頼りに、堤の声が響いた。

「加恵ちゃん、ただいま。加恵ちゃん？」

繰り返して名前を呼びながら、堤の靴が貴子の目の前を通過した。貴子は息を殺して、その足もとを見つめていた。微《かす》かに酒の匂《にお》いがする。

「あ、いたいた。起きてた？」

さっきとは別人のような猫撫《ねこな》で声だ。それに「健ちゃん」と応《こた》える加恵子の声も、甘く鼻にかかったように聞こえる。

「加恵ちゃん、加恵子。ごめんな、遅くなって。腹、減ったろう？　はい、お土産。意外にいける寿司《すし》だったよ」

「ありがとう。お寿司、食べてきたの？」

「ああ、まあね」

「井川さんたちは？」

加恵子の声と同時に、貴子の背後で新しい明かりが灯った。振り返ると、ライターの火が二人の男の顔を照らしている。二人の男が、その火に煙草《たばこ》の先を近づけ、ライターの火は消される。今度は小さな赤い火の玉が、生き物のように闇の中で息づいた。井川。さっきも聞いた、南京錠《なんきん》の鍵を持つ男。二人のうちのどちらだろうか。

「先、寝るわな。明日早いから！」

年かさの男の声が大きく響いた。

「あ、井川さん」

背後から堤の声がする。「ああ」と振り返ったのは、その年かさの方だった。この男が井川。

「何時にします」

「明るくなる前がいいだろうから、五時——いや、四時半か」

「オッケー」

そして、二つの靴音が遠ざかる。誰もが、まるで貴子などそこにいないかのように振る舞っていた。

「じゃあ俺も、寝るかな。加恵ちゃん、どうする？」

「食べてからに、するわ」

「そうか。じゃあ、食べたら来なよ。待ってるからね。すぐだよ」

「分かった。すぐね」

加恵子の返事の後、堤が戻ってきた。相変わらず緑色の小さなライトを照らしてくる。そのまま黙って貴子の前を通過してくれるかと思ったのに、その緑色のライトが貴子の顔に当てられた。貴子は目を瞬《しばたた》かせ、にわかに恐怖を感じ始めた。この男は、何をするか分からない。次の瞬間には拳《こぶし》が飛んでこないとも限らない。堤は少しの間、黙ってただ貴子の顔を照らしている。何よ、とも言えない自分が情けない。どこを庇《かば》えば良いのだろう。顔か、腕か、腹、足か——一瞬のうちに、頭の中を様々なことが駆け巡った。堤の足がわずかに動いた。ざらついた廊下を、靴の底が、ずっと擦《こす》る音がする。それだけで、全身がびくりとなった。だが結局、彼はそのまま部屋を出ていった。靴音が遠ざかる。少し離れているらしい扉の音が鈍く響いた。静寂が戻ると、貴子はようやく、深々と息を吐き出した。

数分後、ごそごそと音がして、加恵子が近づいてきた。手探りで貴子の腕に触れると、「ここに、置くわ」という声が聞こえてくる。微かに海苔《のり》巻きの匂いが漂ってきた。何を答えるよりも先に、生唾《なまつば》が口の中に溢《あふ》れてくる。

「——ああいう、優しいところもあるのよ。そういう人なの」

囁《ささや》くように加恵子は言った。そして、またごそごそと戻っていく。貴子は無闇に手を動かして自分の周囲を探った。ペットボトルが手に触れて、ごとん、と倒れた。次に、経木の箱が触れる。手探りで蓋《ふた》を開け、海苔巻きをつまみ上げると、素早く口に放り込む。味など分からない。とにかく夢中で顎《あご》を動かした。よかった。これでもう少し生き延びられるかも知れない。一つ、また一つと、懸命に海苔巻きを頬張っているとき、またドアの音がした。さっきよりも早いテンポで靴音が近づいてくる。貴子は慌《あわ》てて口の中のものを飲み下し、経木の箱を身体の陰に押し隠した。

「おい、加恵子、すぐ来いよ！」

堤の声が部屋の入り口から響いた。「あ」というような声がして、奥の部屋で加恵子がごそごそと動く気配がする。

「すぐ。もう、食べ終わるから」

「早くしろよ、もう」

ちっ、と舌打ちの音がした。さっきとは打って変わって、また不機嫌そうな声だ。だが、有り難いことに部屋には入ってこなかった。遠ざかる靴音を聞きながら、貴子はまた海苔巻きを口に放り込んだ。一度、食べ始めたら、もう止められない。うめくような声が奥から聞こえ、続いて、明らかに足を引きずりながら、加恵子が目の前を通過する。そんな彼女の足音を追いかける余裕もなく、貴子はペットボトルの茶を飲み、猛烈な勢いで、すべての海苔巻きを食べ終えた。その間、何分とかからなかったと思う。最後に茶を飲み干して、貴子は深々とため息をつき、壁に寄りかかった。ようやく人心地がついた。

加恵子は、まだろくに食べていなかったのではないだろうか。だが、何分が過ぎても戻ってこない。また、殴られているのか、それとも今度は、情に引きずられて抱かれてでもいるのだろうか。

——加恵子にさせられた女。

さっき聞いた話を改めて思い出してみる。本当に、そんなことがあるのだろうか。だが、ないと決めつけることも出来ない。さらわれ、殴られ、犯されて——一体、どんな少女だったのだろう。

考えているうちに、頭がぼんやりしてきた。もっと何か食べたいと思っていたのに、徐々に満腹感が全身に広がってきたようだ。心なしか寒さも感じなくなり、代わりに気だるい睡魔が襲ってくる。壁に寄りかかり、膝《ひざ》を抱えたまま、貴子は目を閉じた。

5

午前二時、滝沢たちは旅館の一室で、改めて吉村管理官を中心に集まっていた。携帯電話の電源が切られたらしい。電波を発信しなくなったと聞いて、重々しいため息が広がる。しかも、井川の車が見つからない。だが、その一方で、商店街を担当した捜査員が、中田加恵子らしい女性が数日前から時折、コンビニエンスストアーに来ているという情報を聞き込んできた。さらに、川沿いの歓楽街付近で売春の客引きをしている、いわゆる遣《や》り手婆《ばばあ》が、井川に似た男を見かけたという情報を持ち帰った刑事もいた。

「二人連れだったそうです。もう一人はオールバックの、四十前後の男」

ガセではないとすると、確かに連中は、この付近にいると考えて良いことになる。だが、その根城が分からなければ、どうしようもなかった。

「静岡県警には正式に捜査協力を要請してある。この地域の建物の使用状況を、今夜中に知らせてくれることになってる。とにかく、危険は承知だが、もう少し明るくなるのを待つしかないな」

管理官も柴田係長も、さすがに疲れた顔をしていた。目は充血し、全体に脂《あぶら》ぎった顔は目の下に隈《くま》が出来ている。それは、滝沢たちも同様だった。おまけに、久しぶりに下駄など履いて坂道を上り下りしたお陰で、鼻緒擦れの出来た足がひりひりと痛んで仕方ない。

「風呂《ふろ》は使えるようにしてもらってある。今日のところは、ひとっ風呂浴びて、休んでくれ。お疲れさん」

古い宿の風呂は、そう大きくはなかったが、こんこんと湧《わ》き出す湯はさすがに気持ちが良かった。湯船に浸《つ》かり、縁に寄りかかって、滝沢は口を開けたまま顔を上に向け、目を閉じた。自然に「ああ」と声が出る。同様の呻《うめ》き声が方々から上がり、湯気と共に浴室に満ちた。だが、全身が弛緩《しかん》したような呻き声は、次には「畜生」「まいったな」などというぼやきに変わった。鼻緒擦れに湯が沁《し》みた。

「見つかってくれなきゃ、たまんねえな」

「生きてな」

身体の疲れをとることは出来ても、そんな思いは誰からも拭《ぬぐ》い去ることは出来ない。それ以外に、ほとんど会話を交わす者もいなかった。

「明日――今日中に、ケリつけたいよ」

「頑張ってくれてりゃあ、いいがなあ」

どの呟きも、もっともだった。そうだぞ、音道。お前には俺たちがついてるんだから。頑張れ。生き延びろ。目を閉じ、湯の動きに身体を任せたまま、滝沢も心の中で呟いていた。

くしゃみが出て、目が覚めかけた。全身がすうすうと寒い。ああ、毛布が欲しい

――そんなことを思いながら、再び眠りに落ちかけたとき、ふわりと、生暖かい気配が覆《おお》い被《かぶ》さってきた気がした。夢うつつに、人の気配だということだけが分かる。

――昂一。

6

二人で眠る夜、昂一は時々、貴子を抱き寄せる。または貴子の身体を、ただ撫でているときがある。貴子はその都度、目を覚ますが、わざと気づかないふりをする。こちらが眠っていると思って、貴子の太股《ふともも》や腹、胸などを散歩している昂一の手を愛《いと》おしく思う。時々は、くすぐったさに身体をよじることもあれば、つい笑ってしまうこともあるが、不快に感じたこともなければ、嫌だと思ったこともない。静かで穏やかな、そんな甘い時が、何よりも好きだと思う。

――昂一。

はっと目が覚めた。途端に、頭がパニックを起こしかけた。目の前に、男の顔がある。まだ微かに酒臭い息をして、切れ長の目がこちらを見下ろしている。両頰の脇《わき》か

ら茶色い髪が垂れている。耳にピアスが見えた。

「──な──」

言いかけた途端、手で口を塞《ふさ》がれた。

「騒ぐなよ」

押し殺した声が聞こえた。同時に身体に重みが加わった。反射的に、貴子は胸元に引き寄せていた手で、必死に相手を押しのけようとした。冗談じゃない！　何するの！　頭の中が真っ白になった。

「騒ぐなって、言ってんだろうが！」

荒い呼吸の中から堤が言った。だが貴子は、無我夢中で両手を拳にし、堤の身体を押した。手を動かせば、鎖でつながれている足も動く。膝を曲げなければ手は伸ばせないのに、その足も、堤が押さえているのだ。懸命にもがいている間に、堤のもう片方の手が、貴子のパンツのベルトに触れているのが感じられた。どうもがいても、身動きが出来ない。何も考えられないまま、貴子は必死で顔を動かし、堤の手の脇を思い切り噛《か》んだ。

「痛てえっ、この野郎！」

次の瞬間には、左の頬に強い衝撃があった。頬骨が割れたかと思うような痺《しび》れが全身に広がった。

「言うこと聞かねえと、ぶっ殺すぞ！」

堤の言葉は激しさを増し、同時に、貴子のパンツのベルトが外されたのが分かった。ファスナーを引き下げる音がする。同時に、パンツにたくしこんであったブラウスの裾《すそ》が乱暴に引き出され、その下のキャミソールに、生暖かいものが当たる。びりっという、服のどこかが破けた音がした。

「――やめっ――やめて！」

必死で首を動かし、何とか声を出した。だが、次の瞬間、貴子の口には、しわくちゃに丸めたハンカチが詰め込まれた。喉《のど》の奥にまで乾いた布がきつく押し込まれて、窒息しそうになる。涙が目尻《めじり》を伝って下りた。頭の中に、はあはあという堤の息づかいだけが広がった。がさがさした肌の、不快な感触が臍《へそ》の下に触れ、次に、爪《つめ》を立てた指が下着ごと、パンツを引き下ろそうとする。鋭い痛みが走った。背中の一部が、直《じか》に廊下の板に触れた。その冷たさが、これは現実だと告げている。犯される。こんな男に。舌でハンカチを押し出し、何とか出来た隙間《すきま》から必死で声を出したが、小さな呻き声にしかならない。どうもがき、どう抵抗しても、かないそうになかった。ただ、喉の奥から声を絞り出すだけだ。

堤の爪を立てた手が、左の臀部《でんぶ》を強く掻《か》いた。どうして、どうして——！　もう、何も考えられない。こんな現実があるなんて。こんな辱《はずかし》めを受けるなんて。死んだ方がましだ。身体《からだ》をよじり、何とかして男の手から身を守ろうと必死に手足を動かすうち、再び頬に痛みが走った。

「ぶっ殺すって言ってんのが、分かんねえのかよっ！」

途端に、全身から力が抜けた。ことり、と時間が止まったような感覚に陥る。斜めに木目の走る、廊下の天井だけが見えた。

——もう、駄目。

抵抗する気力も何もかもが、一瞬のうちに消え去った。今、自分は犯されようとしている。こうやって、ぼろぼろにされるのだ。そして最後には殺される。この荒々しい呼吸音だけ聞いて、屈辱にまみれて——。

「やめてっ！」

鋭い声が聞こえた。身体にのしかかっていた力が、わずかに弛《ゆる》んだ。貴子の尻は、もう完全に裸にされていた。だが、床の感触は感じられても、冷たいとも熱いとも思わない。

「あんた、何してるのよっ！」

今度は本当に、身体が軽くなった。貴子はぼんやりと足もとの、声のする方を見た。堤の身体の向こうに、加恵子が立っている。その両手は、黒く長いものを持ち、先をこちらに向けて構えていた。ライフルだ。

「よその女に、そんなことするなんて、許さないから。絶対に、許さない！」

加恵子は、これまで聞いたことがないほど、はっきりとした口調で言った。貴子のすぐ傍から「うるせえ」という声が聞こえた。

「お前は向こう行ってろっ」

「駄目！　許さない。そこから離れなさいよ！　他の女になんか、指一本、触れさせないから！」

堤がさっと立ち上がった。そして、加恵子に近付いていく。貴子は無我夢中で引き下ろされたパンツをたくし上げた。嗚咽《おえつ》が洩《も》れそうになる。皮肉なことに、それを堤のハンカチが食い止めていた。

「来ないで！」

「ふざけんなよ、てめえ！　誰に向かって、そんなもの持ち出してんだよっ！」

「あんたは私のものなんだからっ。どうして、よその女に手ぇ出そうとなんかするのよ！」

「いいじゃねえか。こんな女と、何も本気でやろうっていうんじゃねえんだから。話の種に――」

「そんな話、誰にするっていうのっ。浮気はしないって、あんた、言ったじゃない。どうして何度も嘘《うそ》つくのよ。私だけだって言ったじゃないの！」

「こんなの、浮気でもなんでもねえだろうが！」

「同じことよ、他の女とやるなんて、絶対に許せない！」

次の瞬間、鈍い音が響いて、貴子の視界から加恵子が消えた。それでも「許さない」という声だけが聞こえてくる。貴子は震える手で、何とかパンツを穿《は》き直し、ファスナーも上げ、ホックも留めて、ベルトを締め直した。全身が震えている。他のことを考える余裕はなかった。怖い。ただ怖いばかりだった。

「ごちゃごちゃと、うるせえんだよ。ババア！」

堤の声が響く。続いて、加恵子を殴るか蹴《け》るかする音が聞こえた。貴子は、だが、そちらを見なかった。見ることが出来なかった。激しく震える手で、何とか口のハンカチを取り出すと、今度は歯が鳴った。その歯を食いしばり、貴子は必死で身体を起こすと、曲げた両膝に手錠されたままの腕を回した。出来るだけ小さく身体を丸めて、顔を膝に埋める。こうすることくらいしか、自分を守る方法を思いつかない。

――もう、嫌。もう、駄目。

吐き出す息も震えている。涙が止まらなかった。すぐ傍で、加恵子が殴られているらしい音がしている。その音さえも恐ろしい。

胸が苦しい。息が震えて、つかえそうだ。何も考えられない頭の中で、すべての記憶や思考などが散り散りばらばらになっていく気がする。

頭の中で、意味の分からない光が明滅している。自分はこのまま壊れるのだろうか。

「おい、やめろって！」

その時、別の男の声がした。井川ではない、もう一人の男の声だ。

「好《い》い加減にしろよ、こんな時間から、何やってんだよ」

「加恵子が、こんなもの持ち出すからだよっ」

「あんたが――あんたが、あの人を襲おうとするからじゃないの！」

「おい、堤よ。おまえなあ」

男の声は、いかにもうんざりとした様子に聞こえた。だが貴子は、やはり姿勢を動かさなかった。こんな屈辱があるだろうか。見せ物、さらし者、慰み者――最低だ。

「鶴見さんだって、やりゃあ、いいじゃないですか。意外にいい女だって、言ってたじゃないすか！」

「そういう問題じゃ、ねえだろうがよ。デカを犯して、どうすんだよ、お前は」

「デカだって女でしょうが。やっちまえば一緒だよ。どうせ、最後には死んでもらうんだから」

自分の話をしていることは分かる。だが、何も感じない。大方、そんなことだろうと思った。生きられないのだ。犯されようと、どうしようと、もう生きてここを出ることなど、出来ないのだ。そして、何日か後に解剖されて分かるのだろう。膣内《ちつない》から精液が検出。下腹部と後背部に引っ掻き傷。

「もう、余計な人間を殺すなって言ったろうが。お前、今日がどういう日か、分かってんのか？　ちゃんと動かなきゃ明日、計画通りなんて実行出来ねえんだぞ」

確か、鶴見と呼ばれていた。男の声は意外に落ち着いていて、興奮している様子もない。

「それとこれとは関係ないでしょうが」

それに対して、堤の方はまだ興奮しているようだ。

「仕事さえちゃんとやってりゃ、後は俺が何をしようと、自由でしょう」

「自由だよ。自由だが、あの女にもしものことがあれば、俺たちだってあおりを食うんだよ。もともと、最初から俺たちは別に人殺しの集団になるつもりなんか、ありゃしなかったんじゃねえか。お前が何でもかんでも勝手にしてきたことだろう。そのことで、俺たちがどれくらい迷惑してるか、分かってんのかよ」

「鶴見さん、そりゃあないでしょう。そうやって、俺一人に責任、押しつけるつもりなんですか」

その時、「ああ、うるせえな」という声が加わった。最年長の井川だ。

「朝っぱらから、騒ぐなってえんだよ。いくらここだって、野中の一軒家ってわけじゃねえんだぞ」

「だって井川さん、この馬鹿《ばか》、デカを犯そうとしやがった」

「で、ライフルまで持ち出したのか。またずい分、度胸のある話だな」

「当たり前よ！　他の女に手、出すなんて、私、絶対に許さないっ」

加恵子の声は悲鳴に近かった。すると、井川の声が「あーあ」と言った。

「ひでえ顔じゃねえかよ、ええ？　こんな面《つら》じゃ、明日、困るぞ」

一瞬、辺りが静かになった。貴子は唇を噛みしめ、きつく目を閉じていた。出来ることなら耳だって塞ぎたい。もう何も知りたくなかった。

「もう、行こうか。外も明るくなってきた。なあ、堤」

「俺、一人で行きますから」

「駄目だ。今日は俺と組む。鶴見、お前は残れ」

「俺が？　どうして」

「女同士で二人だけにしておくと、何、企《たくら》むか分からねえからさ。かといって、こいつを残すのもまずいだろう。ルートは昨日、確認した通りだから。ほら、堤。支度しろや」

ごとごとと足音が響く。貴子の呼吸は、まだ微《かす》かに震えていた。加恵子と共に男が残るという。今度は、その鶴見という男が貴子を犯そうとするかも知れなかった。その時は、もう抵抗する力は残っていないだろう。加恵子だって、相手が鶴見ならば、何も止めたりしないに違いない。

――来てくれないから。早く、助けに来ないから。

忌々《いまいま》しいのは、犯人たちだけではない。なぜ、仲間たちはこんなに長く貴子を放っておくのだ。なぜ、すぐにも助けに来られないのだ。一度、止まった涙が、またこみ上げてくる。こんなことになったのも、元を糺《ただ》せば刑事になどなったからだ。いざというときに助けてもくれない警察のために、こんなに必死で働いてきたなんて。

「連絡する。もしかしたら、途中で呼ぶかも知れねえが、その時はどうする」

「足がねえな。どうしよう」

「まあ、その時は新幹線でも何でも使えばいいや」

井川と鶴見の会話が聞こえた。新幹線。一体、ここはどこなのだ。東京から、そんなに離れた土地なのだろうか。だから、仲間たちは助けに来られないのだろうか。

靴音が遠ざかっていく。ようやく辺りは静かになった。それでも貴子は、身体を丸めていた。頬がずきずきと痛んでいる。同時に、引っ掻かれた箇所も痛かった。だが、何よりも痛むのは心だ。胸の中が引きちぎられて、ばらばらになったような気がする。ここに、こうしている肉体が、自分のものではないような感じだった。こんなはずがない。もしかすると本当の貴子は、今も吉祥寺の自宅で眠っており、時間が来れば起きて仕事に行くのではないかと、そんなことさえぼんやりと考えた。

「ああ、ひでえな」

ふいに、鶴見の声がした。

「立てるかい、大丈夫？」

加恵子の小さな声が、それに応《こた》えている。

「こんなもの、持ち出して。あんた、本当にあの男に惚《ほ》れてるんだな」

靴音が一つ、遠ざかった。その直後、「ねえ」という細い声が聞こえた。聞き慣れた、加恵子の声だ。貴子はそっと頭をもたげた。視界がぼやけている。その中に、口の端から血を流し、目の回りを真っ黒にした加恵子がいた。

「大丈夫?」

貴子は、どう反応することも出来なかった。確かに、実際には犯されなかった。危ないところで助かったのは加恵子のお陰だ。だが、心も頭も、うまく働かない。

「——すまないわね」

「——あなたが謝ることじゃない」

「でも——ごめんなさいね」

謝ることなら、もっと他にあるだろうと思った。だが、そう思っている自分さえ、貴子自身から遠く離れてしまっているような気がしてならないのだ。貴子はただ黙って、大きく膨れ上がっている加恵子の顔を見ていた。あんな男を選んだ女。馬鹿で、哀れな女。

再び靴音が戻ってきた。初めて自然光の中で、貴子は鶴見という男を見た。髪はオールバック、額は秀《ひい》でていて、意外に凶悪な顔はしていない。遊び人風ではあるが、目つきは悪くなかった。だが、この男だって、一皮剝《む》けばどうなるか分かったものではない。貴子は膝《ひざ》を抱える手に力を込め、黙って男を見上げていた。鶴見は何か言いたげな顔でこちらを見ていたが、思い直したように加恵子の方を向く。

「薬、買って来ようか」

「――こんな時間に、まだどこも開いてやしないでしょう」

「でも、冷やすものくらいはコンビニにあるだろう。氷でも何でもさ」

「じゃあ――お願い」

鶴見は小さく頷《うなず》いている。そして、またこちらを振り向いた。

「そっちは、怪我《けが》は」

貴子はぼんやりと、自分の手元を見下ろした。激しく抵抗したせいだろう、手錠が当たっていた手首の辺りが赤く擦りむけている。足首も同様だった。身体《からだ》中、どこもかしこも痛むのだ。

「まあ、いいや。何か、探してくるから」

それだけ言うと、鶴見は大股《おおまた》で歩いていった。彼の靴音が遠ざかった後、加恵子はいざるようにして、部屋に入ってきた。近づいてくるにつれ、眼球が真《ま》っ赤《か》になっているのが分かった。顔の半分が変形するほど腫《は》れ上がっている。

「――最低ね」

口が自然に動いていた。加恵子は無表情なまま、変形した顔でこちらを見る。

「――あの男も、あなたも、誰も彼も」

加恵子の眉《まゆ》がわずかに動いた。

「最低よ！」

思い切り声を張り上げた。途端に、また熱いものがこみ上げてきた。貴子は両手で顔を覆《おお》った。堪《こら》えても堪えても、涙が溢《あふ》れる。悔しかった。情けなかった。やりきれない。身体より、もう心がぼろぼろだ。確かに加恵子のお陰で、暴行は受けずに済んだ。だが貴子は確かに、心を犯されたと思った。

「――本当ね」

加恵子の小さな呟《つぶや》きが聞こえてきた。

「でも――もう、引き返せないのよ」

あまりにも静かな呟きだった。二の腕に触れられて、思わず顔から手を離すと、タオルが差し出されていた。貴子は黙ってタオルを受け取り、今度はそれで顔を覆った。引き返せない。取り返しがつかない。何もなかったことには出来ない――そんな思いばかりが、頭の中で渦巻いていた。

7

午前四時半、滝沢たちは再び吉村管理官の部屋に集まった。これから、どんな服に着替えるか分からないから、寝起きで浴衣《ゆかた》のままの滝沢たちに比べて、一人だけ、窮屈そうにネクタイを締め、緊張した面もちの男がいた。

「熱海署の天田《あまだ》刑事だ」

相変わらず、眉間《みけん》に深い皺《しわ》を刻んだ柴田係長が紹介すると、四十代半ばの同業者は、誰にともなく「ご苦労様です」と頭を下げる。

「何がなんでも今日中に奴《やつ》らのアジトを発見する。既に丸三日が経過しているわけだ。音道の精神状態を考えても、今日明日が限界だろう。天田刑事には、この地域の状況などを説明していただく」

係長の言葉に合わせて、天田は何度も頷くように頭を下げる。そして、小さく咳払《せきばら》いをした後で、周囲を見回した。

「昨日の夜も歩かれたとかで、大凡《おおよそ》のことはお分かりいただけたかと思うんですが、不景気と建物の老朽化などで、熱海には放置されたままになっている廃屋が、かなりの数あります」

昨日とは異なる地図が、座卓の上に広げられた。すべての建築物が輪郭通りに細かく記載され、住居表示と世帯主名、屋号などが細かく書き込まれたものだ。さらに、既に廃業している旅館やホテル、廃屋となっている別荘などは、すべて赤く色分けがなされていた。改めて眺めると、まるで熱海の街全体が、虫が食ったような状況にあることが分かる。天田の説明では、何もバブル景気が弾《はじ》けた以降に廃業した建物ばかりではなく、実はもっと以前から放置されたままになっている建物も、少なくはないということだった。

「東京オリンピックの年に新幹線が通りましたから、その当時が最高に景気の良い頃だったわけです。東京から近くなって、便利にもなりましたのでね。団体客がわっと来ました。廃業に追い込まれた宿の多くは、大抵は、その頃に建てられた、または建て替えられたものが多いんです。建物自体の老朽化があって、自力で建て替えるだけの力がなくて、そのうち不景気になって、というところでしょう。債権者が複雑に入り組んでいて、手のつけようがない建物も少なくないようですし、買い手がつかない、再開発の目処《めど》が立っていない、ということもあるようです」

天田刑事の説明を、滝沢は地図を睨《にら》みながら聞いていた。これだけ廃屋が多ければ、隠れるところには困らないという気がする。建物によっては、周囲に鉄板や有刺鉄線などが巡らされてはいたが、その気になれば入れないことはないだろう。

「それに対しまして、高台から増え始めているマンションなどは、大半が新しい建物ですし、温泉つきの高級マンションが主ですから、セキュリティなどはきちんとしている場合が多いようです。大抵は管理人なども置いていますから、そちらの方は聞き込みによってある程度のことが摑《つか》めると思います」

「管理人つきマンションじゃあ、無関係な人間は、そう簡単には入り込めんわな」

捜査員の一人が呟いた。自分の部屋なら話は別だが、自宅をアジトとして使いたがる人間自体、そう多くはない。それに、中田加恵子にしても堤健輔にしても、東京の人間が、わざわざ来ているのだ。旅館やホテルにいるのなら長期滞在ということになるし、人質など置くのはさらに難しい。やはり廃屋に入り込んでいると考えるのが妥当だという気がする。

「ご協力、感謝します」

吉村管理官が重々しく頭を下げた。天田刑事は恐縮したように自分も会釈《えしやく》を返す。

事件の性格上、大騒ぎをして捜査をすることは厳禁だ。しかも、特殊班という独立した組織を持ち、捜査ノウハウや資機材などが充実しているという点では、警視庁は他の道府県警とは比較にならないほど抜きん出ている。今回、静岡県警に希望したのは、必要な資料などを提供してもらうこと以外は、ただひたすら黙って見守っていて欲しいということだった。そのことは、天田刑事も上から言い含められているのか、よく承知しているらしい。必要な説明が終わると、彼は「他に何かありましたら何なりと」と言い残して、そそくさと帰っていった。

「つまり、この地域の建物を大きく分けるなら、一般住居または商店、現在も営業している宿泊施設、そして、廃屋、ということになるわけですが――」

柴田係長が難しい顔のまま管理官を見た。管理官も腕組みをして卓上の地図を睨みつけている。

「虱潰《しらみつぶ》しに当たるしかない。旅館は、そろそろ朝食の支度に取りかかるだろうから、厨房《ちゅうぼう》から回るのがいいな。だが、この時間から一般の住宅には当たれんだろう。後は、廃屋になっている建物だが、どんな隙間《すきま》でも、入れそうな箇所のある建物は見落とすな。報告は怠らず、万が一の場合がある、その場で勝手に突入することは厳禁だ」

「朝になればホシも動き出す。こちらの動きも目立つんだ。くれぐれも注意して――」

柴田係長が話している途中で、すっと襖《ふすま》が開かれた。全員が一斉に振り返る。管理官の指揮車両の中で一夜を明かした仲間だった。

「井川の車がNヒットしました。小田原です。東京方面に向かっています」

「野郎、もう動き出しやがった」

係長が悔しそうに呟いた。

「携帯電話は」

「Bの電波を確認したそうです。やはり小田原ということですから、井川の車に乗り込んでいるのかも知れません」

中田加恵子が所有していると思われる電話は、仮にAと呼ぶことになっていた。Bは昨日、Aが頻繁にかけていた番号の電話だ。同様に昨夜、Bにかけられた電話はCと呼ばれている。Bを持っているのは堤ではないかと推測されているが、もしかすると井川なのだろうか。

「いずれにせよ、今、こっちのアジトは手薄なはずだ。チャンスかも知れん」

五時を回った頃、滝沢たち八人の捜査員は、銘々に着替え、少しずつ時間をずらして旅館を後にした。今朝はまた異なる格好をしている。ジャージの上下もいれば、スーツの背広だけ脱いで、旅館から借り受けた半纏《はんてん》を着ている者、板前らしい白衣の上下もいる。早朝の旅館街を歩いても、不審に見えない格好ということで、それぞれに工夫を凝らした結果だ。滝沢は作業ズボンの尻《しり》ポケットにタオルを突っ込み、地味なポロシャツ、牛乳メーカーの帽子という出《い》で立《た》ちだった。今度はスニーカーだ。保戸田も同様の、運送屋にも見えれば牛乳配達にも見えるという格好になった。宿を出るとき、女将《おかみ》らしい女性は不思議そうな、不安と好奇心とを隠しきれない表情で、小さく「行ってらっしゃい」と言った。

ジャージ姿の二人は、中田加恵子が目撃されたコンビニエンスストアーに張り込むことになっている。残りの三組で、まずは川沿いに広がる歓楽街から当たることにした。時間の経過に伴って人の往来、車の往来が増えるだろうし、そうなれば落ち着いて歩き回ることも困難になる上、その中にホシが紛れているのを見落とす可能性も出てくるからだ。夜明けの街はひっそりと静まり返っていた。

「昨日も寂れてるとは思ったけど、明るくなると、もっとだな」

昨夜も、この地域を担当した刑事が小さく呟いた。路地からうなだれた黒い犬が出てきて、とぼとぼと歩いていく。海の方は灰色の雲が濃淡に重なり合っていて、そのわずかな隙間から薄青い空が見えた。もう梅雨に入るのかも知れない。欄干に妙な生き物か化け物か分からないレリーフの施された橋のたもとに立ち、天田刑事が提供してくれた地図のコピーを取り出して、それぞれの受け持ちを確認し合うと、六人の刑事は三方に分かれて歩き始めた。

縦横に道が伸び、「スナック」「おしのぎ」「ラーメン」などという看板がひしめき合っている。ところどころに、ゴミが積み上げられていた。冷凍食品の箱、酒のケース、生ゴミ、鮮魚などを入れる発泡スチロールの箱に古雑誌の束と、実に雑多なものだ。これだけのゴミが出るのだから、それなりの人が暮らしているのだと思うと、何となくほっとする。だが、地図を眺めたところでは、この辺りにも廃屋がある。

「店の二階なんかに住んでる人もいるでしょうから、妙な奴らが出入りしたら、目立ちますよね」

「だが、かえってそういう場所を選ぶかも知れん。目くらましに」

小声で言葉を交わしながら、一軒ずつ店を確認して歩く。煉瓦《れんが》を敷き詰めた小綺麗《こぎれい》な道にさしかかったところで早速、廃墟《はいきょ》らしいビルを見つけた。五階建てだろうか、建物全体に黒カビが生えているような変色の具合だ。脇《わき》に回ると、植え込みからツタが伸びて、その黒っぽい壁を這《は》い上がっている。かつては一階に何かの店舗、二階以上に事務所などが入っていた様子だが、今はひっそりと静まり返っていた。滝沢たちは、ちらちらと周囲に気を配りながら、その建物に近づき、まずドアに手をかけた。ドアノブのざらりとした嫌な感触は、間違いなく、このドアが長い間、触れられていない証拠に思われた。捻《ひね》ってみたが、施錠《せじよう》されている。

「メーターも取り外されてます。裏口も施錠されていました。ドアは錆《さ》びてるし、白カビみたいなものが生えてます」

建物の裏手に回っていた保戸田が戻ってきて囁《ささや》いた。滝沢は小さく頷き、今度は後ずさって建物を見上げた。どの窓もぴたりと閉じられている。昭和四十年代、いや、三十年代頃に建てられたものだろうか、屋上から突き出しているテレビのアンテナが侘《わび》しさを強調している。

「非常階段もないしな。いくら何でも、ここじゃあ人の目につきすぎるか」

呟きながら地図を取り出し、既に廃ビルとしてマークされている建物の上にバツ印をつける。その隣にはラブホテルらしい建物があった。看板も出ているし、料金表も出ているが、営業しているのかどうかが判然としない。地図には廃屋としての色分けはされていなかった。

「行ってみるか」

滝沢は保戸田と頷きあい、ホテルの入り口に立った。かなり耳障《みみざわ》りな音を立てて、ごとごとと自動ドアが開き、同時に来客を知らせるチャイムが狭い空間に響いた。

「——何か」

奥から現れたのは、楊柳《ようりゅう》のシャツにズボン姿の貧相な老人だった。寝起きを起こされたらしく、いかにも無愛想な老人は、滝沢が警察手帳を見せると、戸惑いを隠せない表情になる。

「旦那方《だんな》にお調べを受けるようなことは、うちはしてませんがね」

「いや、違うんだよ。最近、こういう客が来なかったかと思ってさ」

手帳に挟んである写真を取り出し、その一枚を差し出す。中田加恵子の写真だった。老人は真剣な表情で写真に見入り、小首を傾《かし》げる。

「この辺じゃあ、見かけないですけどね」

加恵子を、客を取っている女とでも思ったのか、老人の答えには、つい苦笑を誘われた。じゃあ、と言って、次には堤の写真を見せる。目元をしょぼしょぼとさせながら、老人は、今度はその写真を丁寧に眺めた。

「この人は——昨日、来た人じゃないかな」

意外な答えに、一瞬、こちらの方が驚いた。滝沢は保戸田と顔を見合わせ、昨日のいつ頃かと尋ねた。保戸田は素早く刑事手帳を取り出してメモをとる態勢に入る。

「昨日のねえ、もう十時か十一時か——」

「誰と来たんだい」

すると老人はシャツから出ている痩《や》せ枯れた腕を振りながら、それは勘弁して欲しいと言った。

「分かってくださいよ。うちだってね、もう青息吐息なんですよ。下手なこと喋《しゃべ》ったら、余計に暇になっちゃうんで、そうなったら首くくらなきゃならないんです」

「心配すんなよ、とっつぁん。見たと思うがね、俺らは東京の警視庁から来てる。この辺で誰が客を取っていようと、俺らには関係ないんだ。この男のことを調べてるんだからさ」

改めて警察手帳の表紙を見せて、警視庁という金文字を読ませると、老人は卑屈そうな表情でこちらを見る。滝沢は「約束するよ」と言いながら、今度は懐《ふところ》から財布を取り出して、五千円札を握らせた。普通は街を徘徊《はいかい》している情報屋などに使う手だが、この際、どうでも良かった。老人は、札を眺めると、初めて曖昧《あいまい》に笑った。乾ききって見える頬に皺《しわ》が寄り、口元で金歯が光った。

「三組でね、おいででしたよ。それぞれ相手を連れてね。まあ、この辺で仕事してる子たちですけど、あたしも詳しいことは、よく知らないんです。いや、本当に。ただ、前からちょいちょいね、違う相手と来るもんで、まあ、そういう商売の子たちなんだろうって思ってるだけですから」

「後の二人のうちの一人は、この男ですかね」

今度は井川の写真を見せる。老人は、嬉《うれ》しそうに「はい」と頷《うなず》いた。

「皆さん、九十分でね、お帰りになりましたけど」

「その女の子たちと連絡取る方法、教えてくれねえかな」

だが老人は「さあ」と首を傾げる。

「本当に、知らないんですわ。知ってりゃあね、お教えするんですが、何か最近は、ほら、昔ながらの遣《や》り手のお姉さんが引っ張ってって、客に女の子あてがってっていうのと、また違う商売の方法も出てきてるみたいで」

そういえば昨晩、この辺りで遣り手婆《ばば》に聞き込みをかけた仲間がいたことを思い出した。

「その昔は、ここの川沿いにガマ屋なんていうのがあって、まあ、下で客に声かけて、上で客を取るみたいな、そういう商売もあったんですが、もう今は全然でしょう。お陰で、うちみたいな商売が細々とやっていかれるわけですけどね。それでも、お客さん自体が減ってきてますからねえ」

老人は、客とは一切、言葉を交わさなかったと言った。彼らは身軽な服装で、手荷物なども持っていなかったという。それでも、とにかく堤と井川が行動を共にしていることだけは分かった。そして、おそらく井川と共に銀行を訪れた男も一緒にいる。滝沢は老人の肩を軽く叩《たた》き、「元気でな」と言い残してホテルを後にした。

「三人です。昨夜、この辺で女を買ってるんですがね」

外に出ると、すぐに無線で報告を入れる。ワイヤレスのイヤホンを通して「了解」という係長の声が聞こえた。それから数分後、今度は滝沢の無線のコールサインが呼ばれた。

「応援を呼ぶ。そうしたら交代してもらうから、それまでは捜査を続けてくれ」

つまり係長と管理官は、これで犯人グループが熱海を根城にしていることに確信を抱いたのだろう。都内での捜査活動も継続中だし、音道が熱海にいるとは限らないことから、必要最低限の人数で乗り込んできたのだが、いよいよ本格的に、この街に焦点を当てるつもりになったらしい。滝沢は保戸田と頷きあい、再び歩き始めた。

ラブホテルの隣も、やはり廃ビルだった。かなり豪華な造りの、高級クラブか何かだったらしい構えだが、看板や照明器具などはすべて取り外されて、黒御影石《みかげいし》をはめ込んだ正面には、その石の部分を残して、壁面にびっしりシダが生えていた。入り口付近の植え込みの植物も伸びたい放題に伸び、湿った空気の中でふてぶてしいほどに鮮やかな緑を放っている。その前もゴミの集積場になっていて、やはり分別されていないゴミが乱雑に積み上げられていた。

「植物の勢いってえのは、ものすごいもんだな」

滝沢は半ば呆《あき》れ、半ば感心しながら、店を呑《の》み込もうとしている植物を眺めていた。かつては夜毎《ごと》、女たちの嬌声《きょうせい》が響き、ピアノの音でもしていたに違いない店は、今、まるで静かに植物園になろうとしているかのようだ。その向かいは空き地になっていて、数台の車が停められていた。「無断駐車禁止」という手書きの札が立てられている。その横には、二階建ての家に一階分を継ぎ足したような建物。早朝だから人気がないのは当然にしても、すべての建物が、どれも古びて淋《さび》しく見える。

新聞配達が、スーパーカブ特有のエンジン音を響かせて滝沢たちを追い抜いていく。その後ろ姿を見送っている時、ぽつり、と頬に冷たいものを感じた。畜生、降って来やがった。雨の中をうろついていたら、余計に目立つ。頼む、俺たちの仕事の邪魔をせんでくれ。一刻も早く音道を見つけ出させてくれと天に祈りながら、滝沢は歩き続けた。

8

鶴見と呼ばれた男は、コンビニエンスストアーから帰ってくるなり、買ってきた荷物を袋ごと置いて、自分は眠り足りないからと、よその部屋へ行ってしまった。加恵子は、貴子からも見える位置で、その袋の中身を取り出した。スナック菓子。ウーロン茶。弁当。サンドイッチ。ティッシュペーパーに数冊の雑誌。その他、遠くからではよく分からない雑貨。袋には、貴子の自宅のすぐ近所にもあり、いたるところで見かけるコンビニのマークが入っていた。それらの一つ一つが、すぐ傍で息づいている平凡な日常の証《あかし》に思われた。加恵子は、貴子に何か食べるかと聞き、貴子が何の反応も示さないと、サンドイッチとウーロン茶を傍に置いて、さらに、中の薬剤を破ると急速に温度の下がる保冷パックのようなものを差し出した。

「これで冷やすといいわ」

ぼんやりしている貴子の前で、彼女はパックを裏返して説明書きを読み、てきぱきとした手つきで包装を破る。そういえば、この人は看護婦だった。まるで遥《はる》か彼方《かなた》の記憶のように、ようやく、そんなことを思い出す。

「はい。これで冷たくなってくるから。さっきのタオルでくるんで」

実は加恵子の方が、傷はよほどひどかった。顔だけでも、目の回りや口の横の痣《あざ》は、さっきよりも色濃くなり、ほとんど真っ黒に見える程だし、眼球の充血はひどく、輪郭も変わって見える。保冷パックを差し出す腕にも、無数の痣がついていた。

「――あなたが使えば。あなたのために、買ってきたんでしょう」

「たくさん、買ってきてくれてるから。消毒薬も救急絆創膏《ばんそうこう》もあるけど」

実は、背中の引っ搔《か》き傷が軽く疼《うず》いていた。不衛生な状態で、いつまで放置しなければならないか分からないことを考えると、せめて消毒だけでもしておきたい思いがある。

「どこか、痛いところ、ないの」

まともに目を合わせられないほどに変形している顔で言われると、どう答えれば良いか分からなくなる。この人に見栄《みえ》を張っても仕方がないという気がした。

「腰の辺りと、お尻《しり》」

「どれ。ちょっと見せて」

貴子は言われるままに、素直にベルトに手を伸ばそうとした。その途端、さっきのことが思い出されて、手が止まった。この部分に、あの男の手が触れ、無理矢理にファスナーを下ろされたのだということが、生々しく蘇《よみがえ》ってきた。ようやく治まっていた動悸《どうき》が戻り、息苦しさにあえぎたくなる。思わず上を向いて、貴子はきつく目を閉じた。嵐《あらし》は過ぎた。今、襲われようとしているわけではないのだ。必死でそう言い聞かせるのだが、恐怖が全身をがんじがらめにする。

「――やっぱり、いいわ」

声が震えていた。首から胸の辺りにねっとりとした汗をかいている。

「じゃあ、私が外すから、ね。消毒だけ、させて。あなたは目を閉じてるだけでいいからね」

加恵子の声は、かつて聞いたことがないくらいに柔らかく響いた。貴子は、自分がまるで幼い子どもに戻ったような気分で、その声にすがった。素直に目を閉じる。

「じゃあ、いい？ベルトを外すわね。そっと、外すからね。はい、じゃあ、ボタンも外すわ。ジッパーね。大丈夫よ、そっとやる。さあ、後ろを向いて。そうそう。立て膝《ひざ》になって、ちょっと身体《からだ》を起こせる？そう。シャツ、出すわね」

腰の後ろの素肌に、ひんやりとした加恵子の手が触れた。それだけで、飛び上がるほどの恐怖を覚える。だが、貴子は目をきつく閉じ、壁に手をついていた。

「ああ、ミミズ腫《ば》れになってる。少し血も滲《にじ》んでるわね。でも大丈夫。大したことないから。消毒すれば、すぐに治るからね」

加恵子の指の腹が貴子の皮膚を撫《な》でる。それは、ひんやりとしてはいたが、柔らかく、ささやかで、次第に貴子の気持ちを落ち着かせるものだった。冷たい液体の感触。

それから、息を吹きかける感触があった。

「じゃあ、お尻ね。恥ずかしがらないで。いい？ そっとするから、ね」

次いで彼女は、さらに注意深く貴子のパンツとショーツを下ろし、臀部《でんぶ》も同様の傷だと言いながら消毒液を吹きつけてくれた。貴子は、ただ黙って、されるままになっていた。もしも、本当にレイプされていたら、とてもではないが、こんなことをしてもらっている場合ではなかったに違いない。自分の身を引き裂きたいほどの思いに駆られ、自分で自分の身体に触れたくないとさえ思ったことだろう。消毒液など、何の意味もなさないほどの傷と汚れを受けたと思うだろうし、それは生涯、消え去ることはないと感じたはずだ。

——自分のことだと、そう思う。

レイプされた女性を、見たことがないわけではなかった。だが、そんなとき、貴子はいつも言ったものだ。あなたは、どこも変わってなんかいない。受けた傷は、きっと癒《い》えるから、と。自分が汚れたなんて思わないで、自分を責めたりしないで——他人事だと思って。

同性として、その衝撃くらいは理解できているつもりだった。同情に堪えないとも思ったし、精一杯に慰め、力づけたつもりだった。だが実際には、何も分かってなどいなかった。もう駄目だと思ったときの無力感、恐怖、屈辱、何もかも。こんな目に遭って、初めてそれが分かった。

「これで大丈夫。あなた、化膿《かのう》しやすい体質だったりする?」

「——滅多に、しないと思う」

「なら、大丈夫ね。自分で着られる?」

貴子は小さく頷き、さっきは無我夢中で引き上げた下着とパンツを、今度はゆっくりと穿《は》き直した。何日も着たままのキャミソールとシャツの裾《すそ》を丁寧にパンツの中に入れて、自分でファスナーを上げる。今度から、こうしてファスナーに手を触れる度に、今日のことを思い出すのだろうか。そんなのはたまらない。それなら、早くこの動作に慣れるべきだ。ごく当たり前のこととして、何も考えずに、出来るようになるべきだ。少しずつ働き始めたらしい頭が、そう思う。だが、無理よ、そんなの、という声もする。

「冷たくなってきたわね。ほら」

加恵子はタオルにくるんだ保冷パックを自分の頬に当てて、それから、貴子に差し出してくる。貴子は黙ってそれを受け取り、そして、頬に当てた。じんじんとした痛みに、タオルの感触と冷たさは心地良かった。

「痣はしばらくは引かないかも知れないけど、でも、腫れは引くと思うからね――口の中は切れてない？」

「――切れてる。口中が血の味」

「じゃあ、これですすぎなさいよ。ほら、トイレに吐き出せばいいから」

ウーロン茶のペットボトルを渡されて、貴子は素直に立ち上がった。足下がふらついている。頭の中がぐらりと揺れた。自由に歩けないから、前屈《まえかが》みの姿勢のまま、ペットボトルを提げて手洗いに行く。ウーロン茶を口に含み、何度もすすいで、うがいもした。ただでさえ濁った便器の水に、茶色が加わる。

――実害は、なかったんだから。

忘れることだ。自分は自分のまま、どこも変わってはいない。渦を巻いて流れていく便器の水を眺めながら、貴子は自分に言い聞かせた。忘れよう。ううん、無理。忘れるんだ。でも。忘れてみせる。

ようやく血の味から解放され、鎖を引きずって廊下に戻った貴子の視界に、ぎょっとするほどの加恵子の後ろ姿が飛び込んできた。赤や青紫の痣が無数についている。血の滲んでいる箇所もあった。明らかに、何か固いもので殴られたらしい痕《あと》も見られた。貴子は思わず息を呑み、その背中を凝視した。言葉が出ない。貴子の傷など、もの数ではなかった。貴子の気配に気づいたのか、加恵子は小さく振り返り、「ひどい?」と呟《つぶや》いた。

「――どうして」

声が詰まる。貧相なほどの肩にまで血が滲んでいるではないか。これが、愛されている証だというのだろうか。こんなにまでされて、どうして、運命を共にしようなどと思えるのだろう。だが、その一方では分かる気がした。いや、今だから分かると思った。彼女は、気力を失っているのだ。逆らう気力も反発する気力も、自分自身に戻る気力も失っている。貴子自身がさっき経験したことだった。恐怖にがんじがらめにされ、激しく殴られて、あの時、貴子は、瞬間的に全身から力が抜け、自分を捨てようとしたのを感じた。

「悪いけど、消毒液、塗ってくれる」

「――こっち、来て。そこまでは行かれないから」

貴子はのろのろと廊下を進み、鎖が届く可能なところまで加恵子に近づいた。加恵子も、胸に服を抱えたまま、相変わらずいざるようにして近寄ってくる。さっきとは逆だった。貴子は、「痣になってるわ」「ここは固いもので殴られたでしょう」などと言いながら、手渡された消毒液を吹きかけた。改めて、涙が出そうになる。悔しくて、たまらなかった。なぜ、この人は、こんな人生を歩まなければならなかったのかと思うと、やり切れない。

「私ねえ」

ふいに加恵子が呟いた。相変わらず静かな口調だ。

「妹が、いるのよ」

「――妹？」

「本当の、両親のところに。二人。弟も一人ね」

加恵子の背中は痩《や》せていた。少しでも丸めれば、背骨の凹凸が浮き上がる。

「行ってみたのよ。いくつだったかなあ、もう看護婦になってたから、二十一か二の時だと思うわ。寮暮らしになって、やっと両親から解放されて、そうしたら自分のこと、少しは考えられるようになって、休みの度に図書館に通ったりして、当時の新聞なんか、探してね」

消毒の済んだ背中に、軽く息を吹きかけてやる。加恵子は小さな声で「ありがとう」と言った。

「足は？　あなた、足も怪我《けが》してるでしょう」

ポロシャツを着込んでいた加恵子は、「そうね」と頷《うなず》き、大したためらいも見せずにジーパンを脱いだ。その足を見て、貴子はいよいよやりきれない気持ちになった。背中と同様か、もっとひどい痣が無数についている。それだけでなく、太股《ふともも》の辺りには明らかに嚙《か》み傷もついていた。殴り、蹴《け》り、そして抱く男。中でもひどいのが、両足の太股から膝にかけての火傷《やけど》の痕だった。赤くただれて火膨れが出来、じくじくとした滲出液《しんしゅつえき》で濡《ぬ》れている。聞けば、貴子を拉致《らち》した日の夜に、高速道路のサービスエリアで夕食をとったとき、急に癇癪《かんしゃく》を起こした堤に味噌汁《みそしる》をかけられたのだという。

これでは満足に歩けないはずだ。

「――こんなにまで、されて」

前の方は自分で手当できると言うから、貴子は太股の後ろや尻のあたりで血が滲んでいるところに消毒液をかけた。薄いピンク色のショーツは見るからに安物で古びており、それだけでも情けない気持ちになる。二億もの金を引き出したのではないか。それを使って良いとは言わないが、下着くらい、もう少し構っても良いではないかと言いたかった。もしも、こんな再会の仕方でなかったら、加恵子がここまで泥沼に引きずり込まれた後でなかったら、貴子は彼女のために、精一杯のことをしたと思う。刑事告訴を勧めたと思うし、どうしても夫と別れたいというのなら、自宅には帰らないままでも、安全に暮らせる場所を用意してやれたと思うのだ。

「何が愛情よ。どこが、大切にされてるの」

「でも——あの子、泣いて謝るのよ。私にこんなことした後は、必ず泣いて謝るの。もう二度としないからって。自分でも、どうしようもなくなるんだって、自分の頭や拳《こぶし》を壁に打ちつけたりして」

「それが手なんじゃないの。分からない？」

「分かってる——分かってるけど。どっちにしても、もう手遅れでしょう」

胸も背中も、腕も足も、鉛のように重かった。無力感だけが広がっていく。結局、貴子に出来ることなど、何一つないのだ。加恵子は加恵子の人生を、最後まで歩まなければならない。

「それでも、あの子が初めてだったのよ、一緒にいて安心させてくれたなんて。涙が出るほど笑わせてくれたり、お化粧をしてくれたり——男に抱かれて気持ちいいと思ったことなんか、私、それまでただの一度もなかった」

手当が済むと、加恵子は苦痛に顔を歪《ゆが》めながらジーパンを穿き直す。

「臆病《おくびよう》で、自信なんかかけらもなくて、思い切ったことなんか何一つ出来なかった私が、あの子といるだけで別人になれる気がした。びっくりするような大胆なことだって、出来るんだって——まさか、こんなことになるとは思わなかったけど」

ぼんやりとしている貴子に代わって、彼女は廊下の片隅に置きっぱなしになっていた保冷パックに手を伸ばし、それをタオルごと貴子に手渡した。貴子は黙ってそれを受け取り、頬に押し当てた。心地良い冷たさが、傷と同時に、貴子の内側で渦を巻く怒りまで静めようとしているようだ。

「さっきの続きだけどさ」

また加恵子が話し始めた。貴子は目をつぶったまま、小さく「うん」と答えた。ごそごそと何かいじっている音がする。その合間に、加恵子はぽつり、ぽつりと語った。

自分が三歳だった頃の新聞を隅から隅まで読むうちに、加恵子はようやくある記事にたどりついた。茨城県のある町で、三歳の女の子の行方が分からなくなったというものだ。そこには行方不明になった子どもの名前と共に、父親の氏名や住所も出ていた。庄司直子。父親は庄司力。

「庄司直子っていうのが、私の本当の名前なんだろうかって、不思議だった。ドキドキして、独りでに顔が真《ま》っ赤《か》になるのが分かったわ。他の記事も読んでみたけど、その頃、行方不明になった三歳の女の子は、その子どもだけだった」

何カ月間か悩んだ挙げ句、ある日、加恵子はその町を訪ねてみた。もしかすると、加恵子を一目見ただけで、娘が帰ってきた、生きて戻ってきてくれたと、父か母が気づいてくれるのではないかという期待もあった。朝早くに寮を出て電車とバスを乗り継ぎ、やっと訪ねていった土地は長閑《のどか》な田園地帯で、民家も多くなかった。そして、訪ねあてた住所には、ゆったりとした構えの農家があった。傍には水田が広がり、ところどころに雑木林もあって、その景色と匂《にお》いに、自然に懐《なつ》かしさを覚えたという。

「不思議ねえ。確かに、この風景を知ってるって、そんな気がしたのよね。あの、私が覚えてる縁側は、この家の縁側なんだろうって思った」

門の前まで行ってみると、表札がかかっていた。確かに庄司力の名前がある。他に六人の名前があった。だが、行方不明になった直子の名前は書かれていなかった。加恵子は衝撃を受け、しばらく呆然《ぼうぜん》と、その表札を見つめていた。なぜ。もう自分のことは忘れたということなのか。

「でも結局、すごすごと引き返すしかなかった」

「どうして。せっかく行ったんでしょう」

「だって、何かの間違いです、そんな子なんか知りませんって言われたら、どうしようかと思ったら、前に進めなくなったのよ。第一、もう二十年以上もたってたんだもの。たとえ、本当に私がこの家の子どもだったとしても、私のことなんか、きっともう忘れたんだって、そう思って」

もとの道を戻り始めたとき、自転車に乗った女の子が走ってきた。十五、六歳くらいの少女は加恵子に気付き、「うちに何か用ですか」と聞いてきたという。走って逃げ出すわけにもいかずに、加恵子は咄嗟《とっさ》に直子さんですか、と聞いたという。自分は役所の者だなどと嘘《うそ》をつき、確か、この家に直子という少女がいたはずなのだがと聞いてみたらしい。

「その子は不思議そうな顔をして、『直子姉ちゃんなら、自分が生まれるずっと前に亡《な》くなったって聞いてます』って言ったわ。どうしてって聞くと、よく知らないって。物怖《ものお》じしない、素直そうな子で、お下げ髪でね、いかにも伸び伸びと育ってる感じだった。その子は気がつかないみたいだったけど、私は一目見て、『似てる』って思った。この子は私の妹なんだって」

人を疑うことなど知らないかのような少女に、加恵子は両親は元気か、家族は何人か、などと聞いたらしい。祖父母と両親、それに姉と弟がいると少女は答えた。

「『姉弟は仲良しなの』って聞いたらさ、その子、『まあまあです』なんて言って、亡くなった直子姉ちゃんの分まで、三人で仲良くしなさいっていつも言われてますから、とかって言ってた。私、もう胸がいっぱいになって、そのまま帰ってきたけど——」

もはや、自分の帰るべき家ではないのだと感じたという。あの家は、直子を失った悲しみから見事に立ち直り、今は平和に暮らしているのだ。今さら、親と思っていた人達に虐待《ぎゃくたい》を受け、気持ちもねじれてしまっているような自分が名乗り出ても、穏やかな暮らしに波風を立てるだけだと思ったと加恵子は言った。

「不思議な気分だったわね。そりゃあ、今の弟たちだって私は一生懸命、面倒を見てきたつもりなんだけど、妹に会ったとき、『ああ』って思ったのよ。本当に、何て言ったらいいか分からない、ただ『ああ』って。この子が私みたいな目に遭ったんじゃなくて良かったたって」

「――人によっては、嫉妬《しっと》する場合もあると思うわよ。私だけが、どうしてって。妹たちは何の苦労もしていないのにって」

貴子が言うと、加恵子は自分も保冷パックを頬骨の辺りに押しつけたまま、口元だけで笑った。

「そりゃあ、思ったわよ。私のことなんか忘れ果てて、さっさと新しい子どもを作るなんて、何ていう親なんだって――でも、どっちにしても、時間がたちすぎてて――今さら、もう、どうしようもないって。父にさんざん玩具《おもちゃ》にされて、汚れきった私なんか、今さらって」

加恵子の言う「汚れ」という言葉の意味が、かつてないほど重く響いた。抵抗できない少女が、父親と信じてきた男に犯されたときの恐怖が、ほんのわずかにでも理解できると思った。それにしても、何という人生なのだろう。加恵子自身でなくても、何のために生まれてきたのだろうと思いたくなる。

「大体さ」

大きく息を吐き出して、加恵子は気を取り直したように口調を変えた。

「私、自分の意志で何かを選んだことなんて、ただの一度もなかったのよ。誘拐されて、殴られて、犯されて——学校だって親の言いなり、看護婦になったのだって、両親が病気がちになってきて、その方が便利だからっていう理由でね、看護婦になれって言われただけ。結婚だって、そうだった。子どもが出来て、生まれて——でも、私、何も感じてあげられなかった。ただ責任があるからっていうだけでね。私、自分には心がないんだって思ってきたから。もう、ずっと昔から」

改めて加恵子を見る。今は彼女が目を閉じていた。疲れた顔をしている。あまりにも頼りない小さな姿だと思う。だが、彼女は貴子を守ろうとしたではないか。嫉妬に猛《たけ》り狂ったのが芝居かどうかは分からない。そのお陰で、彼女はさらに傷を増やした。好きでなったわけではないと言いながら、貴子の傷を手当するときの彼女は、まさしく看護婦そのものだった。

「あなたってさ」

言葉が見つからないまま、ただ見つめていた加恵子の口元がまた動いた。

「あの時に会った、妹くらいの年なのよね」

ああ、やり切れない。たまらない。貴子は壁に寄りかかり、冷たいタオルを今度は目に当てた。さっき、悔し涙を流したお陰で、瞼《まぶた》も少し腫《は》れているらしかった。ひんやりとした感触が、頭の中にまで沁《し》みていくようだ。

——逃げ出す時には、この人も一緒じゃなきゃ。

さっきとは違う意味で胸の奥がざわめいていた。怖がっている場合ではない。恐怖に凍りついている場合ではなかった。怒れ。怒って怒って、その怒りをエネルギーにしなければ。そのためには、忘れることだ。ここに、貴子など比較にならないほどの傷を受けて、静かに佇《たたず》んでいる女がいる。せめて、この女以上に強くならなければならないと思った。

今日も曇り空が見えている。細く開けられた窓からは、湿り気を帯びた風が弱々しく流れ込んでいた。

十時を過ぎた頃、鶴見が起き出してきた。ついさっき、思いを新たにしたつもりだったのに、靴音を聞いただけで身体《からだ》の方が真っ先に強張《こわば》り、冷たい汗が噴き出した。

情けない。でも、怖い。

「薬局、行ってくるから。何、買ってくればいい」

鶴見はちらりと貴子を見ただけで、加恵子に話しかけている。加恵子が火傷の薬や何かの軟膏《なんこう》らしい商品名を口にしているとき、男の携帯電話が鳴った。

「ああ、俺。二人？　いるよ。普通にしてる。だけど加恵子さん、すごい顔になっちまってるぜ。いくら何だって、こりゃあ化粧じゃごまかせないよ――ああ、デカ？　そっちは、まあ、痣《あざ》は出来てるけど、加恵子さんほどじゃないかな――ええ？　言うこと聞くと思うか」

途中から、鶴見は口元を押さえ、部屋の外へ出て話し始めた。自然に耳をそばだてて、貴子は懸命に会話の内容を聞き取ろうとした。

「そりゃあ、脅せば、聞くだろうけど。外に出せば、それだけ逃げられる可能性だって高くなるんだぜ――ああ、まあなあ。これから薬、買いに行くけど、腫れは引いたとしたって、痣がすげえよ。第一、まともに歩けねえ感じだ。医者に連れていかなくて平気かと思うくらいだぜ――」

おそらく相手は井川だろう。彼らはまた何かを企《たくら》んでいる。事故でも起こしてくれれば良いのだ。二度と帰ってこなければ良い。貴子は、黙って一点を見つめていた。

加恵子の代わりに、彼らは貴子を利用しようとしているらしい。冗談ではない。この上、犯罪の片棒まで担《かつ》げるものか。だが、また殴られ、蹴られ、生命を脅《おびや》かされたら、そうせざるを得ないかも知れないという気がする。もう、断りきる自信がなかった。

――やっぱり、加恵子を説得するしかない。

未《いま》だに携帯電話に向かって相づちを繰り返している鶴見の気配を探りながら、貴子は自分に言い聞かせていた。一人では無理でも、加恵子と二人なら何とかなる。そうするより他に、この生き地獄から逃げ出す方法はなかった。

9

腕を揺すられて、泥のような眠りから無理矢理引きずり戻された。一瞬、自宅で娘に起こされたのかと思ったが、すぐ隣に寝起きの保戸田の姿があるのを見て、現実に戻る。

「何時だい」

「昼を回ったところです」

起こしに来た若い刑事が手元の時計を覗《のぞ》き込みながら答える。つまり、二時間近くは眠ったことになる。滝沢は両手で顔をごしごしと擦《こす》り、素早く起き上がった。どの捜査員も着替えずに横になっただけだから、身支度が必要なわけではない。そのまま座敷に行って、片隅に用意されていた握り飯を頬張る。

「どうですかね、その後」

若い刑事が淹《い》れてくれた茶をすすりながら、滝沢は柴田係長を見た。中央座卓の上にはノートブック型パソコンや電話などが置かれ、住宅地図が広げられたままになっている。煙草《たばこ》の煙の立ちこめる室内は、大昔から滝沢たちの根城になっていたかのような馴染《なじ》み具合で、ますます時代がかって感じられた。

「Aブロックの方は、七割方というところだ」

Aブロックとは、滝沢たちが今日の早朝から歩き回った歓楽街の辺りを指す。範囲としてはさほど広くはないのだが、何しろ店が建て込んでいて、地図を頼りに歩いても、人が住んでいるのかいないのか判然としない建物もあり、すべての確認には意外なほど時間がかかっている。

滝沢たちが歩いていた早朝は、まだ人通りもなかったから端から順番に見て歩くことが出来たが、午前九時過ぎに交代した捜査員たちは、人目を気にしてさらに慎重に行動する必要があった。投入された人数は二十人と、これまでの倍以上だから、能率は上がっているはずだが、それでも手間取っているのだろう。

「滝さんたちはBブロックに取りかかってくれ。ええ、安江班と出原班は、マンションと旅館、ホテル。ちゃんとネクタイ締めてな。滝沢班は廃ビル。こっちは、ええ、電気工事風ってとこか。物音は立てるなよ。あくまでも外観の観察」

「了解」

滝沢は保戸田と頷《うなず》きあい、二つ目の握り飯に手を伸ばした。人の手が握った飯は久しぶりに食う。さすがにコンビニ辺りの握り飯とは、味わいがまるで違った。塩の具合が良い。種を抜いてある梅干しも旨《うま》かった。

「それから、午前十時過ぎ、携帯Dの存在が確認された。携帯Cからの発信を受けて判明した番号だが、これも熱海にいる。あちこち移動している様子だが、今現在はこの辺だ」

「商店街ですか」

「行ったり来たりしててな、最初に確認したときはBブロックだった。その後、一旦《いったん》、商店街付近に来て、また戻り、また出てきてるんだ」

「畜生。面が割れてりゃあな」

「向こうも、それが分かってるから油断してるんだろう」

思わず壁に張り出されている紙を見る。AからCまでの記号の下には、すべて「?」つきで中田加恵子らの氏名が書き込まれている。そこに、新たにDが加わっていた。だが、氏名さえ分かっていない。

「で、管理官は」

「一旦、東京に戻った。若松雅弥の自宅のパソコンから、四人目の名前が割り出せそうだっていうんでな。それが、このDだといいんだが」

捜査は着々と進展している。音道にたどり着くのは、時間の問題だった。

「井川の車はあのまま東京に行って、現在も都内にいる。奴《やつ》らがこっちに戻ってくるまでに、音道の居場所を把握して救出するのが理想だ」

「最悪の場合、奴らを追尾して、アジトを発見するより仕方ないわけですよね」

安江という捜査員が、もぐもぐと顎《あご》を動かしながら呟《つぶや》いた。係長は難しい表情のまま腕組みをして、深々とため息をつく。

「本当は、先に音道を救出しておいて、奴らを待ち伏せしたいところなんだが。問題は、いつ頃戻ってくるかだ」

「取りあえず、急ぎましょう」

四十前後の出原という捜査員が、海苔《のり》のついた指をしゃぶりながら腰を上げた。滝沢も立ち上がり、最後に茶で口をすすいだ。満腹になっては眠気が襲ってくる。この程度でやめておいた方が良い。

変装のための衣服や小道具を置いてある部屋へ行くと、平嶋がその中央でアイロンがけをしていた。ひっつめ頭と眼鏡はいつも通りだが、首からタオルをかけて、額に汗を浮かべながら手を動かしている。

「おう、来てたのか」

彼女は眼鏡がずり落ちかかって、少しばかり間が抜けた顔で滝沢を見上げ、「はい」と頷いた。つい、そういう格好が似合うじゃねえかと言いかけて、滝沢はその言葉を呑《の》み込んだ。平嶋がアイロンをかけているのが、これから滝沢たちが着ようとしていた電気工事の作業員風に見える水色のシャツだったからだ。

「すぐ、済みます。畳みじわがついてたものですから」

せっせと手を動かす彼女の顎から、汗の滴《しずく》が落ちた。平嶋は、確か昨日までは、ひたすら音道の携帯電話を鳴らし続けるという役目を仰《おお》せつかっていたはずだ。そして今は、アイロンをかけている。地味な仕事を、文句も言わずによくやっていると思う。

アイロンがしゅうと音をたてて蒸気を噴いた。

「まだ熱くて申し訳ないですけど」

アイロンをかけたばかりのシャツなんて、これもまた久しぶりに着る。さっきの握り飯といい、どうも感傷的になっているのは、この宿の懐《なつ》かしい雰囲気のせいかも知れなかった。滝沢は「おう」と言いながらシャツを受け取り、その場で着替えを始めた。シャツの胸には濃い青色の糸で「板倉電気サービス」という文字が刺繡《ししゅう》されている。まったく架空の会社だが、いかにもそれらしく見えてくるから不思議なものだ。

「洗うものがあったら、出しておいて下さい。まとめて洗いますから」

「お前、そんなために呼ばれたのか」

「そうじゃないんですが——音道刑事には電話し続けているんですけど、その合間に他のことも出来ると思って」

男たちがパンツ一枚になって着替えている中で、平嶋だけが表情も変えずに、白いブラウスにベージュのパンツという出《い》で立《た》ちで、細々《こまごま》と動き回り、脱ぎ散らしたシャツなどをかき集めている。まるで全員の女房役のようだ。

「いいよ。放っておけよ」

「誰かがやることですから。あ、滝沢さん、その服装だったら靴下、白っぽい方がいいと思います」

なかなか憎いことを言う。滝沢はふん、と鼻を鳴らしながら、「編み上げ靴なんだぞ、見えやしねえ」と答えた。

「あ、そうですね。すみません」

平嶋は慌《あわ》てたようにぺこりと頭を下げる。そして、やはりアイロンをあてたらしい作業ズボンを差し出した。滝沢は黙ってそれを受け取った。滝沢の腹回りは、優に九十センチを越えている。それでも穿《は》けるサイズをちゃんと選び出してあるのだから、大したものだった。

午後零時三十分、数点のペンチやドライバーなどの工具を差し込めるベルトを巻いて、滑り止めのついた軍手を尻《しり》のポケットに突っ込み、黒い編み上げ靴に帽子という格好で、滝沢は保戸田と共に旅館を出た。音もなく小糠雨《こぬかあめ》が降り続いていて、熱海の街はさらにひっそりと淋《さび》しく見える。急な坂道を、つんのめりそうになりながら歩くうち、早くもシャツが湿り始めた。下には当然のことながら防刃《ぼうじん》防弾チョッキを着ているから、かさばる上に蒸れてかなわない。すぐに汗が滲《にじ》んできた。坂道は、時折は車や観光バスが往来するが、その他は、温泉街らしい華やかささえ感じられない、灰色の風景が広がっているばかりだった。

地図を頼りに、廃墟《はいきょ》と化している旅館やホテルだけを丹念に見て歩く。それらの中には、かつて熱海を訪ねたときに、確かに見た覚えのある建物も含まれていた。坂の途中に建つ、それなりに名前が知れていたはずの大きなホテルさえ、ガラスは曇り、それこそ毎日、何百人もの客を出迎えたはずの入り口には、片隅に枯れ葉やゴミがたまっていた。観光バスが乗りつけたに違いない駐車場もがらんとしていて、「歓迎」と書かれた黒い板が虚《むな》しく立っているだけだ。植え込みなどはまだあまり荒れていないところを見ると、廃業に追い込まれてから、さほどの時が流れているわけではないのかも知れない。

「ここじゃあ、人目につきすぎますかね」

「裏に回ってみないことにはな」

曇りガラスを通して、がらんとしたロビーがのぞける。敷き詰められたカーペットの空間の向こうには帳場らしいものが見え、藍染《あい》めの暖簾《のれん》が下がっていた。今にもそこから人が顔を出しそうな気配だが、やはり廃ビルには変わりがない。滝沢は保戸田と二手に分かれ、左右から建物の脇《わき》に回り込むことにした。道路からそれると、急な斜面になる。石垣が積まれて、ツツジか何かの植え込みが見えた。ここは鉄柵《てつさく》などは巡らせていない。入り込むことも不可能という感じではなかった。

――この石垣をよじ登れば。

だが、梯子《はしご》でも使わない限りは無理だ。頻繁に出入りしていれば、石垣に傷の一つもつきそうなものだが、そんなものも見あたらないし、第一、ここではやはり人目につきすぎる。その先は、コンクリートが断崖《だんがい》のようになっていて、とても裏までは行かれなかった。正面に戻ると、保戸田も小走りに戻ってくるところだった。やはり顔の前で小さくバツを作っている。滝沢は正面玄関の、屋根の張り出した部分で雨を避けながら地図を取り出し、この建物の部分にバツ印をつけた。

「客室からは、海が綺麗《きれい》に見えたでしょうね」

「見晴らしは抜群だったろうな」

旅館業というものが、どの程度の運転資金で動くものなのか分からないが、これだけの巨大な建物だ。維持費もかかれば負債も相当なものなのだろうと思われた。だが、車も往来する道に面して、これだけ場所をとっていた建物が廃墟になるというのは、街全体のイメージダウンにもつながるに違いない。不況、不景気とは聞いていたが、やはり、夜では分からない深刻さが改めて感じられる。

「昨日はここを曲がったんですよね」

「入り組んでいやがるからな。広い通り沿いからつぶしていくか」

坂道を下りきり、国道を右に曲がる。雨に煙る海の向こうに初島が見えた。歩いている人間は誰もいない。車の行き来も、そう多いとはいえなかった。

「昔はこの辺までさしかかると、すごかったものだけどな。車だって渋滞しちまって、この先までなかなか行かれなかったくらいだ」

「海沿いにもう一本、道が出来たんですよね。その頃でも、歩いてる人は多かったような気がするな」

「お宮の松も泣いてるこったろう」

「今どき、『金色夜叉《こんじきやしゃ》』なんか知ってる奴ら、そういないですよ」

なるほどな。誰が誰に蹴飛《けと》ばされようと、知ったこっちゃないってとこか。それに、今の時代なら、蹴飛ばされるのは野郎の方かも知れん。そんなことを考えているうち、すぐに次の廃ビルに行き当たった。海に面した一等地だろうに、やはり見る影もない。土埃《つちぼこり》を被《かぶ》っている正面を少し観察すれば、ひび割れが走っている箇所あり、タイルの剝《は》がれ落ちた箇所ありで、金属部分には赤錆《あかさび》が浮き、庇《ひさし》は黒々としたカビに侵食されていた。看板はとうに取り外されており、何という名前の宿だったかも分からなくなっていた。

横に回り込むと、隣の建物との隙間《すきま》は狭く、じめじめとした小道が頼りなく延びていた。その正面に急な石段があり、またどこかへ抜けられるようだ。滝沢は再び保戸田と手分けして、その建物の周囲を歩き回った。

まるでトンネルのような独特の雰囲気を持った小道だった。何本もの鉄パイプが辺りをはい回り、建物の脇腹辺りにとってつけたようなコンクリートブロックの一角が出っ張っていたりする。試しにドアノブを捻《ひね》ってみると、意外にすんなりと開いた。途端に鼓動が速くなる。

「すいませんねえ、どなたか、いますか」

つい、声をかけながらドアを引いてみる。湿ったセメントの匂《にお》いが充満している。中には角材などが乱雑に放り込んであるだけだ。かつては何か他の目的に使っていたのかも知れないが、今は完全な資材置き場になっている。施錠《せじょう》されていないのは不用心な話だが、ここから盗んでいって役に立つものがあるようにも見えなかった。それに、人が隠れられるような隙間もない。思わずほっとため息をつきながら、アルミ製の安っぽい扉を閉める。その横には、やはり錆びきった鉄の階段があった。滝沢は軍手をはめて、その急な階段に足をかけた。

非常階段というわけでもないのだろうが、先ほどの資材置き場の上あたりにドアがある。そっとドアノブを捻る。

——開いてる。

一旦、治まりかけた鼓動が、また速くなった。滝沢は息を殺して、ドアノブを引いた。ぎし、と嫌な音がする。それだけで、全身に鳥肌が立った。いかん。ここが敵のアジトなら、気づかれる危険がある。慌ててドアを閉め直し、足を滑らせないように階段を下りる。急いで保戸田を呼んで、その場から係長に報告を入れた。

「入れる建物があります」

「中には入ってないだろうな」

「入ってません」

「了解っ。急行する。目立たない場所で待機していてくれ」

二軒目で、こんな建物に行き当たるなんて、これはついてると思った。だが、その一方では、果たして海岸近くの、比較的人目につきやすいこんな場所に、人質を監禁したりするものだろうかという気もする。とにかく確かめることだ。車の通りが途絶えたところで海側に国道を渡り、その建物から二十メートルほど離れた場所で、滝沢と保戸田とは煙草《たばこ》を吸いながら係長を待った。湿った灰色の風景の中に、やはり灰色の煙が溶けて流れていく。

——あそこであってくれ。いてくれよ。

雨足が、少し強くなったようだ。帽子の庇に、ぽつぽつと音がする。汗か雨か分からないが、いつの間にか顔も湿っていた。その顔を軍手で拭《ぬぐ》いながら、滝沢は苛々《いらいら》と柴田係長の到着を待った。時刻は午後一時十五分を回ったところだった。

10

果てしなく続くかと思われた沈黙を、ふいに怒声が破った。貴子は全身を総毛立たせたまま、恐る恐る声の主を見た。さっきから奥の部屋の、貴子からも見える位置で、壁に寄りかかっていた鶴見が手元の何かを見つめている。

「何でだよ、こんな時に！」

彼はまた怒鳴った。貴子は肩をすくめ、恐る恐る鶴見の顔を窺《うかが》った。だが、彼はこちらは向いていない。怒りは、貴子に向けられたものではないらしかった。それでも油断は禁物だ。息を呑み、目を凝らして、ひたすら鶴見を見つめる。彼はしばらくの間、自分の手元を見ていたが、やがて全身の力を抜き、ほうっとため息をついて壁に寄りかかった。顔を上に向け、首を回している。

「ああっ、畜生！」

「――何よ。どうしたの」

加恵子の無感動な声が聞こえた。今、彼女は貴子からは見えない位置にいる。鶴見が薬局から戻ってきて、奥の部屋に陣取って以来、彼女は貴子の視界から消えていた。ただ、時折交わされる鶴見との短い会話で、彼女が眠っているわけでもなく、ただ、その場にいることが分かるというだけだ。

「電池が切れちまった。せっかくここまで、やったのによ」

「しょうがないわね」

ちっ、と舌打ちが聞こえてきた。これではっきりした。鶴見という男は、さっきから一心不乱に、子どもと同じようなポケットタイプの電子ゲームに興じていたのだ。

「音楽でも、聴いてたら」

「そっちも、もう飽きたんだ」

「別の何か、聴けばいいじゃない」

「他の奴《やつ》は全部、車に置いてきたんだよ。まいったなあ」

また、舌打ちの音が聞こえる。貴子は膝《ひざ》を抱えた姿勢のまま、再びうつむいた。音楽。今の貴子には、もっとも縁遠いもののように思える。もしかすると、もう二度と、そんなものに触れる機会は訪れないのかも知れない。

「電話、ないな。どうしてるんだろう」

「してみれば」

「あんた、堤に電話したらどうだい」

「また殴られたら、嫌だから」

鶴見は「そうか」と答えている。顔は隠せないにしても、彼女があそこまで全身に傷を負っていることまでは、鶴見は知らないに違いない。貴子は、さっき見た加恵子の全身を思い出し、同時に、自分にのしかかってきたときの堤の顔を思い出していた。目が覚めた瞬間に見た、あの顔。凶悪というより、むしろ邪悪に感じた切れ長の目が、もう何度となく繰り返して思い出されていた。その都度、胸がむかつき、吐き気がしてくる。怒りと恐怖がない交ぜになって、息苦しさに襲われる。あの目。あの顔。あの声。あの、顔に押しつけられ口を塞《ふさ》いだ手の感触——。たまらない。うつむいたまま、貴子は何度も深呼吸を繰り返した。冷や汗か、または脂汗《あぶらあせ》だろうか。頭の天辺《てっぺん》から、一気に額を伝って汗が滴《したた》り落ちてきた。脳貧血でも起こしそうだ。

「しかし、ひどいよな。あんた、よく我慢してるよ」

鶴見の声が遠く聞こえる。

「こんなこと言うのも何だけどさ、あいつ、まともじゃないじゃないか」

「私たちの中に、まともな人間がいる？」

「そりゃあ、そうだけど——」

「まともじゃないって言ったら、私だってまともじゃないわよ。あの子を手伝って、あんなことまでしてるのよ」

　下腹が痛くなってきた。駄目だ。本当に目の前に黒いしみが広がっていく。貴子は壁にもたせていた背中を少しずつずらし、廊下に倒れ込んだ。暑いのか寒いのか分からない。

「何だ――寝たのかな」

　意識はあるつもりだ。だが、鶴見の声は、まるで幻のように遠く、現実感を伴わなかった。おい、おい、と呼ぶ声がする。ごそごそと人の気配がして、人の手が額に触れた。

「どうしたの」

　今度は加恵子の声だ。だが貴子は、小さくかぶりを振るだけで精一杯だった。

「貧血じゃないかしら。ろくに食べさせてないんだし、ショックも続いてるのよ」

「やっぱり女だな。意外にだらしないじゃないか」

「何、言ってんのよ。あんな目に遭わされて、普通でいられる女なんか、いやしないのよ。ねえ、刑事さん、大丈夫」

　哀れまれている。それが情けなかった。身体《からだ》が骨の髄まで冷え切っているようだ。

「こんなんじゃ、明日、使いものにならないわよ」

「そりゃあ、困る。あんただって、そんななんだし」

「だったら、少し楽にさせなきゃ。ねえ、何か温かいもの、食べさせられない？」

「ここで？　無理に決まってるじゃないか」

起きていなければならないと思う。だが、このまま眠ってしまいたい気持ちもあった。もう、何も分からない方が良いのだ。たとえ、二度と目覚めることがないとしても、その方が楽なのかも知れない。

「私、向こうの部屋に魔法瓶、置いてあるんだけど。あれに、どっかでお湯、もらってきてもらえない？　それとインスタントのスープか何か買ってきてもらえればいいんだけど」

加恵子の指示に、鶴見が何とか言って答えている。だが、耳鳴りがして、上手に聞き取ることが出来なかった。冷たい汗が服の下を伝う。目を閉じたまま、何度か深呼吸をしてみたが、目の前の闇《やみ》は広がるばかりだった。

乾いたタオルの感触に気づいた時、一瞬、すぐに目を開けようかどうしようか躊躇《ためら》いがあった。あの顔が見える気がする。今度、同じ目に遭ったら、どうにかなってしまいそうだ。貴子は息を殺し、気配を探った。タオルが額の汗を拭っている。首筋にも柔らかくあてられた。

「――ありがとう」

そっと囁《ささや》いてみた。

「大丈夫よ。温かいもの、買いにいってもらったからね」

加恵子の声がする。その声に励まされて、貴子はようやく目を開けた。加恵子の顔の腫《は》れは幾分引いたようだ。だが、生々しい痣《あざ》は相変わらずだった。

「私――気絶してた？　何分くらい」

「ほんの五、六分。気分は」

「さっきより、楽になったわ」

横になったままで加恵子の顔を見上げる。いつの間にか頭の下にもタオルがあてられていた。その感触が、心を揺さぶる。温かさ。柔らかさ。こんなタオル一枚に、すがりつきたい気持ちになるなんて。

「あなたには、元気でいてもらわなきゃ困るのよ。だから渋々でも行ったのね。まあ、自分のものも買いたかったんだろうけど」

「――明日、また何かしようとしてるの」

仰向けになって、改めて加恵子を見上げてみる。さっきまでの耳鳴りや腹痛が嘘《うそ》のように、呼吸さえ少し楽になっていた。悪寒《おかん》も遠のいてきたようだ。それにつれて冷静さが戻ってくる。こうしている場合ではない。何かしなければならない。

「私を、使うつもりなんでしょう。あなたの代わりに」

加恵子は黙って目を伏せる。痩《や》せた肩が微《かす》かに上下した。

「中田さん、分かってるんでしょう？　こんなことして、無事に逃げられるはずがないって。その上、私までこんな目に遭わせてたら、もう百パーセント、望みはないっていうこと」

「――そう、でしょうね」

「でも、一つだけ望みがあるわ。分かる？」

加恵子が貴子の視線を受け止めた。貴子は両手を伸ばして、彼女の手に触れた。

「私と一緒に、ここから逃げること。その足で、警察に駆け込むこと」

加恵子の腕を両手で握り、貴子はその腕を自分に引き寄せた。加恵子は意外なほど無抵抗に、黙ってされるままになっている。

「ねえ、今ならまだ多少の望みがある。これ以上、深みにはまったら、本当にもう取り返しがつかなくなるのよ」

痣に囲まれた左の眼球は、相変わらず真《ま》っ赤《か》に充血していた。まともな方の右目だけが、落ち着きなく揺れたように見えた。

「望みっていったって――」

「諦《あきら》めないでよ、ねえ！　私も、精一杯のことをするから。あなたが自分の意志で犯行に加わったわけじゃないこと、堤の暴力を恐れるあまり、言いなりになるしかなかったって、私が証言するから！」

思わず腕を強く引くと、彼女の口から「痛い」という言葉が洩《も》れた。貴子は慌《あわ》てて手の力を緩めた。

「――こんな目にまで遭わされて、何のために、これ以上、あんな男と一緒にいるの？　このままだとあなただって、殺されるわよ」

「――そうかもね」

「そうかもね、じゃないわよ、諦めないでよ、ねえ！　今がチャンスじゃない。鶴見が戻ってくる前に、一緒に逃げよう！」

加恵子は黙ってこちらを見つめている。そして、深々とため息をつきながら、首を振った。

「鍵《かぎ》を――持ってないのよ。言ったでしょう？　一緒に逃げたくても、その南京錠《なんきん》の鍵を、持ってないんだもの」

目眩《めまい》がしてくる。貴子は必死で考えを巡らせた。何か工具はないのか。鎖を切れる方法はないものか。だが加恵子は、「無駄よ」と呟《つぶや》いただけだった。

「ドライバー一本、ありゃしない。その鎖を切れるような道具なんか、何もない」

「だったら――だったら、電話を貸して。警察に電話するわ。ここの場所を教える」

加恵子は途端に怯《おび》えた表情になり、「そんなこと、出来るわけない」とかぶりを振った。

「あの子を裏切ることなんて、出来ない――そんなことしたら、それこそ何をされるか分からない」

「その前に逃げるんじゃないの！　他に方法がないのよ。今のうちに逃げないと、本当におしまいよ。中田さん、あなた、やり直さなきゃ。これで、こんなことで終わったら――あなたの人生って、本当に何だったのよ」

怒りで胸が苦しかった。重い頭を起こし、貴子はやっとの思いで起き上がった。相変わらず嫌な汗をかいている。熱っぽい。呼吸が乱れていた。

「――あんまりじゃない。こんな人生なんて」

加恵子の頬が小さく震えた。彼女は横を向き、一点を見つめている。やがて震える唇が「本当よね」と呟いた。頬を涙が伝って落ちる。

「こんな——こんな、人生なんてね」

「諦めないで。まだ、終わったわけじゃないじゃない。人生、何年の時代だと思ってるの？　これからの人生を考えたって、いいじゃない。きちんと償って、全部、清算して、それでもまだ、あなたには時間があるわ」

指の腹で何度も涙を拭い、彼女はただ横を向いている。肩に手を置いてやりたいと思う。だが、触れられただけで痛むはずだと分かっているから、どうすることも出来なかった。だが、貴子は「ねえ」と彼女の横顔に語りかけた。

「私に、どうしてあんな話、聞かせたの。生い立ちのことなんか」

鼻をすする音がした。彼女は何度も涙を拭い、わずかに上を向いて「さあ、どうしてかしらね」と言った。ため息。静寂。時間が流れる。苛立ちが募る。だが貴子は、辛抱強く彼女を見つめていた。

「これまで、誰にも言ったことなんかなかったのにね。何か——本当の私のことを知ってる人が、世の中にただの一人もいないんだなあって、そんな風に思ったら、何となく、かしらねえ」

ただの一人も。そんな孤独があるだろうか。貴子の理解の範囲を超えていると思う。だが、知りたかった。少しでも、この人に近づきたい気がした。

「最初はさ、何ていうか——あなたに、私の何が分かるのって、そういう気持ちだったわよね。実の親や兄弟と暮らしてきて、真《ま》っ直《す》ぐに育って、正義感も強くて、今だって、自分の仕事に誇りを持って——陽の当たるところだけ歩いてきたあなたに、私の何が分かるのよってね。でも——考えてみたら私、これまでに友だちって呼べる人も一人もいなくて、それに、あなた、妹と同じくらいの年頃なんだなあと思ったらさ——何となくね」

「——妹さんたち、どうしてるかしらね」

加恵子は疲れ果てたようなため息と共に「さあ」と言う。

「死んだと思ってたお姉さんが、本当は生きてるって知ったら、どうだと思う？　そのお姉さんが、どんな思いをして、どんな苦労をして生きてきたか知ったら、どう思うかしら」

両手で顔を覆《おお》って、加恵子は嗚咽《おえつ》を洩らした。貴子は、彼女が痛がらない程度に気を配りながら、その細い肩に手を置いた。

「私だったら——悔しくて、可哀想《かわいそう》で、いられない。何も知らずに可愛《かわい》がられて育った自分を、それだけで申し訳なく思うわ。せめて、これからでも幸せになって欲しいと思う。そのためなら、出来る限りのことをしたいと思う」

加恵子の肩が激しく震えた。泣いている。初めて、涙を流している。数分間、そうして泣き続け、彼女は声を詰まらせながら「ねえ」と言った。

「前に――私がバッグをひったくられた時、写真が入ってたって、言ったでしょう。何とか、探してもらえないかって」

そうだった。バッグも財布も諦める。だが、写真だけは取り返したいと加恵子は言っていた。

「あの写真て――」

「新聞に載ってた写真のコピーだったのね。ぼんやりしていて、よく分からなかったけど、でも、両親と一緒に写ってた、三歳の私の写真だった――だから、どうしても探してほしかった。私の、たった一つのお守りみたいなものだったから」

「――ごめんなさいね。力になれなかった。私なりに、一生懸命、探したつもりなんだけどね」

顔を覆いながら、加恵子は何度も首を振った。もしも無事にここから逃げ出すことが出来たら、加恵子の実の家族を訪ねてみよう。そして、その頃には法に裁かれる身になっているに違いない加恵子に、何とかして面会出来るようにしてやりたい。そのことを口にすると、加恵子は慌てたように顔を上げた。

「やめてよ！　今さら、犯罪者の身内なんか、誰が欲しいと思う？　私は、あの家の人達にとっては、もうとっくに死んだ人間なのよ」

「でも、中田さんは会いたいんでしょう？　本当のご両親や妹弟に、ちゃんと名乗ってみたいんでしょう？　会うべきよ。辛《つら》かった、悲しかったって、言うべきよ」

加恵子は、ぼんやりとこちらを見つめている。その視線が、虚《うつ》ろに宙をさまよった。

「ご両親は、どこかで生きていて欲しいって、絶対に思ってる。本当は諦めきれてないに決まってるわ。だって、死体が出たわけでも何でもないんだもの、けじめをつけるために、後から生まれた子どもたちのために、死んだことにしてるのかも知れないけど、心の底からそう思ってるわけがないじゃない。あなたを見て、笑ってる顔を、あなただって覚えてるんでしょう？　可愛くて可愛くてたまらなかった子どものことを、誰がそんな簡単に諦められると思う？　きっと、どこかで元気に生きていて欲しい、生きていてくれるはずだって、そう思ってるわ」

やがて、その口から「会いたい」という呟きが洩れた。

「――会いたい。本当の両親ていう人達に、会ってみたい。あの時のお下げの女の子が、どんな大人になってるか、見てみたい――私を許してくれるのなら、本当の名前で、呼んでもらいたい」

「許すに、決まってるじゃない。第一、三歳の女の子の、どこが悪かったっていうの。ご両親こそ、中田さんに――謝りたいと思ってるはずよ。独りぼっちにさせてご免ね、怖い思いさせて、苦労させてご免ねって」

加恵子は、また顔を覆って泣いた。彼女の肩に置いた手の、腕時計が三時を指そうとしている。鶴見が出かけていったのは何分前だっただろうか。もう、戻ってきてしまうかも知れない。

「だから、そのためにも、逃げなきゃ。ねえ、中田さん！　一緒に！」

「だって――本当に、何も持ってないんだもの」

「だったら、電話。ねえ、私の電話はあるんでしょう？　持ってきて、早く！　約束するから、一緒に逃げるって」

加恵子が迷ったような顔でこちらを見たとき、部屋のすぐ外で携帯電話の鳴る音がした。貴子と加恵子とは思わず手を握り合ったまま、全身を強張《こわば》らせた。振り返ると、部屋の入り口に、耳に電話を押し当てた鶴見が仁王立ちになっている。

「ああ、俺――ああ、ああ、分かった。女？　いるよ。ああ、二人で仲良くお喋《しゃべ》りしてるさ」

鶴見は、真っ直ぐにこちらを見据えていた。恐怖と絶望感が、全身の力を奪い取っていく。

「ええ？　ああ、仲良くな。まあ、女同士だからさ――大丈夫だって。ちゃんと見張ってるから――ああ、分かった。じゃあ」

電話を切り、同時に鶴見は、大股《おおまた》で部屋に入ってきた。貴子は、ただ全身を強張らせ、男を見上げているより他に出来ることがなかった。目を逸《そ》らしたいのは山々だが、その間に襲いかかられたらどうしようと思うから、相手から目が離せなかった。

「心配するな、殴ったりしないよ。俺は堤や井川さんと違って、女に暴力振るうっていうの、嫌いなんだ。それに、あんたには明日、存分に働いてもらわなきゃなんねえんだから」

「働くって――」

「それは、明日になってからの、お、た、の、し、み、ってな。せいぜい、体力でもつけてもらわなきゃ、俺らの計画が水の泡になっちまう。どこにも電話できなくて、残念だったねえ」

言いながら、鶴見は「ほい」と手に提げていた袋を加恵子の前に差し出す。加恵子が、おずおずとその荷物を受け取った。

「湯ももらってきてやったから。せいぜい、温かいスープでも飲ませてやれよ」

鶴見は貴子と加恵子の間を割るようにしてまたぎ、奥の部屋へ行った。さっきと同じ場所に座り込み、またゲーム機を手にとる。電池が交換出来ると、彼は、今度はヘッドホンステレオを取り出し、それを聴きながらゲームに興じ始めた。しばらくの沈黙の後、「そういえばさ」と、また鶴見が口を開いた。

「井川さんたち、もう一カ所寄ったら、戻ってくるってさ。今、レンタカー屋で車を借りたところだからって」

ああ、逃げられないのか。説得に時間がかかりすぎた。蘇《よみがえ》りそうだった気力が、また萎《な》える。貴子はうなだれたまま、横目で加恵子を盗み見た。彼女の顔からは、既に表情が失われていた。ただ機械のように、鶴見が買ってきた紙コップつきのスープに湯を注いでいる。

貴子は、黙々とゲームに興じる鶴見を観察し、また加恵子に視線を戻した。湯気を立てているカップスープを受け取るとき、「ありがとう」と囁《ささや》くと、加恵子は微かに眉根《まゆね》を寄せて、首を振る。そして、わざと前屈《まえかが》みになって荷物を片づけるふりをしながら、貴子の近くで囁いた。

「何も、聴いてないかも知れないから。格好だけで」

なるほど、そういう小細工をする男なのか。貴子は改めて鶴見を見た。彼は、一心にゲーム機を見つめている。貴子は、しばらくの間、黙ってスープの湯気を吹き、熱い液体をすすった。まだ、生きているのだと思う。普段は見向きもしないインスタントスープが、こんなにも旨《うま》く感じられた。空っぽの胃袋が徐々に温まり、それにつれて、気持ちが落ち着いてくる。

「――約束するわ」

紙コップで口元をふさいだまま、加恵子に聞こえる程度の声で囁く。

「必ず、あなたを本当の家族に会わせる。私、あなたを庄司直子に戻れるようにするからね」

無表情な加恵子の、虚ろな瞳《ひとみ》が、ひたと貴子を見つめる。貴子も、その瞳を見つめ返した。ここで諦《あきら》めるわけにはいかない。だから、あなたも。精一杯に思いを込めて、貴子はしばらくの間、加恵子を見つめていた。

11

午後三時五十分。国分寺市の鉄道総合技術研究所近くで井川の車が発見されたという連絡を、滝沢は指揮車両の中で聞いた。外から見れば、普通のバスにしか見えないが、中に入れば非常にコンパクトに仕上げられた指令本部といった感じの車だ。この車のお陰で、特殊班はたとえば現場周辺に適当な建物が見つからず、借り受けることが困難な場合でも、捜査活動に支障を来《きた》すことがない。すべての窓には特殊フィルムが貼《は》られていて、外からではまるで分からないが、中に入ればちょっとしたSF映画の世界のようだ。十五分ほど前から、滝沢と保戸田とは、その車に乗り込んでいた。作業員を装《よそお》った服は、既にぐっしょり濡《ぬ》れており、車内に効いているエアコンと共に体温を奪っていく。

「目くらましのつもりか」

柴田係長が憮然《ぶぜん》とした表情で呟《つぶや》いた。その向こうで東京からとんぼ返りしてきた吉村管理官も腕組みをしている。携帯電話の電波は、刻々と移動を続けているのだ。そして現在の位置は、国分寺からはかなり離れた新宿近辺という連絡が入っている。二つの電話は時折、その電波の発信地が離れるが、ほぼ同位置にあることが確認されている。つまり最低二人の人間が、一つずつ電話を持って行動しているということだ。

「何でもいいですけど、なるべく長く都内にいてもらいたいですよ」

滝沢はうなだれたまま答えた。身体《からだ》を温めるつもりで薄いコーヒーを飲んでいるが、それだけでは補えない疲労感が背中に貼りついている。

何しろ廃墟《はいきょ》が多すぎるのだ。最初に、中に入り込めるビルを見つけたときには、これですぐにも音道を見つけ出せると意気込んだものだが、他の捜査員が内偵に入ったところ、中に人はおらず、また、最近、誰かが使用したと思われる形跡も見つからなかった。胸を高鳴らせ、息を詰めて待ち構えていた滝沢に、その答えはあまりにも無情に聞こえた。

気を取り直して次の建物に当たる。きちんと鉄柵《てっさく》を巡らせてあったり、一階の窓にはすべて板を打ちつけてあるような建物でも、取りあえず隅々まで見て歩き、本当に入れそうな隙間《すきま》がないと分かると、次のビルに移る。やがて、また入り込める場所を見つける。内偵が入る。結果は白。そんなことを繰り返している。肉体的な疲労というよりも、これは、忍耐と緊張、興奮と落胆の繰り返しから来る、完璧《かんぺき》なストレスの結果の疲れに違いなかった。

「――くそったれが。どこにいやがるんだ」

つい一人で毒づきながら、やたらと煙草《たばこ》を吸う。吐き出す煙がエアコンの風にかき回されて不自然に広がっていくのを眺めていると、否応《いやおう》なく悪い想像ばかりが浮かんでくる。これで、最後にあいつの死体を発見するようなことにでもなったら、まさしくやり切れない。さらさら流れる生命の砂は、あとどれくらい残っているのだろうか。

「戻ってきました！」

運転席にいた捜査員の声と同時に、前方のバスの扉が開いた。滝沢は、飲みかけのコーヒーに煙草の吸い殻を落とし、乗り込んできた男を見つめた。額にかかる髪から雨の滴《しずく》を垂らし、瘦《や》せてどす黒い顔をこちらに向けて、彼は力無く顔を左右に振った。

「確かに、人が入り込んだ形跡はありますがね、いずれも古いものです」

東丸《ひがしまる》という、滝沢よりも一つか二つ年長の主任は、その瘦せて貧相な体つきと、肝臓でも悪そうな顔色、中途半端《はんぱ》に伸びた髪から、これまでにも時折、ホームレスに変装することがあるという男だった。廃ビルなど、どこに人がひそんでいるか分からないような場合には、そういう変装が最も適していることがある。他にも、生存者を確認するための、救助犬としての訓練を施した警察犬を使用する場合もないわけではないのだが、万に一つも犯人と鉢合わせをした場合、疑われずに脱出することが最優先すべき課題であることを考えると、廃墟に大型犬を連れて入ることには、どうしても不自然さが伴う。やはり、ホームレスに扮《ふん》するのがもっとも自然だった。今回、当初は滝沢がその役割を買って出たのだが、「そんなに栄養状態のいいホームレスがいるかい」というひと言で、あっさりと却下になった。確かに、太鼓腹のホームレスなんて、滝沢もあまりお目にかかった記憶がない。

「座卓を立てて目隠しにして、その陰に布団《ふとん》を敷いてあるような場所も、あるにはあったんです。雑誌も転がってましたが、古いものばかりで、変色してました」

サイズの合わない、煮染《にし》めたような色合いのポロシャツを着込み、その上からは若い連中の着るような薄手のジャケットの、やはり故意に汚したものを羽織って、チェックのズボンにはベルト代わりに紐《ひも》を通してあり、スニーカーも真っ黒なら、しわくちゃの紙袋を提げているという格好は、臭くないのが不思議なほど、見事なホームレスに見えた。しかも、東丸は髪を整髪料でべたべたにさせ、ところどころには房まで作って、その上から、軽く何かの粉をふっている。顔には何も塗っていないはずなのだが、昨日や今日、帰る家を失ったわけではないといった雰囲気が十分に醸《かも》し出されていた。東丸はその格好で、一人で建物に潜入し、ワイヤレスの高感度マイクを通して中の様子を逐一報告してきていた。その度胸は、外見からは想像もつかないほどのものだ。それなのに、しごく淡々とした様子で椅子《いす》に腰掛ける彼を見て、滝沢は「よし」と小さなかけ声をかけながら立ち上がった。こっちも、疲れてなどいられない。

「暗くなる前に、何とか見つけ出さなきゃなりませんわな」

他の連中は、現在も営業を続けている宿泊施設やマンションなどをくまなく当たり続けていた。銀行、コンビニエンスストアー、熱海駅などにも張り込みがついている。

無論、滝沢たちの担当外の地域にある廃ビルも、他の捜査員が調べて歩いていた。雨に降りこめられ、静寂に沈んでいるように見える熱海の街を、今、確実に動き回っている連中がいるのである。徒労に終始しているような作業でも、確実に網の目は絞られているのだ。それを信じるしかなかった。

「頼むよ」

背後から声をかけられ、それに手で応《こた》えて、滝沢はバスを降りた。一時間ほど前には、一度、滝のような勢いになった雨は、今は嘘《うそ》のように止《や》んでいた。その代わりに、ねっとりと粘り着くような湿気が身体を包む。地図で確認したところ、滝沢たちが受け持っている地域で残っている廃ビルは、あと四カ所だった。

それにしても見れば見るほど、ビルの残骸《ざんがい》というものは惨《みじ》めに見えた。かつては観光客が佇《たたず》み、海を眺めたに違いない窓辺に、枯れススキが鬱蒼《うっそう》と茂っている建物もあれば、屋上に洒落《しゃれ》て作ったたつもりの小さな庭園の木が、わずかな養分だけを吸い上げながら好き勝手に育ち、下から見上げても、不気味な枝を垂れ下げている建物もある。「海岸近道」「温水プールあります」などという看板も色あせ、錆《さび》を浮かせて、今は誰に読まれることもなく、虚《むな》しく埃《ほこり》にまみれているところも珍しくはなかった。吹き抜けにシャンデリアが自慢だったに違いない宿は、いつの間にか、そのシャンデリアが床に落ちて微塵《みじん》に砕け散っていたし、白亜の建物だったことも過去になり、ただ黒いカビを生やして横たわる、廃船のような建物もあった。それらの一つ一つを、滝沢は注意深く見て歩いた。

入れそうな柵は動かしてみる。南京錠《なんきん》などが取りつけてある場合には、それも手にとって観察する。上れそうな梯子《はしご》や階段には足をかける。巡らされた有刺鉄線からは中を覗《のぞ》き、手の届く範囲にあるドアというドア、窓という窓にも手を伸ばす。ことに、外から観察して明らかに家具が動かされているらしい様子が見て取れたり、上の方の階の窓が開いているような建物の場合は、特に警戒した。

路地を歩いていれば、時折、地元の住民らしい人間と行き合うこともあった。小さな子どもをすし詰め状態に乗せて、のろのろと坂道を走る軽ワゴン車を見かけたり、また引っ越しか廃業か、次々に家具を運び出している男たちや、どこかの宿に通いで勤めているらしい女を見かけたりもした。彼らは一様に、明らかによそ者である滝沢たちを一瞬、不思議そうな目で眺めはしたが、興味は長続きせず、そのまま通り過ぎていってしまう。

夏の虫がじいじいと鳴き始めた。夕暮れにはまだ早いと思うが、かといって陽も射《さ》しては来ず、蒸し暑く、どんよりとした濃密な空気が辺りに満ちている。時折、軍手の甲で首の回りの汗を拭《ぬぐ》いながら、滝沢は黙々と仕事をこなした。もう、保戸田と交わす言葉さえも見つからない。暗くなる前に、とにかく当たりをつけたい、その一心だった。

午後四時五十分。一軒目、二軒目は既に確認済みだった。次に海岸沿いから少し高台に上りかけた位置にある建物を調べることにする。その、すぐ横手にも巨大な廃ビルがあって、そこはさっき見て回っていた。海岸沿いの建物だとばかり思っていたら、高台に向けて増築を繰り返したらしい造りで、ずっと裏まで回ってみると、昨夜、暗い中で見つけた空き地に出た。しかも、途中の渡り廊下らしい場所は煤《すす》だらけになっており、明らかに火災を起こした建物だということが分かった。

建物同士の隙間はいずれも狭く、複雑に入り組んでいた。注意していないと、別の建物だと思っていたものが頭の上でつながっていたり、建物同士は離れていても、何かのパイプや電線などが走っていたりするから、実際、どれとどれが独立した建物なのか、または別の施設なのかが分からなくなりそうだ。三軒目のビルは、一見すると、やはり海岸沿いのホテルとどこかでつながっているようにも見える、だが、明らかに別の独立した建物だった。

路地から精一杯、上階の方を眺めてみる。外壁は白く、階段風の建物なのか、途中に林のように育った植木が見えた。その上に、まだ建物があるようだ。コンクリートの壁は表面の塗装が剝げ落ちていて、客室の外のテラスも、錆で真っ赤《まっか》に変色している。壁にはツタが這《は》い、そのツタの下を、何本ものパイプが走っている。そして、行儀良く並んでいる客室の、いくつかの窓が、明らかに開いていた。障子は破れ、カーテンも切れているのがよく見える。滝沢は保戸田と頷《うなず》きあい、その建物の周囲を歩いた。

塀の上には、やはり有刺鉄線が巡らされている。坂道の途中からは、一階の大広間らしいものを覗くことが出来た。片隅に大型の座卓が積み上げられ、土瓶が転がっている。かつては夜毎《ごと》、大宴会が催されたのだろうに、その様子はあまりにも淋《さび》しく見えた。

急な斜面に建っているから、こちらが坂を登るにつれ、大広間は地階のようにも見えるようになる。入り口がどこなのか分からない。急に、とってつけたような瓦《かわら》の庇《ひさし》が出現して、陽も当たらない場所に、小さな庭のようなものが作られていたりする。和洋折衷というか、節操がないというか、だが考えてみれば、確かに東京オリンピックの頃の観光旅館といったら、こんなものだったかも知れないという気がした。

歩いているうちに見つけた非常階段の周囲には、トタン板が巡らされていた。その上にも有刺鉄線がぐるぐる巻きになっていて、おいそれと破れる感じではない。かつて侵入者に荒らされ、その後、きっちりと回りを囲んだというところだろうか。さらに、塀に沿って歩く。またもやふいに建物が純和風建築に変わった。さほど大きくはないが、落ち着いた佇まいの、なかなか良さそうな宿ではないか。塀の上からは黒松が枝を伸ばしており、寄せ棟造りの建物は雨戸を閉め切りにされている。

「あれと、これ、つながっていやがるのか」

滝沢は、半ば呆気《あっけ》に取られて呟いた。最初は純和風の、こぢんまりとした旅館だったのだろう。それが、時代の波に乗って海側に増築を繰り返し、無節操な建物になってしまったのかも知れない。かつては知る人ぞ知る、馴染《なじ》み客ばかりだったような宿が、団体客を取るために、鉄筋コンクリート部分をくっつけたというところだろうか。そんなことを想像させられるほど、高台の方から見た雰囲気と、海側から見た様子では違っていた。丁寧に見て歩かなければ、一つの建物だということさえ気づかないくらいだった。結局、門扉《もんぴ》にもきちんと鎖が回されて南京錠がかかっていたし、人が入り込める状況ではないことが分かった。

「残りは一軒か」

思わずため息混じりに保戸田を見る。嫌でもため息が出た。

「鍵《かぎ》かけるんだったら、最初からきっちり、やっといてくれりゃあいいんだよな。誰かに入られた後にやるんじゃなくってよ」

つい愚痴も出る。その時、隣を歩いていた保戸田が、くるりときびすを返して、細い坂道を小走りに戻っていった。

「滝さん！」

改めて、確認したばかりの門扉の前に立ち、保戸田が小さく手招きをした。全開にすれば乗用車の二、三台はゆうに通れるほどの、鉄製の門の前だ。滝沢は素早く周囲に気を配りながら、坂道を転げ落ちるようにして彼に近づいた。保戸田は黙って門を閉じている鎖の部分を指さしている。鎖が巻きつけられ、南京錠が取りつけてある。それは、さっき見た。

「これ。鎖も鍵も、新品同様に見えないですか。雨に洗われたのかと思ったけど、それにしても」

滝沢は周囲を見回した後で、自分も鎖と南京錠を注意深く観察した。確かに、保戸田の言う通りだ。さらに、その周囲を眺めると、鎖を巡らされている周辺には、鉄錆だらけの門扉に、いくつもの擦り傷がついている。滝沢は、今度はしゃがみ込んで地面を確かめた。コンクリートを盛り上げた形で打った上には、わずかに細かい鉄錆が落ちていた。三時頃まで降っていた雨の激しさを思えば、洗い流されていても良いはずだった。さらに、膝《ひざ》と両手を地面について、門扉の下を見る。長い間、放置されている門ならば、レールの上に土や枯れ葉などが詰まっていて良いはずだ。

——動かしてる。

思った通り、レールは約一メートルほどの長さだけ、埃が脇《わき》に寄せられていた。

「滝さん！」

背後から、再び保戸田に呼ばれて、滝沢は四つん這いになったまま振り返った。それから「うんせ」とかけ声をかけて立ち上がる。今度は保戸田は背伸びをして、門扉の向こうを指さしていた。立ち上がったところで、保戸田よりも身長の低い滝沢には、背伸びをしたって見えるわけがない。

「玄関の傍に、傘が立てかけてあるんですがね、その下に、水たまりが出来てるようなんです」

「本当か」

自分もそれを見たいと思った。急いで辺りを見回してみる。だが、踏み台に使えそうなものは見あたらなかった。この際、保戸田の観察眼を信ずるより他にない。

つまり、野郎たちは、ある意味で正々堂々と、門から廃ビルに出入りしていやがったということだろうか。だが、不可能な話ではない。鎖と南京錠の問題さえ片づいてしまえば、後は中を壊そうとどうしようと、かえって外界から遮断されている分、自由に出来るというわけだ。夜中に窓などから出入りしているよりも、ずっと安全な方法でもある。

「当たり、ですね」

「今度こそ、だな」

声をひそめて言葉を交わしながら、足早に、その建物から見えないところまで離れ、滝沢は保戸田と頷きあい、早速、無線で報告を入れた。耳の中で柴田係長の「すぐ行くっ」という声が聞こえた。

「ですが、相手は南京錠をつけ替えてるようなんです。簡単には潜入はできないようですが」

「いいから、そこにいてくれ」

係長の声は、いつになく性急に聞こえた。五分もしないうちに、ジャージ姿の男が大股《おおまた》で歩いてきた。係長だ。その後ろから、服装とはまるで異なる、きびきびとした歩調のホームレスがやってくる。東丸に違いなかった。

「丸さん、行かせるんですか。どうやって」

「入り口がなきゃ、作りゃあいい」

係長はわずかに息を弾ませながら、ポケットからペンチを取り出した。滝沢は素早く保戸田の腕を叩《たた》いた。

「おい、入れるんだったら、どこからが一番かな」

弾《はじ》かれたように保戸田が走り出した。そして、坂道の途中から陽当たりの悪い庭の一角を指さす。外壁の途中から、唐突に瓦の庇が飛び出している辺りだ。確かに、そこならば建物自体が凹《へこ》んでいるし、上から見ても分かりにくく、飛び降りるには最適だった。後はすべてジェスチャーでのやりとりだった。ここ、ここです。おう、了解。大丈夫そうか。大丈夫でしょう。塀に沿って行けば、玄関先に回れるはずです。この広間の前を抜けることになるが。行ってみますよ――。

東丸が落ち着いた表情で、ゆっくり頷いた。係長も頷き返し、素早く周囲を見回すと、その場で有刺鉄線を切断した。びん、と鈍い音をさせ、宙に突き出して揺れている鉄線を、滝沢が、軍手をはめた手で出来るだけ大きく開いた。有刺鉄線を切る音だけが、小さく響く。保戸田は坂の上に立ち、人が来ないか様子を探っていた。

人が一人、通れるだけの隙間《すきま》を作ると、東丸は意外なほど身軽に、一・五メートルほどの高さから、敷地内に飛び降りた。そして、こちらに向かって小さく手を振り、小脇に紙袋を抱えたまま、ゆっくりと歩き始める。見ているだけで、生唾《なまつば》を飲み込む音が耳の中で響く。やがて、係長のイヤホンに、彼からの報告が届き始めたようだ。

「――了解。開くんだな。くれぐれも注意してくれよ。これが本番かも知れん」

話しながら歩き始めた係長を、滝沢たちは、例のⒽマークのついている空き地に案内した。建物からは少し離れるが、まるで見えないわけではない。この広場の下はかなり急な斜面になっており、松の林が広がっていた。その松の木越しに、熱海の海岸を見渡すことが出来る。海岸線は緩やかに弧を描いており、こんな天候にも拘《かか》わらず、海岸の砂は白く、美しく見えた。

「――ああ、雨戸がな。丸さんの、腕の見せどころだ。上手に、やってくれや」

東丸からの報告が、滝沢たちに聞こえないのは残念至極だった。だが一点を見つめ、眉間《みけん》の皺《しわ》をさらに深くして、孤独と緊張の極みにいるはずの東丸を一人で支えている係長を見ているだけで、自然にこちらも息を殺してしまう。

「――階段の？　そうか――いよいよ、かも知れんな。気をつけてくれよ、おい。頼むよ」

言いながら、係長は滝沢を見た。指揮車両の管理官に報告をしろと言われ、滝沢は勇んで自分のワイヤレスマイクをオンにした。今現在、東丸が内偵に入っていること、確かに人の気配があるらしいことを報告すると、管理官は、その廃墟《はいきょ》がどの位置の、どんな建物なのかを詳しく聞いてきた。

「火事で燃えたホテルの近くなんですが——高台から海に向かって、かなり細長い建物で、入り口付近は、純和風、海側は洋風のホテルって感じの建物です。どうぞ」

〈了解。こちらで照会する。係長は、そこにいるんだな。どうぞ〉

「東丸さんの報告を受けてます。どうぞ」

〈了解っ。東丸刑事からSOSが入ったら、すぐに飛び込め。そうでない限りは、待機してくれ。以上〉

「了解、以上！」

心臓が、かつてないほど鼓動を速めていた。まるで廃屋に見えるのに、今、あの建物の中を仲間が歩いている。さらに、その向こうには音道がいるのかも知れない。

——当たりであってくれ。頼む。

いつの間にか、軍手をはめたままの両手を強く握りしめていた。湿った風が吹き抜ける。滝沢は、一方で係長の無線の応答に神経を集中させ、もう片方で、ひたすら建物を睨《にら》みつけて、時を過ごした。一度、懐《ふところ》で携帯電話が震えたが、それに気づいたときには、電話は既に切れていた。

12

黙っていると、睡魔が襲ってくる。スープを飲み、サンドイッチを食べたお陰で、全身が気だるく感じられ、多少ゆったりとした気分にもなっていた。

貴子がサンドイッチを食べる間、加恵子も、貴子のすぐ傍で弁当を食べた。白い飯の上に、薄く切った鮭《さけ》の塩焼きがのり、脇に煮物や和え《あ》物、唐揚げなどが添えてある弁当だ。彼女は無表情のまま、ひどくゆっくりと箸《はし》を動かし、空腹すら感じていなかったはずなのに、意外な食欲に内心で驚いている貴子に向かって、時折、割り箸でつまんだ厚焼き卵などを差し出した。まるで、子どもにするような仕草だった。だが、表情は変わらないのだ。一体、何を考え、どういうつもりなのかが分からなかった。戸惑っていると、加恵子は促すように、さらに箸を近づけてくる。そして、こちらが手のひらで受けようとするのを無視して、貴子の口元まで、その厚焼き卵を持ってきた。貴子は素直に口を開け、厚焼き卵を食べた。加恵子は、美味《おい》しい、とも聞かなければ、どう、とも言わない。彼女の顔つきは、あくまでも虚《うつ》ろなままだった。表情と仕草とが、あまりにもかけ離れていて、貴子は彼女の心情をはかりかねていた。

しばらくすると、今度は一口サイズの昆布巻きが差し出された。次には蒲鉾《かまぼこ》。黙ってされるままになるうち、貴子は次第に、彼女の内に響いている声が聞こえるような気がし始めていた。人質である自分に、誘拐犯の女が、仲間の目があることを承知していながら、自分の箸で、自分の厚焼き卵を差し出す、そのことを十分に受け止めたい、受け止めなければいけないと思った。

——彼女は、求めてる。

今、食事を終え、壁にもたれてぼんやりしながら、貴子は考えていた。少しでも気を抜くと、堤の顔が蘇《よみがえ》りそうになる。だが、それを払拭《ふっしょく》するほどの鮮烈さで、自分と向き合う加恵子の虚ろな顔が思い浮かんだ。

——ああしたかった相手は、他にいた。

たくさん、いたことだろう。母にも父にも、妹弟にも、もしかすると我が子にも、彼女は、ああして自分の何かを分け与えたいと思ってきたのかも知れない。そんな思いが、貴子へのああいう形になったのではないかという気がする。今、加恵子はかつてないほど強烈に、実の親に会いたいと思っていることだろう。こんなところまで来てしまって、やっと彼女は、諦《あきら》めること以外の、自分の中の感情に気づいたのかも知れない。会わせてやりたかった。ここから出られたら、真っ先に、茨城にあるという加恵子の実家を探し出したいと思った。

——取り返しのつかない時間が流れたにしても。

頭の芯《しん》がぼんやりと痺《しび》れてくる。貴子は膝を抱えたまま、そっと目を閉じた。呼吸が深くなっているのが分かる。指先が重くなる。睡魔を振り払うように、一度、目を開けて奥の部屋を窺《うかが》った。それまで、相変わらずの姿勢でゲームに興じていた鶴見が、貴子の視線に気づいたかのように顔を上げ、「あーあ」と言った。同時にヘッドホンも外す。

「さすがに飽きるな」

突き当たりの窓の傍で寝転がっていた加恵子が、のろのろと身を起こす。相変わらず、何の感情も表さない顔で、加恵子はぼんやりと鶴見を見ていた。

「パチンコにでも行きゃあよかった」

「——行ってくれば」

「そうも、いかねえよ。井川さんたち、そろそろ帰ってくるだろうしさ」

「——適当に、言っておいてあげるわよ」

鶴見は大きく背伸びをしながら、「そうは、いかないって」と、呻《うめ》くような声を出した。

「一応さ、あんたたちを見張ってなきゃならないんだ。本当にサツなんかに電話でもされたら、かなわないしな」

「するわけ、ないじゃない」

「どうだかね。女の刑事さんは、なかなか人を丸め込むのがうまいみたいだからさ」

くるりと振り返って言われる。貴子はそっぽを向いた。人聞きの悪いことを言わないで欲しい。

「加恵子さんなんてさ、お人好《ひとよ》しだから、簡単にだまされるぜ」

思わず鶴見を睨みつけた。男は涼しい顔で、口元に薄笑いまで浮かべてこちらを見ている。よほど何か言ってやろうかと思ったが、黙っていた。言ったところで、どうなるものでもない。そのまま口を噤《つぐ》んでいると、鶴見はまた大きなあくびをした。

「じゃあ——電話も持っていけばいいわ。あの人のも、私のも」

「面倒くせえよ。しょうがねえや。少しは明日の支度でも、するかな」

そう言うなり立ち上がって、鶴見はこちらに向かって歩いてくる。身を固くしている貴子の前を大股で通過して、彼は、そのまま部屋を出ていった。どこかでドアを開け閉めする音が響く。

「私は、だまさないから」

一瞬の静寂の間に、貴子は加恵子に向かって話しかけた。相変わらずの無表情で、彼女はぼんやりとこちらを見ていた。

「あなたを丸め込もうなんて、思ってない」

痣《あざ》が出来ていない方の加恵子の目は、確かにこちらを見ていると思う。だが、風貌《ふうぼう》自体が変形しているから、きちんと貴子を見ているかどうかが分からなかった。

「さっきの約束、きっと守るから」

「――いいのよ、どっちでも」

小さな呟《つぶや》きが戻ってきた。貴子は、「どうして」と言おうとして、思わず彼女の方に身体《からだ》を捻《ひね》った。

「私は、何かに期待したり、希望を持つなんて、もうとっくに忘れてるから」

「そんなこと、言わないでよ！　駄目よ、そんなの」

「私にはねえ――信じるっていうことが、分からないの。どういうことか」

何と答えれば良いか分からなかった。貴子は言葉を呑《の》み、それでも必死で頭を働かせた。分からないと言い切る人に、信じろと言い続けることはあまりにも愚かだという気がする。だが、ではどう言えば良いのだろう。期待せず、希望を抱かず、信じることも出来ない彼女に、他に語りかけられる、心を動かすことのできる言葉があるだろうか。

「——じゃあ、信じなくていいわ。でも、見てて。私はきっと、あなたの前にあなたの肉親を連れてくるから」

ようやく、それだけ言ったとき、再び扉の音がして、鶴見が戻ってきた。その姿を見た瞬間、貴子は全身を強張《こわば》らせた。彼はライフルを抱えていた。

「明日、使うことになるかも知れねえからさ。一応、手入れでもな」

にやにやと笑いながら、鶴見は再び貴子の前を通り、前と同じ位置に座り込んだ。そして、ポケットからハンカチを取り出して、抱え込んだライフルの長い銃身を磨き始めた。

「なあ、あんた、拳銃《けんじゅう》撃ったこと、あるんだろう？　当然あるよな、ないわけ、ないわな。デカなんだから」

いかにも気軽な口調で、鶴見が口を開いた。貴子は黙っていた。見たところ、競技用のエアライフルのようだ。

「俺もさ、あるんだ。韓国でさ、一度な。やっぱ、気持ちいいよな。こう、引き金を引いたときの反動がさ。ライフルなら余計だろうな」

一人で喋《しゃべ》りながら、彼はライフルを構える格好をする。数秒間ずつ、銃口はあらゆる方向に向けられた。そして、貴子にも向けられる。

「何ともいえないよな、あの時の気分」

実弾が込められているのだろうか。睡魔はとうに吹き飛び、全身がヒリヒリするほどの緊張に包まれる。身体のどこかに銃弾を受けて、この場に倒れ込む自分の姿が目に浮かんだ。

「結構な音がするものかね、なあ、刑事さん」

「――すると、思うわ」

だから、こんなところで撃ってもらっては困る。貴子は、密《ひそ》かに生唾を飲み、ただ、片目をつぶって銃を構える鶴見を見ていた。手のひらに汗が滲《にじ》む。次の瞬間、鶴見はふっと力を抜いた。銃口が下がる。それだけで、一気に冷や汗が噴き出した。

「もう一丁、あるんだ。どっちかが散弾銃なんだってさ。そっちは、どうかな」

鶴見は、まるで子どものように表情を輝かせ、再びいそいそと立ち上がった。そして、ほとんど小走りに部屋を出ていく。床の上には、ライフルを置きっぱなしにしてあった。

「中田さん、そのライフル、あなたが持ってて」

貴子は素早く話しかけた。だが加恵子は、小さく首を振るばかりだ。

「今のうちに、あなたが持っててよ。さっき、私を助けてくれたとき、あなた、それを構えたでしょう?」

「あの時は――」

「自分の身を守るためよ。早く!」

必死で話しかけている間に、ばたん、と扉の音がした。同時に「誰だっ!」という大声が響いた。反射的に振り返った貴子の視界を、別の散弾銃を持った鶴見が横切った。

「何してんだ、こんなところで!」

「あ、あ、すいません」

弱々しい男の声が聞こえた。

「どうやって入ってきたっ」

全身の神経を集中させて、貴子は廊下の様子を窺った。鶴見の声が、一際《ひときわ》大きく響いている。

「どっから入ってきたんだよ!」

「――玄関から」

「違う、敷地だよ! 門には鍵《かぎ》がかかってただろうが」

「え——あの、鉄条網が切れてたもんで——すいません、雨がひどくて、ちょっと休ませてもらえないかと思って——」

「馬鹿野郎《ばかやろう》っ、勝手に人の家に入って来るんじゃねえよ、出ていけっ！」

どさっと何かが倒れるような音がした。男の声が弱々しく「すいません」と繰り返している。

「とっとと出ていかねえと、これだぞ！」

「か——勘弁してください、出ていきますから。すんません」

ずるずると、何かを引きずるような音がする。「ほら、早く」という鶴見の声が、徐々に遠ざかる。懸命にその気配を探っていた貴子の背後から、「鍵、かかってるはずなのに」という加恵子の呟きが聞こえた。

「鉄条網だって、ちゃんと調べたはずなのに」

加恵子は相変わらず虚ろな表情のままだった。それでも、視線だけは落ち着かない様子できょろきょろと動いている。貴子は、胸の奥に小さな炎が灯ったように感じた。「もしかすると」という思いが、密かに育つ。だが、その思いを打ち消すように、かなり遠くから男の悲鳴のようなものが聞こえてきた。

「堪忍《かんにん》してくれぇ、頼むよぉ、誰にも言わねえよぉ——」

違うかも知れない。味方が来てくれたなどと、淡い期待を抱くのは間違いかも知れなかった。だが、一度灯った火は、まだ微《かす》かに揺らめいている。手元の時計は午後五時半過ぎを指していた。

「汚ったねえ、ホームレスの親父《おやじ》だ」

数分後、鶴見はわずかに興奮した面もちで戻ってきた。今度は上下に銃身が並んでいる二連銃を握っている。こちらが散弾銃だろうか。

「こんなところにも、ホームレスがいるのかね。都会じゃ、食っていかれねえのかな。不景気だねえ」

「──鉄条網なんか、どこも破けたりしてないはずよ」

加恵子が不安げな声で呟いた。咄嗟《とっさ》に舌打ちしたいような苛立《いらだ》ちを覚えて、貴子は加恵子を見つめた。なぜ、そんなことを言ってしまうのだ。もしかすると救出されるかも知れないというのに、相手は貴子の味方かも知れなかったというときに。

──味方じゃないから。

考えてみれば、当たり前の話かも知れなかった。それでも貴子は、裏切られた気持ちで加恵子を見ていた。彼女は貴子の視線など気にならないかのように、鶴見に話しかけている。

「最初の日に、全部、調べたじゃない」

鶴見の顔が強張った。彼は「見てくる」とだけ言い置いて、再び慌《あわ》ただしく部屋を出ていった。何とも割り切れない、情けない苛立ちばかりが広がっていく。貴子が期待し過ぎたということなのだろうか。所詮《しょせん》、彼女はもう、単なる犯罪者でしかないということなのか。

「ねえ、中田さん――」

言いかけたとき、加恵子が立ち上がった。

「私も、見てこなきゃ」

無表情のまま呟きだけを残して、彼女は足を引きずりながら部屋を出ていった。実に久しぶりに、貴子は一人で取り残された。ず、ず、と床を擦る音が遠ざかる。

――強い方に引きずられる。

それも、仕方のないことかも知れなかった。加恵子なりに生き抜く方法を探っているのかも知れない。身動きすらままならない貴子など、加恵子に対しては何の力も持ってはいない。深々とため息をつき、ふと思い出して、貴子は手洗いに立った。傍に鶴見がいると思うと、無防備な姿になることはどうしても憚《はばか》られたから、我慢していたのだ。ファスナーを下ろすときに、また、あの出来事が蘇った。夜が来てしまう。

闇《やみ》が、今の貴子にはこの世で一番、恐ろしかった。

——明日、逃げ出すチャンスがあるんだろうか。

明日、彼らは貴子を何かに利用しようとしている。つまり、ここから出られるということだ。何とかして、その間に脱出する機会を狙《ねら》うしかない。何としてでも、たとえ、走っている車から飛び降りてでも。もはや仲間の救助など待っていても仕方がない。あてになど、ならないのだ。

だが、果たしてそんなチャンスがあるかどうかが分からなかった。今にも気力が萎《な》えそうな気がしている。自分の精神力がいつまで持ちこたえられるものか、まるで自信がなかった。その上、貴子は加恵子を一緒に連れ出すと約束してしまった。今さらながら、その約束が重くのしかかってくる。

——別に、いいのよ。

あの顔を見ていれば感じる。投げやりを通り越して、加恵子はもはや何に対しても、まるで期待しない、そういう人になっているのに違いない。兆《きざ》しは数年前、彼女と初めて会った頃から、もう既にあった。いや、それよりもずっと以前から、彼女はそういう人間として育ち、生きてきてしまったのに違いない。生い立ちと、これまでの経験を聞けば、そうなるのも無理もない。

同情はしている。哀れみも感じている。だがその一方で、それならば何も今さら貴子が裏切ろうと、どうということもないではないかという気もする。加害者と被害者、犯罪者と刑事、所詮、正反対の立場にいるのだ。つい、そんな思いが頭を過《よぎ》り、貴子は自己嫌悪《けんお》のため息をついた。この数日の間に、自分まで加恵子と同じように、何も信じられない人間になってしまっている気がした。

戻ってきた鶴見は、さっきまでの呑気な様子とは打って変わって、そわそわと落ち着きを失っていた。一カ所に座っている気にもならないらしく、部屋中をうろうろと歩き回っている。それに対して加恵子の方は、また奥の部屋に行き、ごろりと横になっていた。自分の顔のすぐ傍を鶴見が歩いても、まるで動じる様子もなく、起きているのか眠っているのかも分からない。

六時半を回った頃、かなり離れた場所から足音が響いた。鶴見が部屋を飛び出していく。「おう」という声に続いて、ばたばたと走り寄る音。男たちの低い話し声が、ぼそぼそと聞こえてくる。天気が悪いせいもあるのだろう、窓の外は徐々に暗くなり始めていた。階段を踏む音が遠ざかる。そして静寂。男たちは外に出て、侵入者の出入りした場所を確認にいったのかも知れない。室内にも漂い始めた薄闇の中で、貴子と加恵子だけが取り残された。

数分後、再び近づく足音を聞いた瞬間、貴子は鼓動が速くなっていくのを感じた。呼吸が乱れる。膝《ひざ》を抱く手に力がこもった。

「だけどさあ——」

人影が部屋の入り口に現れた。

「来ないでっ！」

自分でも予想もしなかった声が出ていた。男たちの足が止まる。

「その男を、私に近づけないで！」

薄闇の中で、堤がこちらを睨《にら》みつけていた。改めて憎しみと恐怖がこみ上げてきた。あの顔だ。あの髪だ。

「何も、させないよ。大丈夫だ」

井川が、妙に落ち着いた声で答える。

「駄目っ！　近づけないで！」

「うるせえっ。お前が命令出来る立場だと思ってんのかよ！」

堤の怒声が響いた。それだけで、全身が凍りつく。震えが止まらなくなりそうだ。

「何、いつまでもグズグズ言ってやがんだよ。馬鹿じゃねえか、この、クソ女。ガキでもあるまいし」

いかにも無神経な捨て台詞《ぜりふ》を吐きながら、堤は井川たちと連れだって、どかどかと部屋へ入り込んできた。平気な顔で貴子の前を通過して、奥の部屋に足を踏み入れると、彼は「てめえも、いたのかよ」と言った。

「役立たずの、クソババアが」

「やめろよ。喧嘩《けんか》なら明日が済んでからにしてくれって」

再び井川がなだめる。貴子は自分の二の腕をきつく抱きしめ、身体を丸めていた。気持ちは落ち着いたつもりだった。だが、衝撃が薄らいだわけではなかった。傷ついている。自分は、自分で思っている以上にあらゆる意味で限界に近づいている。それを初めて、感じていた。

第五章

1

　午後五時四十五分。少しの間、ひたすら眉根《まゆね》を寄せ、イヤホンに全神経を集中していた柴田係長が「そうか」と息ごんだ声を上げた。同時に、滝沢たちに頷《うなず》く。滝沢も、思わず身を乗り出して係長を凝視した。ヒットだ。音道はいるのだろうか。

「了解、ご苦労さん！　そのまま指揮車へ戻ってくれ。十分に注意してな」

　小型の無線機にそれだけ言うと、係長は、今度は別のチャンネルで指揮車両を呼ぶ。

「確認したそうです。東丸は今、そちらへ向かっています。至急、何名か寄越して下さい、どうぞ」

「入れますか。音道は、いましたかね」

　係長の無線交信が終わるとすぐに、滝沢は食いつくように言った。だが係長は厳しい表情のまま、かぶりを振った。

「これだけの建物だぞ。東丸は、男一名しか確認できなかった。やはりライフルを所持していたそうだ。他に何名いるか、本当に音道が監禁されているかは、これから確認する必要がある」

とにかく交代要員が来るまでの間、滝沢と保戸田とが、まず建物の入り口を見張ることになった。

「いいか、これからだぞ」

それだけ言い残して、柴田係長は一足先に指揮車両へ戻っていった。滝沢たちは、来た道は戻らず他の道を迂回《うかい》して、坂道の上と下から、例の建物の門を張り込むことにした。本当は、こんなまどろっこしいことなどせずに、このまま突入してしまいたい気持ちが働いた。だが、相手はライフルを所持している。しかも本当に音道がいるかどうかは、まだ分からない。人質の安全を第一に考えるべき今、こちらの動きを察知されないことが一番なのだと、自分に言い聞かせる。配置について一分とたたない間に、じゃらじゃらという、鎖の鈍い音が聞こえてきた。門扉《もんぴ》の隙間《すきま》から二本の手が伸びて、南京錠《なんきん》をいじっている。

――やっぱり、そうか。

こちらはまだ立派に営業を続けているらしい、隣の旅館の植え込みの陰から、滝沢はその様子を見つめていた。鎖が外れると、耳につく嫌な音を立てながら、門がわずかに動いた。そこから、辺りの様子を窺《うかが》いつつ、ノーネクタイに背広姿の男が出てくる。年齢は四十前後というところか、髪をオールバックにした、かなり体格の良い男だった。

「有刺鉄線の切れてるところを確かめてました。それから辺りを見回し、建物の回りを一周して、戻りましたがね」

駆けつけてきた捜査員と交代し、指揮車両に戻ると、すぐに滝沢は報告した。吉村管理官は「そうか」と頷き、コンピューターの画面を顎《あご》で示す。

「東丸主任にも確認してもらったが、それは、この男か」

シャツの胸元をはだけ、タオルで汗を拭《ぬぐ》いながら、滝沢は管理官の前のコンピューター画面を覗《のぞ》き込んだ。

「この男です」

背後から保戸田も顔を突き出して、やはりコンピューターを見ている。

「誰なんです、この男」

「鶴見明、四十一歳。若松のパソコンに残されていたメールのデータから割り出された男だ」

「パソコンのメール、ね。すると、実生活でのつながりはないわけですかね」

「それは分からん。インターネットで知り合ったのかも知れんし、別の場所で知り合った可能性もある。メールからだけでは、まだ判断がつかんようだ」

管理官は腕組みをしたまま、難しい顔でコンピューターの画面を睨《にら》みつけている。

「ただ分かっていることは、この男が井川と組んで、関東相銀に金を引き出しにいった男に、ほぼ間違いないということだ」

車内の、運転席のすぐ後ろには、東丸が顔にタオルをあてたまま、じっと座っていた。鶴見という男は、ホームレス姿の東丸を見つけるなり、殴りかかってきたという。

「あいつ、何かやってたんじゃないかな。まったくの素人《しろうと》が、いきなり相手の顎を狙《ねら》ってくるかね」

東丸は苦笑しかけて、顔を歪《ゆが》めている。その、貧相で無気力に見える顔を眺めながら、見た目に似合わず大した度胸だと、滝沢は内心で舌を巻いていた。あの巨大な建物の中に、一人で入っていき、結果を持って帰ってくる。口でいうのは易《やさ》しいが、なかなか出来るものではない。

「今、この近くに宿を確保させている。報告が入り次第、そっちに移って少し休め。

「これから先、どういう展開になるか分からんからな」

係長の言葉通り、十分ほどして宿の用意が出来たという連絡が入った。こういう時、暇な宿が多いのは助かる話だった。昨日までの宿とは異なり、今度は鉄筋コンクリート造りのビジネス旅館風の建物で、情緒もへったくれもありはしなかったが、温泉は引かれているし、何よりも現場に近い。滝沢は、すぐに風呂《ふろ》に入り、その後、死んだように眠った。興奮していることは間違いがなく、命じられれば今すぐにでも次の行動に出られるつもりだったのに、身体《からだ》が温まった瞬間、どっと疲れが出たようだ。

目が覚めたのは、枕元《まくらもと》で鳴った携帯電話のせいだった。

「お父さん、何回も電話したんだよ」

まだ朦朧《もうろう》としている頭に、娘の声が鳴り響いた。滝沢は呻《うめ》くように「なんだ」と言った。

「まだ忙しいの？　帰れない？」

鉛のように重い腕を持ち上げて腕時計を見る。八時三十分か。ほんの三十分程度しか眠っていない気がするが、二時間は寝たことになる。

「まだだな。時間が、かかってるんだ——どうした。何か、あったか」

「お姉ちゃんがさ、帰ってきたんだ」

それは良かったではないか、と言いたかった。長女が戻ってくれていれば、滝沢も安心して家を空けていられる。

「お義兄《にい》さんに、殴られたって」

その言葉に、再びうとうとしかかっていた頭がいっぺんに覚めた。殴られただと？ 所詮《しょせん》、うちの娘がか。あんな野郎に。何ということだ。だから言わないことではない。早すぎたのだ。馬鹿《ばか》娘が。滝沢は、思わず呻き声を洩《も》らしながら布団《ふとん》から起き上がった。

「それで。怪我《けが》でもしてるのか」

「見た目は何ともないよ。訳は言わないんだけど、もう離婚するって言ってる」

手を焼かせやがる。滝沢は、片手でぐるぐると顔を拭いながら、「そうか」としか答えることが出来なかった。別れるなら別れるで良いではないかという気がする。無理をすることなどないのだ。

「今は、落ち着いてるんだな」

「まあ、空元気って感じだけどね」

「じゃあ、しばらく、そっとしておいてやれ。仕事が片づいたら、父さんから話、聞くから。ああ――お前は、元気か」

次女は「まあね」と言った。女房が出ていったばかりの頃は、緊急の用事でもない限り職場に電話をしてくるものではないと、滝沢はずい分口を酸《す》っぱくして、今の次女よりも幼なかった長女に言って聞かせたものだった。だが、この頃では携帯電話が出来たお陰で、仕事に支障を来《きた》さなければ構わないという時代になった。そう考えると、携帯電話も有り難い。

「お父さん？」

「――ああ」

「危ないこと、しないでね」

「分かってるよ」

分かってはいるが、しなければならないかも知れん。無論、そんなことの言えるはずもないが、滝沢は、これが最後の会話になっては困ると思いながら、娘の声を聞いていた。

「まだ、仕事中なんでしょう？」

「勿論《もちろん》だ」

「飲んでないみたいだもんね。今、どこにいるの」

「電話の、通じるところだな」

「馬っ鹿じゃないの。それくらい、分かってるって」

親に向かって、馬鹿とは何だ。そう思いながら、つい笑っている自分に気づく。滝沢を馬鹿呼ばわりする人間など、世の中で、この十七歳の小娘だけだった。戸締まりに気をつけろ。火の用心をするんだぞ。学校をさぼるなと、決まり切ったことを言い、電話を切ったのと同時に、隣の布団から保戸田が起き上がった。

「起こしちまったか」

「いや、大丈夫です」

結局、二人揃《そろ》って起きることにした。手早く着替えて会議室代わりの広い座敷へ行く。そこには、十名ほどの仲間が集まっていた。銀行、コンビニなどに張り込みをかけていた連中と、マンションの聞き込みをしていた連中だ。

「九時になったら起こすことになってたんだ」

彼らは口々に慰労の言葉を述べ、今現在、活動中の捜査員たちは、例の建物の資料を懸命に収集している最中だと教えてくれた。さらに、滝沢たちが眠っている間に分かった新しい情報がもたらされる。

まず午後六時三十分過ぎ、井川一徳および堤健輔らしい二人連れの男があの建物に入った。井川の車は今も都内に置きっ放しになっていることから、付近を捜索したところ、品川ナンバーのワンボックスカーが発見され、照会した結果、新宿区内のレンタカー会社のものであることが判明した。借りたのは堤健輔。

「野郎。やっと尻尾《しっぽ》、出しやがったか」

滝沢は仲間の中にあぐらをかいて加わり、用意されていた弁当の一つを食べ始めた。さすがに旅館の弁当だけあって、塗り物の折には、それなりに気の利《き》いた料理が詰め込まれている。

「それにしても、どうして車を乗り換えたのかな」

「井川の車は普通のセダンだろう。何かの荷物を運ぶか、または、大人数で移動するつもりか」

「Nシステムを避けるためって考えもある」

「それくらいの知恵は働かすかもな」

「何しろ、音道が拉致《らち》されてなけりゃ、占い師夫婦のヤマだけじゃ尻尾を出さなかった連中だ」

「だけど、こっちだって星野みたいなクソ野郎がいるわけだから、捜査が手ぬるかっただけじゃねえのかな」

「そういやあ、あの野郎、どうしていやがるかな」

「いるいる。毎日、針のむしろだろうよ。身から出た錆《さび》だけど」

「あのクソ馬鹿のお陰で、俺らだってこういうことになってるんだからな」

こうして一カ所に集まり、わいわいと言葉を交わすことが出来るのは何日ぶりだろうか。平嶋が、すっと部屋に入ってきて、片隅におとなしく座った。辺りを見回し、すぐに腰を上げると、皆の茶を淹《い》れ始める。

「とにかく井川たちは、一旦《いったん》中に入ったと思ったら、また出てきて、係長が切った有刺鉄線を見てたってさ。神経質になってることは間違いない」

「車を乗り換えてることから考えても、明日か、早ければ今夜にでも動き出すつもりかも知れん」

「中田加恵子は」

「八時近くに出てきた。歩いて商店街まで行って、コンビニで弁当やら惣菜《そうざい》やら、かなりの量を買い込んでな。ついでにビールとウイスキー、氷なんかも買って帰ってる。あの女、足が不自由なのかな」

口いっぱいに飯を頬張りながら、滝沢は「さあ」と首を傾《かし》げた。そんな話は聞いていない。

「足を引きずってたらしい。サングラスかけて」

「暗いビルの中を動き回ってるんだから、大方、どっかにぶつけたか、転ぶかしたんじゃないのかね」

問題は、音道もいるかどうかということだ。だが、人質でも取っていない限り、あんな場所にひそんでいる必要はない。いる。絶対に、いるはずだ。

午後九時半、吉村管理官が現れた。その後ろからは、静岡県警の天田刑事もついてきている。「ご苦労さん」というひと言が響いただけで、それまで多少くつろいだ雰囲気だった座敷内はいっぺんに緊張した。

あの建物は、かつて「熱海翠海荘《すいかいそう》」という名の高級旅館だったという。廃業は昭和五十九年というから、ずい分前の話だ。

「観光協会に当たってみたが、当時の資料までは残っていないそうだ。現在、管財人、消防などに当たってはいるがね。建物の内部構造が把握出来ん限り、迂闊《うかつ》には近づけないからな」

座卓の上には新しい地図が広げられた。何かを拡大したものだろうが、翠海荘とその周辺が詳細に出ていて、昨日今日と滝沢が歩き回った路地までが、緻密《ちみつ》に書き込まれているものだ。

「うちの方でも、地元の見番や古くから営業している旅館の御主人などに当たっています。廃業の時期は分かってるんですが、何年頃に今の建物が出来たのかが、はっきりしませんもので。それさえ分かれば、市役所の方にも申請書類なんかが残ってるとは思うんで、調べられるはずなんですが、何しろ、時間外だということで、人がつかまりませんで」

天田刑事が申し訳なさそうに言った。空き家の管理にもっともうるさいのは消防署だ。しかも、消防法に基づく書類が残っているはずだから、その辺りからも調べていると管理官がつけ加えた。

改めて眺めると、翠海荘は相当な敷地を有しているものの、敷地建物ともに、かなり変化に富んだというか、いびつな建物であることが分かる。あちこちが出っ張ったり凹《へこ》んだりしているのだ。

「大きく分ければ、旧館の木造部分と新館の鉄筋コンクリート部分に分かれる。その間をつなぐように、この部分があるという形だ」

その印象を整理するように管理官が言った。木造部分は二階建て、新館は七階建て。さらに双方をつなぐ部分も二階建てという外観だが、ことによると地下があるかも知れない。

「東丸くんが鶴見と鉢合わせをしたのが、新館の三階だということだが、急斜面に立っている階段式の建物なだけに、外から眺めたところでは、五階なのではないかとも思われる。旧館と渡り廊下はともかく、新館はほとんどの窓が海に面している上、高台だからな。向こうから見晴らしがいいということは、こっちにしてみれば、建物の内部を調べようと思っても丸見えになる危険があるということだ。しかも、その五階となると、奥まで見渡せるポイントが、今のところ見つかっていない」

「外から見極めが出来ないんだったら、やっぱり、夜のうちに、やるしかないんじゃないですか」

「そうです、今夜中にやりましょう。向こうは車も乗り換えてる。明日になったら、動き出す可能性があるじゃないですか」

数名の捜査員が口々に言った。管理官は小さく頷《うなず》いたが、かといって難しい表情は崩さなかった。

「だが、連中が出てきたところを狙《ねら》うという手もある。何人で出てくるかは分からんが、音道を連れていなければ、人数が減った後で救出する方が安全性も高くなるし確実だ。たとえ音道を連れていても、一斉にかかる方が、この闇《やみ》の中を動くよりは危険が少ない」

「相手はライフルを所持してるんです。町中でぶっ放されたら危険じゃないですか」

村田という若い捜査員が食い下がった。

「その、銃器を所持しているという点が難しいんだが、とにかく人質の無事を確認することが、現在の最優先課題であることを忘れてはならん。まずは早急に建物の構造を把握して潜入することから考える。人質がいるかどうかの確認もまだなんだ。突入は、その後の問題だ」

管理官は「考えたくはないが」と、低い声で呟《つぶや》いた。

「人質が現場にいない、または、既に死亡している場合は、はっきり言って、ここまで考える必要はないわけだからな」

嫌な沈黙が広がった。だが、音道が拉致されてから既に丸四日が経過していることを考えると、誰もが不安に思わないはずがない。それも、いよいよ現場が特定出来たというところまできて、その不安は、次の瞬間にも現実になるかも知れないという恐怖につながっていた。

「この、前の建物だが」

管理官が気を取り直したように口を開いた。滝沢たちは、重苦しい気分を振り払うように、広げられた地図に注目した。

「ここも廃屋になっている。こっちは海岸通りに面したホテルの別棟で、屋上にはプールがある。現在、この位置と、さらに——」

管理官の示すボールペンの先が、翠海荘の西側に隣接している建物を指した。火災跡も生々しい、建物のところどころに煤《すす》のついている建物だ。

「この位置、また、少し離れるが、この建物からも、赤外線暗視カメラによる監視を続けている。裏の高台のマンションにも部屋を確保した。だが、これらの部屋については現在も人の住んでいる建物だからまだしも、正面の建物の屋上、西隣の廃ビルは、明るくなれば向こうからも丸見えになる。今夜中に何とか、相手の様子を捉《とら》えたいんだがな」

それでも、今現在のカメラの位置が、建物すべてを隈無《くまな》く監視出来るわけではない。犯人が、旧館部分や通路部分にひそんでいては意味をなさない。手薄な部分は、人間の目が補うより他なかった。

「向こうも、自分たちがいることを気づかれないために、明かりなどは使っていないはずだ。だが、どこかを移動しようとすれば、足下だけでも照らすだろう。どんな動きも見落とすな」

てきぱきと持ち場が指示される。その際、拳銃《けんじゅう》を携帯せよとも、管理官は言った。

「万一のためだ。とにかく絶対に物音を立てるな。建物の内部が分かり次第、新たに指示を出す」

　午後十時二十分、滝沢たちは一斉に宿を出た。いずれもゴム底の靴を履き、黒のズボンに黒いジャンパーという出で立《いた》ちで、さらに黒い帽子を被《かぶ》っている。万が一、街灯などに照らされた場合、上から見た場合には帽子のつばがあるのとないのとでは大きな違いが出る。ことにメタルフレームの眼鏡をかけているような捜査員は、そのフレームが、照明で光ってしまうことがあるからだった。闇に浮かぶ翠海荘を、滝沢たちは二人一組になって音もなく取り囲んだ。

〈村田から警視八八〉

〈警視八八だ。どうぞ〉

〈現着しました〉

〈警視八八了解〉

〈安江から警視八八、現着しました。どうぞ〉

〈警視八八了解〉

「滝沢、現着です、どうぞ」

〈警視八八了解〉

滝沢たちが立ったのは、旧館を見渡せる位置だった。翠海荘そのものは、特に海側の部分は周囲の施設のネオンや街灯に照らされて、青白く浮かび上がって見えるが、逆に周囲の路地は闇に沈んでいるし、建物の横手や裏手にも明かりはほとんど届かない。その上、曇り空が幸いしていた。月明かりもない晩、日中にも確認した通り、木造部分は全《すべ》ての雨戸が閉め切られていて、この時間では、ただ黒々とした巨大な塊にしか見えない。周囲には明かりの灯っている旅館もあるが、いずれも庭木が大きく生長していて、こんもりとした茂みを形成しており、身を隠す場所には苦労しなかった。

夏の虫が鳴いている。入り組んだ路地のせいか、風はそよとも吹いていなかった。時折、こうも暗いと、ライターの火一つでも目立つと思うから、煙草《たばこ》も吸えなかった。時折、耳元をかすめる蚊の羽音だけを相棒に、ひたすら建物を見守るしかなかった。それにしても、人っ子一人、通らない道だ。滝沢たちにしてみれば助かるが、あまりにも静かな分、しわぶき一つでも大きく響きそうだった。

〈警視八八から各局〉

どれくらい時間が過ぎたか、イヤホンの中で柴田係長の声が響いた。

〈カメラが人影を捉えた。新館四階、向かって左から三番目の窓。一人が窓の傍に立っている。十分に注意してくれ。以上、警視八八〉

ジャンパーで隠しながら、小型のペンライトで時計の文字盤を見る。午前零時になろうとしていた。野郎ども、まだ起きていやがるのか。やはり警戒しているのかも知れない。

「どうしますかね、朝になったら動くのかな」

保戸田が囁《ささや》きかけてきた。滝沢は口の中で「さあな」と呟いた。

「だが、自分たちだけで出てきたとしたら、音道は殺されてる可能性が高い。ここも、そう長居出来そうにないと分かったら、邪魔なものは始末してから逃げるだろう」

「やっぱり今夜中に、何とか出来ないもんですかね」

「内部が分からん限りは、無理だろう。これだけ古いと、見取り図が手に入るかどうかも、怪しいもんかも知れねえしな。市役所や消防が、ぱっぱと動いてくれりゃあ、いいんだが」

「見取り図が手に入らなかったら、どうなるんです。それで、奴《やつ》らがなかなか出てこなかったら」

「知らねえ。どうしても見つからなきゃ、強行突入しかねえだろうな」

言いながら、自然に生唾《なまつば》を飲み込んでいた。刑事ドラマとはわけが違う。いつライフルをぶっ放されるか分からないところへ突入しなければならない場面を想像したら、否応《いやおう》なしに恐怖心が湧《わ》いてくる。だが今、滝沢が想像しているのとは比べものにならないほどの恐怖を突きつけられて、時を過ごしている者がいる。

——待ってろ。生きて、待ってろ。

大声を出せば聞こえるところにいるかも知れない音道に、滝沢は繰り返し、心の中で話しかけていた。突入するとなったら、いの一番に突っ込む覚悟でいる。それに伴う恐怖を、こうして音道に語りかけることで振り払うつもりだった。

2

身体《からだ》の節々が悲鳴を上げそうだ。同じ姿勢ばかり続けているせいで、どこもかしこも凝り固まっている。暗闇の中で、貴子は物音を立てないように気を配りながら、可能な限り手足の筋を伸ばそうとしていた。本当は、腕を大きく上に上げて、思い切り背筋を伸ばしたい。鎖が邪魔をしてそれは出来なかったが、それでも首を回したり、肩を回すことが出来るのが、せめてもの救いだ。そうでなければ石の人形にでも、なりそうだった。奥の部屋からは、腹立たしいほど穏やかに談笑する声が聞こえている。誰もが貴子の存在など忘れたかのようだ。

暗くなった頃、男たちは加恵子を買い物に行かせた。そして、彼女が足を引きずりながら両手一杯の荷物を提げて帰ってきてから、酒盛りを始めた。それが今も続いている。最初の頃こそ、明日があるのだから控えめにしようとか、やはりさっきのホームレスが気がかりだなどと話し合っていたが、彼らは時間の経過に伴って、徐々にリラックスしてきた様子で、声も大きくなり、話題も四方八方に飛び始めた。中でも、もっともはしゃいでいる様子なのが鶴見だった。一日中、ずっとここにいたのがストレスになっていたのか、彼は誰よりもよく喋《しゃべ》り、笑っている。女、競馬、パチンコ、競輪、どれもこれも、貴子には退屈な話ばかりだ。ただ、競輪の話が出たときだけは、わずかに気持ちが反応した。競輪場に通った三日間。もう遥《はる》か昔のことのようだ。あの頃はまだ、星野に苛立《いらだ》っている程度で済んでいた。久しぶりに加恵子を見かけたのも、競輪場でのことだった。仕事なのだから仕方がなかったとはいえ、あんな場所へなど、行かなければ良かったと思う。

「加恵ちゃん、これも食べなよ」

時折、堤が加恵子を気遣っているらしい声が聞こえてくる。

「ね、旨《うま》いだろう？　ちょっとしたもんだよな」

本当ね、という加恵子の声は、必要以上に明るく聞こえた。

「でも、加恵ちゃんの作る麻婆豆腐《マーボーどうふ》の方が、ずっと旨いよ。また、作ってよね」

「あんなの、インスタントみたいなものなのよ。これだって、冷めてても結構、美味《おい》しいんだから——」

「加恵ちゃんのとは、違うって！　加恵ちゃんが作る料理にはさ、愛情っていうかさ、そういうの、感じるからなあ。全然、違うって」

「——そう？　嬉《うれ》しいわ」

「そう！　絶対、そう！」

飴《あめ》と鞭《むち》。さっきクソババアと怒鳴りつけた相手を、端《はた》で聞いていればわざとらしいとしか思えない言葉で褒め称《たた》え、甘え、優しくする。そしてまた、次の瞬間には態度を豹変《ひょうへん》させるのだろう。そうやって、加恵子は絶望の次には微《かす》かな希望を抱かされ、憎しみの次には愛《いと》しさを感じて、混乱し、がんじがらめにされているのだ。時間の経過に伴って、加恵子は軽やかな笑い声さえ上げるようになっていた。貴子は、切なさと侘《わび》しさ、馬鹿馬鹿《ばかばか》しさと腹立たしさを抱えながら、一人で闇の中に沈んでいた。当たり前のことなのに、自分がのけ者にされているような気分になってくるのが、どうにもやるせない。

こうしていると、やはり幼い頃のことが思い出された。親戚《しんせき》の家などに泊まりにいって、子どもたちだけが早く寝かされ、途中で目覚めたときのことなどだ。襖《ふすま》一枚隔てた部屋で、大人たちだけが楽しげに笑いあい、食べたり飲んだりしていた。淋《さび》しいような、悔しいような思いで、貴子は襖の隙間《すきま》からその様子を眺めた。父も母も、いつもとは少し違って見え、遠い存在に思えたものだ。

「まあ、明日さえうまくやりゃあ、あとはもう、人生バラ色だ」

ふいに響いた井川の声に、それまで続いていた、内容を伴わない下卑た話題が中断された。それから男たちは、明日の予定について最終的な確認を始めた。聞いているうち、貴子の中では男たちの犯行計画が徐々に明確に描かれていった。

明日、連中は出来るだけ早い時間に、貴子を伴って東京へ戻る。まずは堤と加恵子が借りている馬込のウィークリーマンションに行って、そこでいよいよ準備にとりかかる。準備とは、具体的には貴子を着替えさせ、顔の痣《あざ》を消すことだ。

「いくら何でも、あれじゃあな」

ずっと疼《うず》いている痛みと加恵子の反応で、ある程度の予測はついていたものの、貴子は自分の顔に、相当に目立つ痣が出来ているらしいことを改めて知った。畜生。別れた夫にでさえ、殴られたことなんかなかった。

「まあ、あんな程度なら、軽いって。簡単に消せるさ」

堤の余裕たっぷりの声が聞こえた。貴子は思わず、やめてよ、と口の中で呟いた。

あの男が自分に近づいて、この顔に触れるくらいなら、痣など一生消えなくても構わないとさえ思う。今、この世の中で最も憎み、最も恐ろしいと感じる相手こそが、あの堤なのだ。我ながら情けない話だ。それは分かっている。あんなチンピラ風情《ふぜい》に、ここまで恐怖心を抱かなければならないなんて。自分が女であるということを、こんな形で噛《か》みしめなければならないなんて。だが、どうしようもなかった。

「まあ、顔はそれでよしとして、服、どうするよ。加恵子さんの服じゃ合わねえだろうし、あの格好じゃあ、誰が見たって、あれっと思うぜ」

鶴見の言葉に、「買ってやりゃあ、いい」と答えたのは井川の声だった。駅のショッピングセンターでも、どこへでも行って、地味なパンツスーツでも買ってくれば、それでことは足りるのだと。

「面倒臭えな」

「最初から、服なんか脱がしときゃよかったんだよな」

鶴見の感想に、堤の、いかにも笑いを含んだ声が応《こた》えた。それに鶴見は、「またた、おまえは」などと、必要以上にはしゃいだ声で笑っている。屈辱。人を何だと思っているのだ。膨らむ怒りは、無力感と背中合わせで、貴子からすべてのエネルギーを奪い取ろうとする。

とにかく身支度を整えたら、貴子はいよいよ目的地に連れていかれる。その際、男たちは貴子が警察官であることをフルに利用するつもりらしかった。

「何しろ、警察手帳ってヤツがあるんだから、これは強いぜ」

「一人が出して見せりゃあ、後ろから俺らがついてったって、相手はちょっとも疑いやしねえよ」

「まあ、任しておけって。俺がきっちりメイクしてやるからさ。実物より、もっとまともにしてやる」

どこまで人を馬鹿にすれば気が済むのだ。だが、堤の言葉に、鶴見は「頼んだぜ」と言い、また馬鹿陽気な声で笑った。普段の話し声は比較的、低いのに、その笑い声は癇《かん》に障《さわ》るほど甲高いものだった。貴子は苛立ちながら、明日は一体、どこへ行かされるのか、どこで犯罪に荷担させられるのだろうかと考えていた。自分が悪事に手を染める。この、刑事である自分が。胸が苦しくなってくる。魂を売り渡しても、そんなことはしたくはない。だが、自信がなかった。自分がいかに生に執着しているかを、貴子は生まれて初めて感じていた。

「家に上がり込みさえすりゃあ、あとは簡単だ。まあ、人質が三人に増えるようなものだと思やあ、いいだろう」

「なあ、やっぱ、銃があってよかったろう？　これがなかったら、こういう計画にはならなかったんだからさ。あって困るようなもんじゃねえって、俺が言った通りだろうが」

「だが、絶対に撃つなよ。いくら高級住宅地ったって、隣との距離は、そう離れてるわけじゃない。外に聞こえたら、元も子もなくなるんだぞ」

井川の重々しい声がする。

「俺は堤とは違うって。脅すだけだよな、脅すだけ。そんな、殺したりなんか、しないって」

「だけど、相手も専門家だぜ。人の顔は、よく見るんじゃないかな」

「まあ――それを考えるとな。だから、後は相手が納得するかどうかだ。どうせ表沙《ざ》汰《た》には出来ねえ金なんだし、こっちが、その辺の事情も摑《つか》んでるってことを、ちゃんと分からせりゃあ、いい。誰だって生命は惜しいんだからさ。馬鹿でもない限りは、計算できるだろう」

「だけど、この前みたいに、何が起こるか分からないし」

「その時は――その時だ」

「その時は、全部、始末しなきゃならないよな」

「まあ——そうなる可能性も、ないじゃないがな」

貴子にも聞こえていることくらい承知していないはずがないのに、彼らは、いとも簡単に、そんな会話を交わしていた。始末なんて、人をゴミみたいに。冗談ではない、そう簡単に殺されてたまるかと思う。だが、貴子の思いなど、誰も気にするものはいなかった。それから彼らは、果たして明日どれくらいの現金が手に入れられるかを値踏みし始めた。

「若松は、四億以上だって言ってたじゃないか」

「あいつが言ってたんなら、間違いないだろう」

四億か、と、ため息のようなものが聞こえてくる。

「医者っていうのは、そんなに儲《もう》かるのかね。鼻、高くしたり、二重瞼《まぶた》にしてやるだけで」

「加恵ちゃん、そういうのに詳しいんじゃないのか？　病院に勤めてたんだから」

「——美容外科のことは、よく分からないわ。それに、個人でやってたわけでしょう？　自由診療だろうし、値段の相場だって、あってないようなものだろうから」

美容外科。個人。おそらく、御子貝夫妻同様、架空名義の口座を開いている人物なのだろう。若松から入手した情報を元にして、彼らはさらに多額の現金を手に入れようとしているのに違いない。だが、今度はそううまくいくとは限らない。関東相銀には警察が足繁《あししげ》く通っているのだし、少しは勘を働かせるに決まっている——いや、分からない。架空名義口座は銀行のお荷物でもある。面倒なことには関わりたくないという銀行の姿勢は変わらないはずだ。第一、銀行自体の懐《ふところ》が痛むわけでもない。前回と同様、知らん顔して面倒を避けるかも知れない。だが、そんな銀行のことよりも、今は自分のことを考えるべきだった。被害者たちは貴子の提示する手帳を信じて、その挙げ句、最悪の結末を迎えるかも知れないのだ。

——また、犠牲者が出る。

彼らは「その時はその時だ」と言った。全部、始末するとも言った。それは、どこかの美容外科医だけでなく、貴子も明日、死ぬことを指しているのに違いないのだ。明日の今頃には、もうこの世からいなくなっているなんて。こうして可能な限り凝りをほぐそうとしている肉体そのものが、ただの物体と化しているなんて。痛みも苦しみも、喜びさえも感じられない世界へ行っているなんて——まるで実感を伴わない。だが、その一方で、恐怖心だけは高まっていた。どこかで逃げるチャンスを見つけない限り、それは、ほぼ間違いなくやってくる。

何という幕切れ。何という人生だったのだ。

やはり、警察官などにならなければ良かった。刑事などにならなければ良かったのだ。母の希望通り、もっとごく普通の職業を選んで、平凡でも穏やかな人生を歩んでいれば、こんなことにはならなかった。

鼓動が速くなる。手のひらに汗をかいている。それを感じている自分がいる。この肉体は、まだ生きている。明日、すべての機能を失うとも知らずに、正直に、飽きることなく血液を循環させ、動揺に反応して汗をかいている——。叫び出す代わりに、思わず頭を抱え込んでいた。耳鳴りがする。

——死にたくない、死にたくない！　助けてよ、ねえ、助けて！

祈りなどというものではなかった。声に出さないだけの、ありったけの悲鳴だった。目をきつく閉じ、あえぎそうになりながら、貴子はひたすら心の中で叫んでいた。

「もういっぺん、言ってみろ！」

突然、怒号が響いた。全身を強張《こわば》らせたまま、貴子は現実に引き戻された。

「何、熱くなってんだよ」

堤の低い声が聞こえる。

「うるせえっ。もういっぺん、言ってみろって言ってんだよ！　てめえ、今、何て言ったんだよ、ええっ」

鶴見の声だ。大分、呂律《ろれつ》が回らなくなっている。

「このガキが。大体なあ、生意気なんだよっ。てめえみてえな出来損ないが、偉そうなこと、人に言いやがってよ、ええ？　てめえ、何様のつもりなんだ！」

　さっきまで人一倍、機嫌が良さそうだった男が豹変している。貴子は、恐怖を覚えつつも、冷たく冷え切っていた胸の奥が、微かに揺れ動くのを感じていた。自分に害が及びさえしなければ、人の喧嘩《けんか》はなかなか楽しいものだ。気持ちを高揚させ、自然に何かを期待させる。もっと怒鳴れば良い、仲間割れして、大喧嘩でも何でもすれば良いのだ。貴子は顔を上げて、闇《やみ》の中で彼らの様子を探っていた。

「鶴見、少し飲み過ぎなんだよ」

　井川がなだめるような声で言った。数秒間、沈黙が流れた。何だ、これで終わりか、もうおとなしくなってしまったのかと思ったとき、明らかに液体らしい何かがばしゃっとひっくり返されるような音がして、今度は堤が「おいっ」と怒鳴り声を上げた。

「何、すんだよっ」

「うるせえ、このガキ！」

　再び、何かのひっくり返る音。

「おめえなんか、ただの人殺しじゃねえか！　愛人だろうが誰だろうが、そうやって痛めつけて、それで満足なんだろう、ええ？　てめえはなあ、クズなんだよ、人間の、クズ！」

「お前にそんなこと言われる筋合い、ねえんだよっ」

「クズが生意気なこと、言ってるんじゃねえ！」

次の瞬間、確かに人を殴る音がした。再び何かがひっくり返る音、荒々しい息づかいと、てめえ、この野郎という声だけが、闇の中に広がっていく。時折、井川の「好《い》い加減にしろ」「やめろ」という声が挟まるが、その勢いはおさまることがなかった。

加恵子はどうしているのだろうか。彼女の声は、まるで聞こえてこない。黙って、男たちが殴り合う様子を、外からの仄《ほの》かな明かりだけを頼りに眺めているのか。

「てめえ――ぶっ殺してやる！」

堤の声が悲鳴のように聞こえた。

「また、そんな物、持ち出しやがって！」

再び荒い息づかい。どたどたと、ただ暴れているらしい音を、貴子は息をひそめて聞いていた。次の瞬間、がちゃん、と激しい音がした。「おいっ」と井川が苛立《いらだ》った声を出す。同時に、湿ってはいるが涼しい風が吹き込んできた。

「好い加減にしろって言ってんだろうがっ」

井川が厳しい声で言った時だった。突然、窓の外が昼間のように明るくなった。貴子は、呆然《ぼうぜん》とその明かりを見つめていた。奥の部屋が一瞬、静まり返る。続いて「畜生っ」という声が聞こえた。

「な、何なんだ、どういうことだ」

急に気勢をそがれたような鶴見の声が聞こえた。風が額に滲《にじ》んでいた汗を乾かしていく。

「サッかっ」

「眩《まぶ》しくて、見えねえ」

「堤、見てこいっ！」

貴子の視界に、ライフルを持った人影が躍り出てきた。貴子が身構えるよりも早く、人影は貴子の前を飛ぶように駆け抜け、バタバタと走っていく。

「ど――どうすんだよ。これ、ただの懐中電灯じゃねえよ」

「お前が暴れたりするからだろうがっ、馬鹿《ばか》が」

おろおろとした口調の鶴見に対して、井川が吐き捨てるように言った。

「窓際《まどぎわ》に立つな、おいっ」

「冗談じゃねえよ、何だっててえんだ」

「やめろって、おい、鶴見！」

井川の怒声を、乾いた銃声がかき消した。続いてけたたましい笑い声が部屋中に広がった。

「たまんねえ、気持ちいいぜ、こりゃあ」

「馬鹿野郎っ」

再び殴る音と倒れる音。部屋の外の、どこか遠くから、がたん、がたん、と何かの衝撃音のようなものが響いてきた。奥の部屋からは「貸せっ」という声が聞こえ、今度は井川がライフルを持って現れる。彼もまた、貴子のことなど見向きもせずに部屋を飛び出していった。奥の部屋では、鶴見がまだ一人で笑い転げていた。

――来た。やっと。

思わず全身の力が抜けかける。貴子は、昼間よりも明るい光に照らされた奥の部屋を、口が開きっぱなしなのも忘れるほど、ひたすらぼんやりと眺めていた。まるで、SF映画の、宇宙船に狙《ねら》われるシーンのようだ。本当に、これは現実なのだろうか。これを、助けが来たものと考えて良いのだろうか。

また、部屋の外から大きな音が響いてきた。笑い続けていた鶴見が、よたよたと部屋から出てきた。

「何、やってるんだよ——おおい、何してるんだって」

壁に手をつき、大股《おおまた》で、鶴見はふらつきながら貴子をまたぎ、部屋の外に出ていった。がたん、がたん、という音は響き続けていた。

「——おしまいね」

音に気を取られていた貴子の背後で、ふいに呟《つぶや》きが聞こえた。振り返ると、加恵子のシルエットが、部屋の入り口に座り込んでいる。

「これで、おしまい——何もかも」

目が慣れてくると、虚《うつ》ろに視線をさまよわせ、呆《ほう》けたような表情の加恵子の顔が見えてきた。敵か味方か分からない女。正気なのか、判断力を失っているのかも分からない女。

「——おしまいじゃない、始まるのよ」

必死で言ってみた。だが、加恵子は何の反応も示さない。

「いい、中田さん。始まるの。これから、あなたの人生を取り戻すんだから」

バタバタと足音が戻ってきた。真っ先に現れたのは井川だ。息を切らしながら、彼はしばらくの間、貴子を見つめていたが、やがて「立て」と言った。そしてポケットに手を突っ込みながら、手洗いに駆け込んだ。鎖を引きずる音がしたかと思うと、井川は、さっきまで便器に巻きつけられていた鎖を片手に持って出てきた。

「部屋を移る。立て」

抗《あらが》いようもないままに、貴子は二の腕を強く摑《つか》まれた。

3

午前零時三十分。東京から機動隊員を含めて三十名の応援が到着した。早朝までには、さらに二十名の狙撃《そげき》班も到着することになっているという。

「どうやら、夜明けに突入だな」

滝沢は保戸田と囁《ささや》きあい、それまでの時間が静かに、無事に流れてくれることを祈った。

「見取り図、手に入りましたかね」

「どうかな」

そんな会話を交わしながら、どれ、そろそろ交代が来る頃だと時計を見た、ちょうど一時四十分だった。遠くで微《かす》かにガラスの割れるような音が聞こえた。建物が建て込んでいるから、どこから響いてきたのかが分からない。翠海荘からだろうか、それとも、近所のどこかで喧嘩でもしているのかと、辺りを見回したとき、滝沢のいる位置からも、翠海荘の上空がライトで白々と照らされたのが分かった。

「おいっ、何だ、何が起こった」

今の音は翠海荘からだったのかと言いかけて、にわかに緊張が高まった時、今度は乾いた発砲音が響いた。

「あいつら、動き出しやがった！」

咄嗟《とっさ》に、駆け出しそうになった。すぐにでも翠海荘の正面に回り込みたい衝動に駆られる。一体、何が起こったのかを自分の目で確かめたかった。だが、勝手に持ち場を離れることは出来ない。それに、もしも犯人たちが動き出したのだとしたら、飛び出してくる可能性もある。

「畜生、何なんだっ」

「外に向けて撃ったんですかね」

保戸田も表情を険しくさせて、建物の向こうに白々と見える空を見上げている。あんなことをすれば、犯人たちに捜査の手が及んだことを知らせるようなものだ。自棄《やけ》になるか、または興奮して、辺り構わず発砲する危険性だって、なくはない。それくらい分かっていながら、何故《なぜ》、投光器を向けたのだろうかと、必死で考えを巡らせている時、イヤホンを通して柴田係長の声が聞こえた。

〈警視八八から各局！　事態が急変した。至急、前線本部前に集合せよ〉

例のⒽマークのついている空き地のことだ。闇の中からがちゃがちゃという音が聞こえてきた。盾を持ち、ヘルメットを被《かぶ》って完全に装備をした機動隊員が二人、「交代しますっ」と短く言った。

滝沢は一目散に坂道を駆け下りた。本当は、逆に坂道を上がり、急な階段も上って翠海荘の建物を回り込んだ方が、空き地までは近いことは分かっている。だが、とにかく建物の正面に回り込んで、一体、何が起こっているのかをこの目で確かめずにいられなかった。

翠海荘と、海側に隣接する建物との間には細い路地が通っている。その、建物の谷間に立つと、頭上を二筋の強烈な明かりが走り、翠海荘を照らし出していた。辺りは不気味なほど静まり返っている。滝沢は懸命に首を巡らせ、翠海荘の建物を見上げた。闇の中に白く浮かび上がっている建物には、客室のベランダで伸び放題になっている雑草の影などが色濃く映され、破れ落ちているカーテンや、桟だけになっている障子などが、くっきりと見て取れる。その窓の一つが、明らかに割られていた。四階の、左から三番目。さっき、赤外線暗視カメラが人影を捉《とら》えたという部屋に違いなかった。

「カメラは、室内で暴れているらしい二人の人物を捉えていたが、何分、低い位置から見ているために、部屋の奥までは見ることが出来なかった。そのうち、一人がガラスを割った。このまま、中で何が起こっているのか分からないのでは、人質に危険が及ぶ可能性があると判断して、投光器を向けたわけだ」

前線本部として使用されている空き地には、指揮車両の他、応援の警察官を運んできた数台のバスや、滝沢たちが東京から乗ってきた捜査車両なども移動してきていた。そう広くない空き地は、完全に警察車両だけで埋め尽くされ、周囲に設置された照明が、慌《あわ》ただしく動く人の姿を照らし出していた。その中程の、バスに囲まれた空間で、滝沢たちは係長の説明を聞いた。発電機の音が、空気を震わしている。

「今度ははっきりと人の姿を照らし出した。男の一人がライフルを構え、発砲した。幸い怪我《けが》人は出ていないが、相手は明らかに、こちらに向けて発砲した」

係長は深刻この上ない表情で、呻《うめ》くように言った。

「これで、敵も自分たちが発見されたことは気づいたことになる。人質の無事を確認するだけでも急がなけりゃならん」

「入りますか」

意気込んだ様子で捜査員の一人が言った。

「今、管理官が上と協議している最中だ。せめて、狙撃班が到着するまでは時間を稼ぐ必要がある」

「人質の無事を確認しなきゃならないんじゃないですか。そんなこと言ってる場合ですかっ」

今度は別の捜査員が興奮した声を上げた。両頬を、悪寒《おかん》のようなものが駆け上がる。急に尿意を催してきた。

「相手を追い詰め過ぎては危険だということくらい、分かってるだろうっ」

係長の口調も、いつになく高ぶっていた。充血した目を見開き、柴田係長は集まった捜査員全員を睨《ね》め回した。

「やつらが今日、酒を買ってきていたことは分かっている。酔った勢いで、こういうことになったんだとしたら、相手は余計に興奮しているか、または動揺している可能性が高い。そんなときに下手に刺激したら危険だ」

「動揺したついでに、人質を殺すかも知れんじゃないですかっ」

「機動隊も到着してるんです。とにかく、入り口から少しずつ攻めて、自分らで中を確認していくより仕方がないんじゃないですか」

「敷地内に入って、建物そのもののすべての出入り口を確保するべきです」

現場の空気が痛いほど緊張している。部下の意見を、係長は腕組みをし、目をつぶって聞いていた。その佇《たたず》まいが、無言で頭を冷やせと言っている。係長自身、気持ちを鎮《しず》めようとしているのが、その肩が何度も上下していることで分かった。

「こりゃあ、賭《か》けですよ。賭け」

滝沢も、思い切って口を開いた。

「もう、我々がいることは分かっちまったんです。向こうだって、動揺はしてるでしょうが、攻め込まれるのは時間の問題だってことぐらいは感じてるでしょう。奴《やっこ》さんたちが、どういう開き直り方をするか、それとも意外にあっさり出てくるか、賭けじゃないですかね」

数秒の静寂の後、係長は、目を見開き、じっとこちらを見て、それから大きく深呼吸をした。

「管理官に言ってくる」

くるりときびすを返して、係長は大股で指揮車両に向かった。その後ろ姿を途中まで見送ってから、滝沢は大急ぎで手洗いのついているバスの一つに駆け込んだ。いよいよだ。音道も、目隠しでもされていない限り、この明かりの意味は分かっているに違いない。いや、生きていればの話だ。畜生、緊張して腹がしぶり始めた。

──もう少しの辛抱だからな。

こんな時に限って、いつまでも小便が止まらない。酒を飲んでいるわけでもないのに、いつの間にこんなにたまったかと思うほどだ。滝沢は、情けない気分で、ただ苛々《いらいら》しながら便器に向かっていた。ようやくすべてを出し切って外へ出ると、落ち着かない表情で仲間が待ち構えていた。少しばかり気恥ずかしい表情で、滝沢は便所を後続に譲った。皆、同じなのだ。緊張している。腹に力がこもっている。仲間たちのところへ戻り、煙草《たばこ》を続けざまに二本吸ったところで、係長が戻ってきた。眉間《みけん》の皺《しわ》はさらに深く、遠くから歩いてくる姿は、明らかに憔悴《しょうすい》して見えた。

「四時までには、狙撃班が到着するはずだ。それまで待機する」

ちっ、と舌打ちの音が聞こえた。周囲には明らかに、苛立ちと落胆のため息が広がった。だが係長は苦渋に満ちた表情で、こちらに犠牲者を出すわけにはいかないのだと言った。こちらに出ない間に、あちらに出たらどうするのだ。人質は自分たちの仲間ではないかという言葉が喉元《のどもと》まで出かかっている。だが、係長にしても、それを考えていないはずがない。確かに、日頃から実射訓練などにいそしんでいるわけでもない自分たちが、たとえ拳銃《けんじゅう》を携帯していたとしても、心許《こころもと》ないことは間違いがない。

「狙撃班が到着し次第、たとえ見取り図がなくとも、中に入る。分かっているとは思うが、そこからは持久戦を覚悟する必要がある」

さらに、夜明けを待ってヘリコプターを飛ばし、上空から建物の内部を探索することになっていると係長は言った。

「連中は、あの部屋から移動した可能性が高い。あれだけ投光器で照らしているわけだし、当然のことながら赤外線カメラも向けてはいるが、現段階では、どこにいるのか分からなくなっている。とにかく、三時から宿舎で会議、準備に取りかかる。それまで休んでくれ。解散」

休めと言われても、残りは一時間もありはしなかった。滝沢たちは仕方なく銘々に旅館まで歩いて戻り、そのまま布団《ふとん》に倒れ込んだ。頭の芯《しん》がずきずきしている。こうしていても、闇に浮かび上がる翠海荘ばかりが脳裏に蘇《よみがえ》ってきた。窓ガラスが割られた。発砲があった。ホシは興奮しているに違いない。一体、中で何が起きたのだろうか。今、どういう状況になっているのだろうか――。

頭は目まぐるしく働かせているつもりだが、意識は徐々に遠のき、身体《からだ》が沈み込むように感じられた。二時間程度ずつ、切れ切れにしか眠っていないのだから、無理もなかった。これから持久戦に持ち込むとしたら、わずかずつでも眠った方が良い。最後にものをいうのは体力だ――隣からも軽い鼾《いびき》が聞こえてきた。滝沢も静かに、自分の呼吸を数えた。

午前三時。大広間には柴田係長、吉村管理官に加えて、殺しの班の守島係長、管理官、理事官に捜査一課長までが揃《そろ》っていた。さらに、機動隊の方からも中隊長が加わり、静岡県警からも、所轄《しょかつ》署長と捜査一課長が来ていた。朝になったら参事官も来る予定になっているという話を聞いて、滝沢は、やれやれ、とため息をついた。そんなお偉方ばかりに来られても、現場の何が変わるわけでもない。管理職が脇《わき》から余計な口出しをし始めたら、それこそ収拾がつかなくなる可能性だってある。その辺りを、どう上手に捌《さば》いてくれるかが、管理官の腕の見せ所だろう。現場の指揮に集中したいだろうに、ご苦労な話だ。

とにかく、これだけの管理職がわざわざ現場まで足を運んできたという事実が、そのまま事件の大きさを物語っている。こうなれば、もはや報道協定もへったくれもなくなることだろう。明るくなるのを待って、空にはヘリコプターが舞い、テレビ局の中継車などが周囲を取り巻いて、この街は未曾有《みぞう》の騒ぎに巻き込まれることになるのは、まず間違いがない。

「まず一線配備として、翠海荘全体を包囲、さらに二線配備を布《し》く」

吉村管理官が、壁に貼《は》り出された地図を指して説明を始めた。付近の交通規制などは、静岡県警に委任する。警視庁からの応援はすべて、人質の救出と犯人の身柄確保に集中することになる。現段階で、その人数は七十名。

「最初に正門の鎖を切断し、敷地内に入る。すべての出入り口の確認、包囲が完了した段階で、正面玄関から突入。先頭は機動隊が取る。我々は、その背後から進むことになる」

三十分程度しか眠らなかったと思うが、頭は大分はっきりしていた。滝沢は壁の地図を凝視していた。絶対に頭をとろうと思っている。誰よりも、自分が真っ先に音道にたどり着きたいのだ。何故だか、それこそが自分に課せられた最大の任務だと、滝沢は何日も前から、そう信じていた。

「静岡県警の協力もあって、消防の方から翠海荘の設計見取り図が確認出来そうだという連絡が入った。入手出来次第、現場には無線で指示を出す。この作戦の最大の目的は、あくまでも人質の無事救出だ。忘れておる者はおらんと思うが、何はともあれ、まず音道刑事の生存確認を行ってくれ。犯人グループは既にこちらの存在に気づいている。必要以上に興奮させたり、追い詰めたりしては危険だということも、頭に叩《たた》き込んで欲しい」

しんと静まり返った室内に、管理官の声だけが響いた。自分の生唾《なまつば》を飲み込む音が、耳の中で大きく響く。作戦としては複雑なものではなかった。とにかく入り口を固め、あとは木造旧館部分、渡り廊下部分のすべてを一階から徐々に攻めて、全室を確認して上階に進み、包囲網を縮めていくというものだ。犯人側が、さっきのように下手に騒ぎさえしなければ、滝沢たちは、ひたすら彼らを追い詰め、そして、そっと首根っこを捕まえる、または頭から捕獲網をかける気でいる。野良犬《のら》を捕獲するのと同じことだ。

「外からの監視は終始、継続して行っている。少しでも内部の変化が見て取れれば、その都度、連絡をする。無茶な行動は慎み、勝手な判断はするな。特に明るくなるまでは、向こうも自由に動けない分、こちらも危険にさらされていることを忘れるな。犯人グループの居場所が確認出来次第、私も向かう」

管理官の口調は、いつも以上に厳しく、そして、押し殺した声には、かつて聞いたこともないほどの緊張がみなぎっていた。

「いいな。絶対に飛び出すな。先頭は機動隊に任せるんだ。受傷事故だけは避けたい。音道刑事も含めて、ただの一人も犠牲者は出さんからな」

滝沢たちは、黙って頷《うなず》くだけだった。

「相手の居場所が確認できたら、その後はおそらく膠着《こうちゃく》状態になるはずだ。逃げられないと分かっていても、向こうも必死で何か考えてくるだろう。その段階で説得工作に入る。後は相手の出方次第だが、そこまで、とにかく興奮させないことだ」

会議終了後、滝沢たちは各自、拳銃、手錠、小型無線機の他に、ポケットサイズのコンクリートマイクを一班に一つずつ携帯するよう、指示を受けた。遮蔽《しゃへい》物の向こうの物音を聞くための、いわば聴診器の役目をするものだ。

「係長、私にも行かせてください」

準備をしている最中に、それまで雑用ばかりしていた平嶋が一歩、前に出た。一瞬、全員が振り返った。冗談じゃない、生命がかかっているような場所に、女なんか連れていかれるかと思ったのに、係長は「よし」と頷いた。信じられん。滝沢は、半ば呆《あっ》気《け》に取られて係長を見つめた。

「機材を持ってもらう。だが、絶対に前には出るなよ。常に俺たちか、機動隊の盾の後ろにいろ。単独で動くな。守れるか」

「はいっ」

誰も、反対するものはいなかった。その後は無言のまま、運ばれてきた握り飯を詰め込んだ。空腹かどうかも分からない状態で、とにかく、これから先の体力を確保するためだけに、まだ温かい握り飯を頬張る。今度の握り飯には、梅干しの種は抜かれていなかった。

午前三時五十四分、到着した狙撃班《そげき》が配備についたという連絡が入った。特殊班も旅館を後にした。今度は周囲に気を配る必要もなく、静寂の中を、夜空を照らしている投光器だけを見て歩く。そして午前四時、そろそろ夜明けの気配が漂ってくる頃、翠海荘は改めて四方から照らし出され、昼間よりもさらに明るく浮かび上がった。二十年近くにわたって放置されてきた建物は、その容赦ない明かりにさらされて、隠しようもない疲弊と老朽の度合いとを、そこここに露呈した。壁のひび割れ、木造部分の黒ずみ、屋根瓦《がわら》の崩れ、外れかけた雨戸。日中でも一見しただけでは分からない傷《いた》み具合だ。

まず先頭の機動隊員が、翠海荘の正門に回された鎖を切断した。まとまった人数が一気になだれ込む。ある班は建物の周囲に回り込み、残った人数が正面玄関を取り囲んだところで、柴田係長を先頭に、特殊班が進んでいく。

かつては落ち着いた佇まいを見せていた、いかにも老舗《しにせ》の旅館らしい風情《ふぜい》の玄関前だった。ガラスのはめ込まれた引き戸の脇には手水鉢《ちょうずばち》があって、大きく育った松や楓《かえで》が植えられており、石灯籠《どうろう》なども置かれている。大きな石が置かれ、細長く玉砂利を敷き詰められたところには鹿威《ししおど》しなどもあって、手入れさえ行き届いていたら、なかなかのものだったろうと思わせた。だが、それらのすべてが荒れ放題で、木々だけが不気味なほどに育っている。

〈柴田から警視八八。準備完了しました。行動を開始します。どうぞ〉

数メートルしか離れていない位置にいる係長の声が、耳の中から聞こえてくる。

〈警視八八、了解〉

係長がさっと振り返った。滝沢たちは無言で頷いた。十二名。滝沢のすぐ隣には、ホームレス姿から刑事らしい服装に戻った東丸主任、さらに背後には保戸田がいる。この数日の間に、奴《やつ》はすっかり山賊のような髭面《ひげづら》になっていた。

「鍵《かぎ》は、開いてるはずです」

東丸が鋭く囁《ささや》いた。指揮をとっている機動隊員が小さく頷き、盾を前にそろそろと進む。彼らが移動するにつれて、滝沢たちも前進した。盾越しに引き戸を見つめていると、数秒後、音もなく戸が開き始めた。心臓が、一回りほど縮んだような気がする。刑事生活も二十年以上になるが、こんな場面に遭遇するのは生まれて初めてのことだ。今、いよいよ突入しようとしている自分の姿が、まるで自分ではないような、半ば夢の中のような気さえしてくる。

「突入っ」

小さいが鋭いかけ声が上がった。視界がさっと開け、大きく開かれた戸から、盾を構えた機動隊員たちが一斉に足を踏み入れた。その向こうには、果てしないとも思われる闇《やみ》が口を開けていた。

4

明らかに下の方から、真っ白い光が射《さ》し込んでいる。貴子たちがいる床面でなく、黒カビの生えた天井が、不気味なほどくっきりと照らし出されているのは、それだけで奇妙な感覚に陥るものだった。光は常に空から投げかけられるものだと思い込んできたことに初めて気づく。投光器の照明というものが、実際にさらされると現実感さえ奪い取るほどに強烈だということも、初めて知った。

展望大浴場とでも銘打たれていたに違いない、広々とした浴室だった。窓は天井までの全面ガラス張りで、その窓に面して空っぽの大きな浴槽がある。左右の壁には整然と、いくつものカランが並んでいた。そのカランの一つに、貴子は鎖でつながれていた。さっきまでいた部屋からここに移動する際、階段の上り下りが出来ないからと、足の鎖だけは解かれたから、ようやく足は自由に動かせるようになった。背筋も伸ばせるようになって、わずかながら解放感が広がった。だが、その一方で、相変わらず自由にならない手に苛立ちが募る。

犯人たちは、貴子をこの浴室に連れてくるなり、慌《あわ》ただしく出ていった。一人で取り残されて、貴子は板張りの廊下より、さらに冷たく固いタイル張りの床に腰を下ろし、ぼんやりと足首をさすっていた。物音などは何も聞こえてこない。

——助けに来たんなら、早くして。

外で異変が起きていることは間違いがないのだ。それなのに、明かりがついた以外は、何の変化もありはしなかった。確かに、暗闇の中で過ごすよりは、まだましだとは思う。だが、足下から斜めに入ってくる光は、否応《いやおう》なしに不安をかき立てる。自分のすべてが日常から切り離されていくような気がした。

二時十五分。加恵子が足を引きずりながら、コンビニの袋を提げて現れた。

「他の人たちは、どうしてるの」

囁きかけたつもりが、意外なほどに声が大きく広がる。タイル張りの浴室のせいだ。だが加恵子は、貴子の方を振り返ることもなく、浴室内を何度か見回して荷物を置くと、またそそくさと出ていってしまった。五分ほどして、再び他の荷物を持ってくる。どうやら彼らは、この浴室に立てこもるつもりらしかった。

「ねえ、ここは一体、どこなの」

今度は、加恵子はちらりとこちらを見て、「熱海」と答えた。

「熱海よ、ここ」

「熱海？　あの、熱海？」

「そう、伊豆の熱海。温泉の熱海」

相変わらずの無表情で、彼女は少しの間、貴子を見つめ、それから、大きくため息をついた。いや、これも大きく聞こえただけなのかも知れない。

「もう――おしまいね」

「中田さん――」

「よかったじゃないの、お仲間が来てくれて」

「ねえ、中田さん、あの人たち、ここに立てこもるつもりなの？」

加恵子は、ひどく疲れて見える顔をわずかに傾けて、まるで関心などないかのように「知らないわ」と答える。貴子は身を乗り出し、鎖を可能な限り引っ張って加恵子の顔をよく見ようとした。

「そんなことしたって無駄だって、あなた、言ってよ」

「私が？　駄目よ。無理」

「どうして。もう、ここまで来たら逃げ出すことなんか絶対に出来ないんだから。おとなしく外に出た方がいいって、分かるでしょう?」

「――私の言うことなんか、聞くはずがないじゃない」

加恵子はひどく投げやりな口調で言った。悲しいのか、苦しいのかも分からない、まったくの無表情。

「あの人たち、何してるの」

それに対しても、加恵子は「さあね」と言っただけだった。そして、また浴室を出ていった。五回ほど、そうして部屋を往復して、彼女は持ち込んでいた荷物のすべてを運び終えたらしい。その後は、何も言わずにただ浴槽の縁に寄りかかるようにして座り込んだ。

――熱海。

泊まったことはないが、何度となく通過したことのある街だ。伊豆方面へ足を伸ばすとき、富士や箱根の辺りをツーリングするとき、熱海の街は数え切れないくらいに走り抜けてきた。その街にいるという。貴子は、海岸沿いの国道を思い浮かべた。その国道に沿って立ち並ぶ旅館やホテル、急勾配《きゅうこうばい》の斜面を、階段のようにひしめき合って立ち並ぶ建物の光景も思い浮かぶ。その中のどこかにいるというのだろうか。

「何で、こんな場所まで連れてきたの」

黙りこくっている加恵子に、再び話しかけてみる。しばらくの間、返答は聞かれなかった。貴子が諦《あきら》めかけた頃に、「鶴見さんの案よ」という声が響いた。加恵子のいる方向からというよりも、四方から降ってくるように聞こえる。

「あの人、何年か前に工務店みたいなところで働いてたことがあるんですって。そう長い間じゃなかったらしいけど。その時、ここに来たことがあるって言ってたわ。ずっと前につぶれた旅館で、ホームレスか何かが中を荒らすといけないから、勝手に人が入れないように、鉄条網張ったり、入り口をふさいだりするために」

すぐ傍にいる人に話しかけるくらいの大きさでも、声は十分に届くようだった。明かりが直《じか》に当たっているわけではないが、ぼんやりと明るく、広い浴室は、白い光がタイルにも反射して、全体が水槽の中のようにも感じられた。

「――あの人は、前からの知り合い？」

貴子も囁くように尋ねた。加恵子は小さく首を振った。

「あの人も、井川さんのことも、何も知りはしない。私たちは、寄せ集めだもの」

「――若松に、声をかけられて？」

「ただ、大金に目がくらんだだけのね」

「競輪場で」

「私たちと、井川さんはね。鶴見さんは違う。あの人は、インターネットで知り合ったって言ってたわ」

急に刑事としての意識が働き始めた。ゴールデンウィーク前の、あの御子貝夫妻と内田夫妻の死体を見た日のことが蘇《よみがえ》ってくる。四人は行儀良く布団《ふとん》に並んでいた。すべては、あの日から始まったのだ。

「役割を決めたのは、若松だったの？」

「まあ――そういうことね。銀行に行くのは、多少なりとも見栄《みば》えのする方がいいからって、若松さんが言ったのよ」

「つまり、御子貝さんの家には、あなたと堤が行ったっていうことね。ああして、粘着テープで全身をぐるぐる巻きにして、首を切って。四人もの人を」

加恵子の頭が大きく揺れた。彼女はしばらくの間、じっと俯《うつむ》き、それから天を仰いでため息をついた。貴子も見たあの光景を、加恵子も見ている。いや、あの場面を作り出した張本人でもあるのだ。

「――まさか、殺すとは思わなかった」

「やったのは、どっち」

「——男の人が急に苦しみ出したのよ。何かの発作らしかった。目と口はふさいでたけど、耳は聞こえてたんじゃないかしら。隣にいた奥さんらしい人が、その声を聞いて、パニックを起こして、暴れ始めた——そうしたら健輔が『静かにしろ』って」

加恵子の口調は、あくまでも静かだった。貴子は、和室に横たわっていた四人の遺体を思い浮かべながら、その声を聞いていた。

「最初は、殺すつもりなんかなかったと思うのよ。一応、ナイフも持ってたし、服は——誰かに見られて、覚えられたら困るからって、二枚、重ねて着てたけど——私たちの目的はお金だけで、何も人殺しなんかする必要はなかったんだもの」

若松は、たとえ架空名義口座の金を奪われたところで、被害者は税務署などの手前、容易に警察に届け出るわけにはいかないだろうし、銀行もまた、自分たちが何らかの被害を被《こうむ》るわけでもないから、まず届け出たりはしないはずだと言ったという。どうせ有り余っている金なのだ。本当に困る人間はどこにも出ないと説明されて、堤も、また井川や鶴見も、若松の計画に乗るつもりになったらしい。

確かに、殺人さえ犯さなければ、若松の計略は見事に成功したかも知れなかった。銀行の、あの非協力的な態度を見れば、そのことがよく分かる。すべてが狂い始めたのは、やはり堤が殺人を犯したことによる。

「でも──顔を見られたわけでしょう。それでも殺さないつもりだった？」

「彼は、マスクとサングラスをして行ったし、私は──私、私ってねえ」

そこで、加恵子の口調ががらりと変わった。まるで、いかにも大切な秘密を打ち明けようとするかのように、または嬉《うれ》しくて仕方がないというように、彼女の声は弾んで聞こえた。

「彼にメイクしてもらうと、自分で言うのも何だけど、本当に変わるんだ。まるで別人みたいになるんだから」

貴子は、薄明かりの中で、加恵子の口元がほころぶのを見た。痣《あざ》の消えない顔で、彼女は半ばうっとりとした表情で微笑《ほほえ》んでいた。

「本当、自分でもびっくりするくらいね。それで髪型まで変えれば完璧《かんぺき》。ちょっと、こっちが私なら、今までの私は誰なのよっていう、そんな感じ」

「──だから、大丈夫だと思ったの」

そうよ、という声が浴室内に広がったとき、男たちのものに違いない靴音が響いてきた。貴子は素早く手元の時計を見た。三時四十分。ずい分長い間、彼らは何をしていたのだろう。

浴室に靴音が広がり、舌打ちや、「まったく」などという声が淡く広がっていく。

貴子は、もう少し加恵子の話を聞きたかったと思いながら、黙って男たちの様子を窺《うかが》っていた。鶴見は、ほとほと疲れたという様子で、貴子とは反対側の壁にもたれかかった。ライフルを持った堤は加恵子の隣に行き、散弾銃を持っている井川は、浴室の出入り口近くに、腰掛けを持ってきて座った。

「窓の傍に、行くなよ。光の当たってるところには」

井川の声が天井に響く。声を出して応じるものはいなかった。ただ煙草《たばこ》をふかし、舌打ちを繰り返して、重苦しい沈黙が広がった。

「畜生、何でだ——」

かなり長い沈黙の後で、鶴見の呻《うめ》くような声が広がった。その声は、今にも泣き出しそうなほどに語尾が長く伸びて、不安定に聞こえた。

「何で、こんなことになったんだ——」

「てめえが馬鹿《ばか》なこと、するからじゃねえかっ」

それに覆《おお》い被《かぶ》さるように、堤の声が響いた。ライフルを抱えたまま、彼は背を反《そ》らして浴槽の縁に腕をかけている。すぐ傍にいる加恵子は、黙ったまま目を逸らしていた。たとえ今、ここで撃ち合いが始まったとしても、堤が銃口を鶴見か、または貴子に向けたとしても、彼女はそうして顔を逸らしているだけなのかも知れない。おそらく、御子貝夫妻と内田夫妻を殺害したときも、若松を射殺したときも、同様だったに違いない。

怯《おび》えていたことは間違いがないと思う、恐怖に身体《からだ》が強張《こわば》っていたと考えられなくもない。だが、加恵子はそれ以前に、堤のすることに関して、何の反応も示さなくなっているのだ。何かを感じ、判断して、彼に働きかけることなど、彼女には無理なのだということが、徐々に分かってきた。能力や性格の問題ではなく、これまでの人生で、加恵子は、そういう風にさせられてしまったという気がする。そうならなければ、生き延びてこられなかったということなのだろうか。

「全部、てめえのせいだからな、鶴見っ。どうすんだよ！　どうやって、こっから出るっていうんだよ！」

堤の怒鳴り声が響いた。その残響に、鶴見の悲鳴に近い声が混ざる。

「何で、何で、俺のせいなんだっ。もう、とっくに包囲されてたんじゃねえかよ、俺たちはっ！　俺がサツを呼んだわけでも、何でもねえや。お前らが後をつけられたんじゃねえのか」

「そんなの、知るか！　何も今日、つけられたとは限らねえだろうが！」

「昨日なら、昨日のうちに、こういうことになってただろうが、阿呆《あほう》！」

「てめえが馬鹿みてえに酔っ払って、窓なんか割るから、こういうことになったんだろうっ」

たった三人の男しかいない浴場が、異様に賑《にぎ》やかな、声の洪水になった。騒げば良い、騒いで、暴れて、自分たちのいる場所を外に知らせれば良いのだ。それにしても、救出はまだだろうか。無闇に照らし出しているだけで、その後の動きがまるでないような気がする。来てくれるのなら、一刻も早く来てくれれば良いではないか。何故《なぜ》、こうも気を持たせるのだろう。一体、何をしているのだろうか。

「お前が生意気なことを言うからだろうがっ」

「冗談じゃねえや、そっちが、ただ酒癖が悪いってだけじゃねえかよ」

「酒飲んで、酔っ払うの の、どこが悪いんだよっ」

「そのお陰で、こんなことになったんだろう！　馬鹿じゃねえのか、これで今日の計画は、もうおじゃんなんだぞ。てめえのせいだからな！」

「ホームレスが来たっていう段階で、気づかなかったのがいけないんだ」

果てしなく続くかと思われた罵《ののし》りあいを、井川の声が制した。わんわんと響いていた声がやっと退《ひ》いて、浴室は、ようやく静かになった。タイルの冷たさが服を通して感じられる。窓から射《さ》し込む光は、あまりにも強烈すぎて、天井の塗装が剝《は》げ落ちている小さな凹みにまで、くっきりと影を作った。ここに来るまでに、さっきの部屋から、さらに三回、階段を上がった。貴子の勘に狂いがなければ、少なくともここは、地上六階以上だと思う。

――こんな場所からじゃ、飛び降りることも出来ない。

心臓が波打っている。苛立《いらだ》ちが募った。

もうすぐ助けが来る。それは分かっているのに、かえって不安で仕方がないのだ。袋のネズミとなった男たちは、もはや無事にここから出られる可能性がないことを知っている。自棄《やけ》になられたら、真っ先に標的になるのは自分だった。こんなことなら、いっそ夜明けまで無事に監視を続けていてほしかった。朝になって、この建物から出る時を狙《ねら》ってもらいたかった。

――何を考えてるのよ。

外にさえ出られれば、貴子は自力でも助かる可能性があったのだ。町中では、彼らだって迂闊《うかつ》に発砲など出来なかったに違いない。

――私を、助ける気があるんだろうか。

ただ単に、強盗殺人犯を捕らえること以外、考えていないのではないだろうか。そうでなければ、真夜中に投光器などあてて、犯人を下手に刺激するはずがないではないか。浅はかで愚かしい指揮官が、馬鹿な判断を下したのだ。そうに違いない。

怒りと苛立ちは、そのまま、裏切られたという思いにつながった。こんな思いまでしているのに。こんな恐怖を味わっているのに。何日も放っておいたと思ったら、最後の最後には、こんなやり方しか出来ないなんて。最低。最悪。

「畜生——あと一日、ありゃあな」

長い沈黙の後、今度は井川が顔を覆ったまま呻き声を出した。

「明日の今頃は、日本からもおさらばしてるはずだったんだ。綺麗《きれい》さっぱり清算して、何もかも、やり直せるはずだった——」

言いながら、彼はジャケットの内側から何かの紙を取り出した。薄暗がりの中で、少しの間、それを見つめて、やがて細かくちぎり始める。貴子は黙ってその様子を眺めていた。こちらの視線に気づいたのか、井川は「何だと思う」と呟《つぶや》いた。

「チケットさ。タイ行きの飛行機、それもファーストクラスのな」

貴子が答えるよりも先に、「タイ？」という鶴見の声が響いた。

「あんた、タイなんかに行くつもりだったのかい」

「——まあな」

「俺なんかさ、ブラジルだよ、ブラジル。友だちがいてさ、向こうで一緒に新しい商売、始めようって相談してたんだ」

「タイからネパールにかけてはな、まだまだお宝が眠ってんだよ。あの辺は仏教美術の宝庫なんだ」

「お宝ねえ」

「俺は——それに賭《か》けるつもりだったんだ。向こうで何もかも、新しく始めるつもりだった——」

この男は一体、何をしてきた男なのだろうか。貴子は不思議な思いで井川を眺めていた。殺人に関しては、直接、手を下したわけではないにしろ、強盗殺人グループの、今や主犯格である男の口から、仏教などという言葉が聞かれようとは思ってもいなかった。どうして、と聞いてみようとしたとき、鶴見の「タイねえ」といううくぐもった声が聞こえてきた。それから数分後、長閑《のどか》すぎるほどの鼾《いびき》が室内に広がった。

「こんな時に、よくも寝てなんていられるな。おい、おっさん、鶴見っ」

堤の苛立った声が響く。だが「よせよ」という井川の声が、それを制した。

「あれだけ飲んだ上に、さんざん汗流したんだ。もう限界だろう」

返事の代わりに、ちっという舌打ちの音がする。そしてまた静寂が流れる。頭がぼんやりしていた。目をつぶって眠りたいと思うのに、神経だけがぴりぴりとしていて、とても眠れるとは思えない。ただうなだれたまま、貴子は手元の時計を見ていた。

四時二十分。そろそろ明るくなっても良い頃だ。だが、投光器の光が強烈すぎて、外の様子はまるで分からなかった。ただ鶴見の鼾ばかりが、大きく響いている。

「ちょっとばかし、気を抜くのが早すぎたんだよな。この男の失敗の原因は、いつもそれだったんじゃないのか。あとひと息ってとこで、先に気を抜いちまう」

また井川が呟いた。

「そんなの、知ったこっちゃねえよ。だけど、どうすんだよ。このまま、ここに籠《こも》ってるってわけに、いかないんだぜ」

静かな口調の井川に比べて、堤は明らかに苛立っている。その堤に、井川は「だから」と多少、語気を強めて言った。

「明るくなるまで、待つんだ。こっちには人質がいる。向こうだって、下手に手出し出来ねえことくらい、百も承知だろう。だから、ただ照らしてるだけなんだ」

「じゃあ、明るくなったら、どうすんだよ、なあ！」

「――俺たちに、もう、それほどの選択肢があるわけじゃない。おとなしく捕まるか、悪あがきして捕まるか――万に一つの可能性に賭けるか、だ」

「万に一つの可能性って？　その刑事を、どうやって使うんだよ」

「それを今、考えてる」

「じゃあ、早く考えてくれよ！」

「だったら少し、黙ってろ！」

初めて、井川の怒鳴り声が堤の声に勝った。少しかすれ気味の、どちらかといえば抑揚のない声だと思ったが、腹から出された大声には、反射的に身を縮めたくなるほどの、ある種、異様な凄《すご》みが感じられた。ようやく堤もおとなしくするつもりになったようだ。時間が流れる。四時三十分。四時四十五分。心なしか、投光器の光がぼやけてきたような気がして、窓の外を見る。光の彼方《かなた》に朝が来ていた。

――これが、最後の朝になる。

ぼんやりした頭がそう思った。だが、果たして何の最後なのだろう。この部屋での。人質としての。人生の――分からない。

「俺だって、夢があるんだ」

長い沈黙に耐えかねたかのように、だが、さっきよりもずい分沈んだ声で、堤が呟いた。

「俺は、ここにいる誰よりも、ずっと若い。やり直せる可能性は、ここにいる誰よりも高いんだ」

「ここまで来りゃあ、若いも若くないも、ないだろうが。同じ穴のむじなだ」

「嫌だっ！　絶対に嫌だ！　俺は絶対、ロスに行くんだっ」

今度はロサンゼルスか。人から奪った金で、皆、好き勝手な夢を描いていたということらしい。結構な話だ。いずれにせよ、ここにいる三人ともが、この国を捨てようとしているらしいことだけは分かった。

「ロスに行くだろう？　そうしたら、まず英会話の学校に行ってさ、それから本格的に特殊メイクの勉強すんだ。ＳＦでもホラーでも、映画とかさ、そういうメイクを手がけるようになって——そのうち、自分でスタジオ開いてよ。アメリカン・ドリームのヒーローだよ。アカデミー賞、獲《と》ってよ、雑誌の表紙になって、ビバリーヒルズにプールつきの家を建ててな、たまに日本からも取材が来たりしてな」

「俺だって、そういう気でいたんだよ。その辺の古道具屋の店先なんかに並んでるような奴《やつ》じゃない、本物の美術的価値のある、そういう物を探し歩いて、闇《やみ》のルートだろうと何だろうと、本国に運んで、世界中の一流の美術館あたりが欲しがるようなさ、そんな奴を探し出してやろうって。目処《めど》だって、ついてた。自分らの持ち物の価値なんか分かってない、ただ純朴なだけの連中が住んでる村でな、足元にお宝が眠ってるのも知らねえようなな」

鼾が止《や》んだと思ったら、鶴見が「俺だってさ」と言いながら起き上がった。

「俺だって同じだって。うまいもの食わせる、陽気で賑やかなレストランを開こうと思ってた。向こうで綺麗な嫁さんでももらってさ、今度こそ、俺は嫁さんを可愛《かわい》がって、そのうち、可愛いガキが出来て」

再び静寂が訪れた。貴子はぼんやりと、三人の男たちの、いささか荒唐無稽《こうとうむけい》とも受け取れる夢について考えていた。これまでの人生をすべて断ち切って、彼らは、この国から離れ、とにかく夢に向かって進もうとしていた。ブラジル、アメリカ、タイ——貴子など、行ったこともない土地ばかりだ。そんな土地へ行って、夢を実現しようなどと、頭の片隅に浮かんだことさえない。

何となく、羨《うらや》ましい気もした。貴子には、人生のすべてを切り換える勇気など、とてもない。これまで背負ってきたものを何もかも捨てることなど、到底、不可能だと思う。そんな必要がないからではないかといわれれば、それまでだ。確かにこれまでは、そう思ってきた。

だが今は、分からなかった。この建物から一歩でも外に出たときから、人生は明らかに変わるはずなのだ。何事もなかったかのように、ただ仕事に精を出し、時には実家に戻って家族の顔を見て、休日にはバイクを走らせ、昂一に会う——当たり前のような日々には、おそらくもう二度と戻れない。いや、表面上は変わらないかも知れない。それでも貴子自身が、この数日の記憶を拭《ぬぐ》い去ることなど出来ないと思うし、貴子の周囲もまた、確実に変わるに違いない。

——どうすれば、いいんだろう。

無事にここから出た時のことを想像してみる。まず、事情を聞かれるに違いない。詳細に、すべての調書を取られる。貴子は、星野と言い争った土曜日からのすべてのことを、追体験することになるだろう。もう、遥《はる》か昔のことのような気がする。だが実際には、ほんの四、五日前のことだった。時間を追って思い出せば、歩いた道も、出会った人々のことも一人ずつ、すべて蘇《よみがえ》ってくる。だが、その果てにたどり着くのは、油断していた自分、刑事でありながらなす術《すべ》もなく、無抵抗でいなければならない自分、飢え、疲れ、そして、暴行に恐れおののく自分ではないか。怒り、苛立ち、恐怖、屈辱——そして絶望感。

それらの思いを、再び繰り返し経験するなど、とんでもない話だった。それでも、何も語らずに済むはずがない。被害者として、刑事として、貴子はこれから何年も、忘れようとする度に裁判などに引っぱり出され、一生涯、この経験を引きずっていかなければならないのだ。

――知らない国。

そんなところに飛んで行かれたら、どれほど気軽だろうか。何もかも忘れて、まったく違う人生を歩めるとしたら――。

馬鹿《ばか》げた想像だと思いながらも、貴子はぼんやりと、彼らと共に逃げる自分を思い描いた。自分が一緒なら、彼らはある程度のところまでは逃げおおせる。人質を取られている以上、警察はそう無茶な行動には出られない。

――何を考えてるんだろう、私。

思考力そのものが、もう完全に落ちているのだ。だから、こんな馬鹿げたことを夢想する。早く来てくれないから。早く、助け出してくれないから。もう、好《い》い加減うんざりだった。恐怖に怯《おび》える自分も、身動きもままならない状況も、何もかも、もう嫌だった。

「元はと言えば、こんな女を連れてきたのが間違いなんだよな」

堤が吐き捨てるように言った。そして、急に隣の加恵子を突き飛ばす。加恵子は一瞬「あっ」と声を上げたが、されるままに、タイルの床に倒れ込んだ。

「こいつがさ、きっと何かの役に立つなんて言いやがるから、つい、その気になったけど、結局は足手まといなだけじゃねえかよ」

「今さら、そんなことを言ったって遅い。第一、さっきまでは、今日はこいつにも働いてもらう気でいたんじゃないか」

「だけど、もうその必要もなくなったんだ。もう、いらねえじゃねえか」

「——ねえ」

自分でも、何を言おうとしているのか分からなかった。だが、貴子は背筋を伸ばして、懸命に男たちを見回した。

「この場所は、立てこもるには向いてないわ」

井川の表情がわずかに動く。

「外から丸見えの、こんな場所は、立てこもるには向いてない。明るくなったら、すぐに外から入られる。こっちが銃を持ってることは分かってるんだから、狙撃《そげき》される可能性もある」

何を言っているのだ。何故《なぜ》、こんなことを言っているのだろう。心の中で、自分は何者なのだと問いかける声がしている。それを振り払うようにして、貴子は言葉を続けた。

「SATって知ってる？　特殊急襲部隊。警視庁の特殊急襲部隊なら、まず屋上から外壁を伝って、窓を破るでしょうね。そういう機会を与えられるような場所にいたんじゃ、有利な交渉は、とても無理だと思うけど」

「——じゃあ、どうする」

井川が声を押し殺して聞いてくる。貴子は、窓のない、たとえばリネン室のような場所の方が、立てこもるには向いているだろうと答えた。

「ここは、ホテルか何かなんでしょう？　そういう部屋があるはずじゃないの。布団《ふとん》部屋とか、物置とか」

「ああ——あるよ。この階の端っこにさ、あるじゃないか」

鶴見がおろおろとした声で言った。

「そういう場所の方が、いいと思うわ。ほら、そろそろ明るくなってきたでしょう。下からじゃ中の様子は見えないかも知れないけど、ヘリを飛ばす可能性だってある。そうすれば、窓のある部屋は丸見えだわ。狭くて頑丈な部屋の方が、有利。外から見えないようなね」

狭い部屋に閉じこめられれば、それだけ貴子自身が危険にさらされるのに。銃口が近くから向けられることになるだけではないか。それなのに、貴子は懸命に話しかけていた。今、ここで殺されるよりは、まだましだ。それにしても、どうして助けは来ないのだろうか。こんな風に引き延ばせるのも時間の問題だということが、少しでも伝わっているのだろうか。

「時間稼ぎには、なるかも知れんがな」

「なあ、だったら今のうちに動こうぜ」

「この女の言うことを、信じるのかよ」

「下手なことしやがったら、その時は殺《や》られるんだ。それに、確かに外から丸見えの場所にいるのが得策とは、思えんだろう」

腹の中が煮えくり返る思いだった。その怒りは、今、ライフルを撫《な》でさすっている堤たちにではなく、明らかに、自分の背後にある組織に向けられていた。

5

翠海荘の中には、玄関を入ってすぐのところから始まって、要所要所にバリケードが築かれていた。建物内部に残されていた座卓や座椅子《ざいす》、時には布団などが、乱雑に積み上げられているのだ。その向こうに、銃を構えた犯人がいるかも知れないから、一カ所ずつのバリケードを撤去するのには細心の注意が払われ、予想以上の時間がかかった。それでも滝沢たちは、音を立てないように、一つ一つの関門を突破していった。逆に考えれば、このバリケードが築かれている方向に進めば、犯人にたどり着くということでもある。

「柴田から警視八八」

〈警視八八、どうぞ〉

「木造旧館部分、確認終了しました。どうぞ」

〈了解。どんな具合だ〉

「異常ありません。これから渡り廊下部分に進みます。どうぞ」

〈警視八八、了解。そこが終わったら、一度、出てきてくれ。その頃までには見取り図が届くはずだ。どうぞ〉

「了解しました。以上」

何年間も雨戸を閉めきりにしてあった木造部分には、かび臭い湿った空気が満ちていた。廊下はあちこちで軋《きし》んだし、襖《ふすま》などもスムーズに開かず、畳も湿気を吸っていて靴が沈み込むようだった。ふと、テレビドラマで見た『忠臣蔵』の場面を思い出しながら、滝沢は、広い座敷の続く旧館の中を歩き回った。懐中電灯で照らし出される床の間には、時には掛け軸がかかったままになっていたり、とうに枯れきった枝がさささった花瓶が残されていたりした。また、意外なところに布団が敷かれており、周囲にカップ酒の容器が転がっていたりもした。古新聞、古雑誌の類《たぐい》の散らばっている部屋もあって、明らかに誰かが入り込んで、一日か、またはそれ以上を過ごしていた形跡も見られた。

「こりゃあ、ホームレスには最高の環境だ」

「客としてじゃあ、一生、縁がなかったような宿かも知れないのにな」

時にはそんなことを話し合いながら、完全に人気がないことを確かめて、結局、木造部分の確認は終了した。やはり、敵は新館にいるのだろう。

階段の下や廊下の隅などには、機動隊員に二名ずつ残ってもらい、滝沢たちはまた前に進む。中途半端《はんぱ》な段数の階段を下りると長い廊下があった。その廊下の途中にも、やはりバリケードが築かれている。これだけの作業を、おそらく犯人たちは、警察が投光器を照らした後で行ったのに違いなかった。

——その分、追い詰められている。

やはり、あそこで照らしたのは尚早だったのではないか、逆に相手に考える時間を与えることになったのではないかという気がする。一体、誰が指示したものなのだろうか。そんなことで、音道の身が危うくなっていたら、単に責任を問われるだけでは済まされない。今さら怒っても仕方がないが、滝沢は、つい舌打ちしたい思いで、積み上げられた座卓の山を崩していった。

「すっかり明るくなったな」

ようやくバリケードを押しのけて隙間《すきま》を作り、歩き始めたところで係長が呟《つぶや》いた。差し掛かった大広間の向こうから、人工の照明ではない明るさが届き始めている。時刻は午前五時を回っていた。

およそ二十分後、渡り廊下部分の二階もすべて確認してから、滝沢たちは管理官の指示通り、建物の外に出た。今日も、低い灰色の雲が立ちこめている。海に向かって左手が東のはずだったが、太陽は、まるで見ることも出来なかった。早朝とも思えない、生ぬるい湿った風に吹かれながら歩く。腰がわずかに痛かった。荷物の上げ下ろしなど、ここしばらくしていないせいだ。

「五時過ぎに、ヘリが飛んだそうだ。もうじき、こっちに着くだろう。そうなれば、直にモニターに映像を送ってもらうことになっている」

宿舎の広間に戻ると、まず管理官が言った。座卓の上には、細かい線の引かれた数枚の図面がのっている。待ちに待った翠海荘の見取り図だ。柴田係長の無線を聞いて、既に滝沢たちが歩いた場所にはすべてチェックがされてあった。バリケードのあった位置には緑色のバツ印が書き込まれている。

「翠海荘は、客室数が五十九、収容人員が約二百八十名の旅館だった。この新館部分には、一階に喫茶室とゲームコーナー、クラブ、シャワールームがあった。二階と三階の半分は厨房《ちゅうぼう》および宴会場、大広間だな。手洗いは、それぞれこの位置」

管理官の指し示すペンの先が、次々にエレベーター、階段、非常口などを指していく。「客室は三階以上。和室とバストイレ付きの洋室とがある。三階と四階は、八畳間、十二畳間が主で、この、端の方の部屋だけは続き部屋のある客室になっている。ガラス窓の割れた部屋は、ここになる」

海に向かって八畳の部屋があり、その奥に六畳間、廊下が通っていて手洗いと風呂《ふろ》のある部屋だった。どの階にも、客室とは別に手洗いがあり、さらに配膳《はいぜん》室、リネン室、布団部屋などがある。階によっては従業員用の休憩室のようなものまであって、普段は客が入り込まない部分にも、部屋が多いことに驚かされる。

「そして、最上階の七階が、展望風呂にゲームコーナーになっているわけだ。見て分かる通り、どの部屋も、全部が同じ造りというわけではない。また、階によっても微妙に造りが違っている。方法としては下から攻めていくより仕方がないわけだが、見落としのないように、油断をしないでもらいたい」

話している最中に、遠くからヘリコプターの音が聞こえてきた。管理官は一瞬、話を止めて視線をさまよわせた。捜査員の一人が、素早く立って部屋の障子と窓を開ける。だが、海に向かっていないこの部屋からは、ヘリコプターを見ることは出来なかった。

「俺は指揮車両に戻る。何か分かり次第、連絡を入れる」

それだけ言って、管理官は立ち上がった。滝沢たちも一斉に立ち上がり、再び翠海荘に戻った。

「あんなとこ、飛んでますよ」

途中で保戸田が海の方を指さした。確かに一機のヘリコプターが、海上をゆっくりと飛んでいる。

「でも、あれは」

そう言ったのは他の捜査員だった。今度は頭の上を指さす。かなり上空を、弧を描きながら飛ぶヘリコプターが見えた。

「あっちはマスコミだろう。えらい勢いで騒ぎ出すはずだ」

話している間に、また違うヘリコプターが見えてくる。早朝から、はた迷惑な話だ。何も知らずに朝を迎えた近所の住民は、何事かと思っているに違いない。

〈警視八八から各局。ヘリコプターが建物内部の映像を捉《とら》えた。現在のところ、人の

姿の見える部屋は見あたらないそうだ〉

管理官の声が聞こえてきた。野郎ども、どこに隠れていやがるんだ。機動隊員が取り囲む翠海荘に戻る頃には、早起きらしい近所の住民が、ちらほらと見物に立ち始めていた。

さっき取り払ったバリケードを通過して新館までたどり着き、機動隊員が待ち構えているところまで来て、柴田係長が振り返った。

「一階から順番に見ていく。ドアを開くとき、物陰がある場所には特に注意しろ」

そして、ホルダーから拳銃《けんじゅう》を引き抜く。滝沢たちも同様に、自分たちの拳銃を構えた。少し弛《ゆる》みかかっていた緊張が、再び高まってきた。練習以外で、この引き金を引いたことは、これまでに一度もない。今日、その時が来るかも知れないと思うだけで、手のひらには早くも汗が滲《にじ》んだ。

午前五時四十七分。まず滝沢が、一番手前のゲームコーナーの扉を開いた。

「異常、なし」

「よし、次っ」

ゲームコーナーの奥には喫茶室がある。古ぼけた看板が、片方だけ鎖が切れて中途半端に天井からぶら下がっていた。ガラスで仕切られた空間には、色褪《いろあ》せたレースのカーテンがかかっており、中の様子が分からない。

「鍵《かぎ》がかかってます」

屈《かが》んでドアに近付いた保戸田が、ガラスの扉に手をかけたままで言った。どうする。いないと見なすか。または、ここが現場か。

「壊そう」

即座に柴田係長が言った。機動隊員が呼ばれ、玄翁《げんのう》で扉を割ることにする。厚手のガラスは鈍い音を立てて、ぼこりと穴が開いた。さらに数回、玄翁が振り下ろされ、扉が開いた。

「喫茶室、異常なし」

「よし、次っ」
二、三名が室内に飛び込み、すべてを確認して報告している間に、他の捜査員はもう次の部屋へ向かっている。その繰り返しで、一階と二階は部屋数が少ない分、意外なほど早く確認がされた。
「やっぱりな」

三階に上がろうとしたところの階段に、またもやバリケードが築かれていた。今度は、いかにも階段の上から落としたらしい様子で、食器を運ぶワゴンのようなものや座卓に座椅子、ありとあらゆるものが行く手をふさいでいるが、バリケードとしてはほとんど用をなさない。まるで、子どもだましのようだ。相手も相当、慌《あわ》てていたのに違いない。

「ここから先は、特に注意するぞ」

腰を屈め、片手に拳銃を持ったままで、幾つもの客室の扉を見つめる。今にも、そのうちの一つが開いて、こちらに発砲してきそうな恐怖があった。

「いるんだろう！　出てこい！」

ふいに、係長が大きな声で怒鳴った。滝沢たちは息を殺して反応を待った。だが、変化は起こらない。合図に従い、手前の部屋から、まず見て歩く。

「異常なしっ」

「異常なしっ」

「異常、ありませんっ」

次々に扉を開け放ち、その都度、一瞬、呼吸を止めて部屋に飛び込む。そこに人気がないと分かる度に、頭の天辺《てっぺん》から汗が噴き出す思いだ。指は伸ばしているし、安全装置をかけてもいるが、つい人差し指が引き金にかかりそうな気がする。恐怖のあまり、気が動転してしまいそうな不安があった。

すべての部屋を確認し終える頃には、滝沢だけでなく他の捜査員も息を弾ませていた。激しく動いたからというよりも、それは、緊張からくるものに違いなかった。

「柴田から警視八八」

〈警視八八、どうぞ〉

「三階、異常ありません。どうぞ」

〈警視八八、了解。四階は、最後に連中が確認された階だ。くれぐれも注意してくれよ。下手に相手を刺激するな。距離を保て。どうぞ〉

「全部了解」

無線交信を終えたところで、係長が振り返った。こちらの意志を確かめるように、真《ま》っ直《す》ぐに、鋭い視線が滝沢を捉えた。

「拳銃をしまってくれ」

係長の指示に、衣擦《きぬず》れの音だけが応《こた》えた。

「ここから先は、真正面からぶつかっていくわけにはいかん。四階の様子は、この階から探る」

滝沢は、ゆっくり頷《うなず》いた。つまり、コンクリートマイクで上階の音を拾うのだ。

「向こうが一カ所に固まっているとは限らんし、しばらく身動きもせず、会話もしない可能性も考えられる。時間はかかっても、最低十分間は聞いていて欲しい」

機動隊員が何台かの脚立《きゃたつ》を運んできた。保戸田が進んでその一つを受け取る。自分たちの頭上に、犯人たちがいるかと思うと、つい声もひそめられた。

「ほんの小さな音でも聞き逃すなよ。無線で連絡を取るときは、天井から離れてくれ。万が一の場合がある」

声を出さずに、滝沢たちは頷いた。腋《わき》の下を汗が伝う。腰は痛んでも、さっきまでのように身体《からだ》を動かしていた方が、まだ気楽だった。これからは、空気のように振舞うことが大切になる。奥の部屋から手分けして、滝沢は保戸田と共に、無言のまま客室に入っていった。

6

犯人たちが新たに移動したのは、大浴場よりも一つ下の階にあり、一般客が利用する廊下からは鉄製の扉で隔てられている、従業員用のスペースだった。井川は、その扉に内側から鍵をかけ、さらに、廊下の突き当たりに据えつけられていた流し台やその他のものを、扉の前に積み上げた。

廊下の右側には手洗いと備品倉庫、左側には布団《ふとん》が山積みにされている畳の部屋があった。窓はすべて磨《す》りガラスの上に、大半は布団が積まれていて、光を遮っている。お陰で室内は、文字を読むのに何とか不自由しない程度にしか明るくなかった。全体は十二畳ほどあるだろうが、積み上げられた布団がかなりのスペースを占めていたし、その他にも、枕《まくら》や毛布などが山積みになっている。

貴子は、部屋の一番奥に据えつけられているヒーターのパイプにつながれていた。午前六時二十分。さっきからヘリコプターの飛んでいる音が聞こえる。だが、それ以外はまったくの静寂だった。

「ここなら、見つからねえかもな」

布団の山を適当に崩し、そのうちの一枚を引き伸ばして、その上に寝転がりながら鶴見が呟いた。

「そんな間抜けなわけ、ねえだろう」

堤が吐き捨てるように答える。井川の指示で、彼は貴子からもっとも遠い、部屋の入り口近くにいた。やはり布団を引っ張ってきて、彼もぐったりとした様子で寄りかかっている。

「そうか？　ひょっとしたら見落としてくれるかも知れねえぜ。すげえ分かりにくいしさ、ドアに触ってみて鍵がかかってりゃあ――」

「俺らがいると、思うだろうさ。さて、これから、どうするか、だ。それを考えないことにはな」

井川も幾分、落ち着いた表情になっていた。貴子の比較的近くには、加恵子がいる。布団に倒れ込むようにして、彼女は目を閉じていた。自分たちの置かれた状況にも、今後のことにも、何の興味もないかのように、彼女はただ疲れた顔のまま、起きているのか眠っているのかも分からない。

「この刑事を、どう利用する」

「そこだ。それを、考えるとするか――」

貴子は、ただ黙って俯《うつむ》いていた。赤の他人、しかも自分の生命を脅《おびや》かす存在の目にさらされ続けていることに、これまでの日々とはまた異なる疲労を覚える。皮膚の表面が絶えずひりひりとしているように緊張しており、脈拍も速くなっているようだ。蒸し暑いせいもあるだろうが、全身がじっとりと汗ばんだままだった。

「どっちにしろ、俺らにとっては、切り札はこいつだけだから――」

「まあ――盾にするか、取引の材料にするかしか、ない」

会話が次第に途切れ途切れになって、やがて、誰も何も言わなくなった。バタバタと、遠くでヘリコプターの音が続いている。そのうち、微《かす》かに鼾《いびき》が聞こえてきた。貴子はそっと顔を上げた。

――眠ってる。

息をひそめて、しばらくの間、男たちを観察する。誰もが死んだように眠りこけていた。あの凶暴な堤までが、軽く口を開いて、まるで無防備な寝顔を見せている。こんな悪人でも、眠っている顔は、そう悪相というわけでもない。ただの茶髪の青年にしか見えなかった。

手を大きく上に上げて、背筋を伸ばした。手首で、肘《ひじ》で、肩で、関節がこりこりと音を立てる。思わず大きくため息が出た。男たちが起きないかどうか、気配を探りながら、今度は足を広げて前屈をする。ああ、生きていると思う。この強張《こわば》りかけた筋の痛みが、それを感じさせる。廊下やタイルに比べて、畳は何と有り難いことだろう。下手をすれば尻《しり》にたこでも出来るのではないかと思っていた。次には立ってストレッチでもしたいと思ったが、微かに畳のこすれる音がしただけで、井川が一瞬、目を開けた。ぎくりとなって動きを止めると、彼は虚《うつ》ろな目を周囲に向け、再び眠りに落ちていく。たったそれだけで、冷や汗がどっと出た。

静かな室内には、男たちの鼾だけが広がっていた。貴子は、その一人一人を、仔細《しさい》に観察していた。やがて、南京錠《なんきん》の鍵だけでも抜き取れないものだろうかと思い至った。井川はジャケットを脱いで畳の上に放り出している。そのポケットに鍵があれば、不可能なことではなかった。今がチャンスかも知れない。

——でも、ズボンのポケットの方だったら。

あるいは途中で目を覚まされたら。また殴られる。いや、分からない。彼らにとって、貴子は大切な切り札だ。下手なことは出来ないと思っているだろう。だが、殴るくらい、どうということもないのかも知れない。殺しさえしなければ。迷っているうちに、どんどんと鼓動が速くなる。唇が乾き、喉《のど》が渇いてたまらなかった。

ほんの少し、井川の方に移動してみる。今度は、誰も気づかない様子だった。また、少し。たとえ、鍵が外れたからって、ここから出られるものだろうか。手は自由にならないのに。第一、あのバリケードを、どうやって崩せば良いのだ。まだ迷っている。

——でも、チャンスがあるかも知れない。

緊張し過ぎて、笑い出したいくらいだった。いや、顔が強張って痙攣《けいれん》を起こしかけているだけかも知れない。ひたすら息をつめ、恐ろしく時間をかけて、貴子は井川のジャケットににじり寄った。布団に寄りかかり、腕組みをしたまま、井川は軽い鼾をかいていた。うなだれたその顔は、ひどく疲れた中年男のそれだ。頬の肉はたるみ、唇の色は悪い。額にも眉間《みけん》にも、そして口の脇にも、深い皺《しわ》が刻まれていた。どういう人生を歩み、どういう皺を刻んできた男なのか。

堤も鶴見も、安心しきったように眠っている。チャンスだ。貴子はさっとジャケットを持ち上げると、自由にならない手でポケットを探った。右、ない。左にも、ない。胸のポケット。内ポケット。

――あった。

手錠の鍵は見あたらない。だが、確かに南京錠の鍵に見える。もう心臓が口から飛び出しそうだった。貴子は鍵を自分のパンツのポケットに入れ、可能な限りそっとジャケットを戻した。井川は眠っている。息を殺したまま、懸命に音を立てないようにもとの位置に戻る。

ようやく布団の傍まできて、思わずほっとしかけたとき、加恵子と目が合った。彼女は、姿勢はそのままで、黙ってこちらを見つめていた。心臓が凍りつく思いだった。貴子は、どうすることも出来ずに、ただ加恵子を見つめていた。

――この人は、味方じゃない。

一体、どれくらいの間、見つめ合っていたことだろう。今にも、加恵子が大声で「この女、鍵を盗《と》ったわよ」とでも叫び出すのではないかと思うと、恐怖で身動きが出来なかった。

もう、分かったから。返せば良いんでしょうと言いかけたときだった。加恵子は、また目を閉じてしまった。さっきとまるで変わることなく、無表情のままで。バラバラというヘリコプターの音。自分の鼓動。後は何も聞こえてこない。

「ありがとう」

そっと囁《ささや》いてみる。加恵子は、ほんの微かに首を動かした。それを見て、初めて大きく息を吐き出すことが出来た。その直後、鶴見が呻《うめ》くような声を上げた。むっくりと起きあがり、周囲を見回してから、部屋を出ていこうとする。その音を聞きつけて、井川も目を覚ました。間一髪だった。頼むから、他の人にまで聞こえないでと祈りたくなるほど、心臓の音が大きくなっている。

「便所か」

「ああ、小便」

「水、流すなよ。音で気づかれる」

「そうか――分かった」

鶴見の声は、まだ寝ぼけていた。それに対して井川の方は、はっきりしている。ただ、目だけが充血していた。彼は、眼鏡の奥の濁った目で、黙ってこちらを見る。思わず、貴子の行動に気づいているのではないかと思うほど、鋭く、嫌な目つきだ。貴子はそっと視線を外した。

「あんたは、寝ないのか」

「――」

「まあ、昨日まで、さんざん寝てたのかな。他にすることもないもんなあ、さぞかし退屈だったろう」

そんなはずがないではないか。

「退屈するぜ。じっとしてるってのはさ。本当、俺、一日で嫌になったもんな」

手洗いから戻ってきた鶴見が、機嫌の良さそうな声で言った。昨夜の豹変《ひょうへん》ぶりが嘘《うそ》のようだ。彼は、そのままうろうろと室内を歩き回り、貴子のすぐ傍までも来た。貴子は、呼吸さえ止めていた。先に南京錠を外しておかなくてよかったと思った。

「何か、食うものないかな」

「彼女が、何か持ってたろう」

井川が顎《あご》で加恵子の方を指す。眠っているとも思えないのに、彼女はじっと動かなかった。鶴見は加恵子の枕元にしゃがみ込んでコンビニの袋をがさがさといじり出す。

「スナック菓子と、酒のつまみみたいなものばっかりだ」

鶴見はつまらなそうに呟《つぶや》くと、もとの位置に戻って、今度は肘枕をして寝転がった。

「馬鹿《ばか》に静かだと思わねえか」

確かに静かだった。あの目映《まばゆ》い照明は何だったのかと思うくらいだ。幻だったのだろうか。ふと、そんな気さえしてくる。

「ただ、地元の消防団か何かが、見回りしてただけじゃねえのかな」

「だとしたって、あんた、銃をぶっ放したんだ。もう通報が行ってるだろうが」

井川の言葉に、鶴見は顔をしかめて寝返りを打った。しばらく黙っていたかと思うと、再び鼾が聞こえてきた。

「よく寝る連中だ」

井川が呆《あき》れたように呟いた。貴子は折り曲げた膝《ひざ》を抱えて、黙って俯いていた。もしも、井川がジャケットのポケットを探ったら、どうしようかと思う。だが、その一方では、猛烈な眠気を催してきてもいた。連中が熟睡しているか、または他のことに気を取られている機会を狙《ねら》わなければ、鍵《かぎ》を外すことは出来ない。井川が起きている間は、こうして休んでいるより、仕方がなかった。貴子はゆっくりと目を閉じて、布団にもたれかかった。ヘリコプターの音が、まだ聞こえる。上空を旋回しているのだろうか。ずい分、遠いようだ。

私にはねえ――信じるっていうことが、分からないの。どういうことか。

いつの間にか、目の前に加恵子が立ちはだかっていた。またもや堤にやられたのか、口から血を流し、首からも血をほとばしらせている。

「そんなこと言ってる場合じゃないでしょう、逃げなきゃ。一緒に、逃げるの」

貴子は懸命に右手を伸ばして、彼女の手を取ろうとした。だが加恵子は、その手を振り払う。

「どうして、あんたと一緒に逃げるのよ」

「だって、あなたと約束したじゃないの。私、約束を守ろうと思って――」

血塗《ちまみ》れの加恵子の顔が大きく歪《ゆが》んだ。かと思うと、その場で彼女が崩れるように倒れていく。思わず悲鳴を上げそうになって、気がついた。貴子は跳ね起きて周囲を見回した。静寂が辺りを包んでいる。何も、変わってはいなかった。井川も眠っている。加恵子は、さっきと同じ格好で横たわっていた。首からも口からも、血など流れていない。彼女の胸が、微かに上下に動いているのを見て、貴子は初めて、夢を見ていたのだと気がついた。全身に冷たい汗をかいている。

――眠ってたんだ。

それにしても、生々しい夢だった。加恵子の血の色、声、振り払われた時の手の感触までが、はっきりと残っている。夢の中で抱いた焦燥感までもが、実際に経験したことのように不愉快に、全身に広がっていた。今、規則正しく寝息を立てている現実の彼女の方が不思議に見えるくらいだ。

思わずほうっと息を吐き出したとき、その加恵子が目を開いた。ゆっくり身体《からだ》を起こし、虚ろな表情で室内を見回す。

「――今のうちなんじゃないの」

貴子は黙って加恵子を見つめた。眠っていなかったのか。言っていることの意味は分かる。だが、彼女の気持ちを測りかねた。忘れてはならない、彼女は味方ではないのだ。

「今のうち」

繰り返し囁きかけられて、貴子は、賭《か》けに出ることにした。ポケットからそっと鍵を取り出す。すると、加恵子がすっと身体を伸ばしてきて、その鍵を奪い取った。やっぱり。やっぱり――！

自分の人の好《よ》さにうんざりし、思わず舌打ちしそうになったとき、加恵子は鍵を握りしめて、貴子の鎖がつながっているヒーターの前に移動した。そこに寄りかかって、休んでいるふりをしながら、後ろ手でごそごそと何かしている。一分もたたない間に彼女はそっと立ち上がり、その鍵を井川のジャケットに戻した。

「鍵は外してあるわ。でも、南京錠はつけっぱなしにしてあるから」

すぐ傍まで来て、加恵子は囁いた。貴子は密《ひそ》かに驚きながら、小さく頷《うなず》いた。胸の奥で何かが動く。この人は、この人なりに精一杯、何かの突破口を見つけたいと思っている。彼女の中でも明らかに、何かが動いているのだ。今度こそ。それを信じたいと思った。

「さっき――ちょっと夢を見たの」

疲れたままの痣《あざ》の出来た顔を横に向け、加恵子は手で髪を撫《な》でつけていた。

「夢の中で、あなた、今よりもひどい怪我《けが》をしてた」

「――正夢、かもね」

「私、一緒に逃げようって言ったのよ。約束したからって」

加恵子が無表情のまま、こちらを見る。その時、堤が大きく寝返りを打った。

「加恵子ぉ、加恵ちゃん――どこ」

まるで子どものように、堤は横たわったまま片方の手で宙を探っている。

「いるわよ、ここよ、健ちゃん」

慌《あわ》てたように答え、加恵子は堤の方に行ってしまった。そして、堤に寄り添うようにして横になる。その身体に、堤の腕が回された。ああ、信じようとすると、こういうことになる。本心では、貴子を助けたい、ここから無事に出したいと思っていたとしても、彼女は堤にコントロールされているのだ。貴子は、舌打ちしたいほどの苛立《いらだ》ちを抱え、思わず顔をしかめてその様子を眺めていた。

——二人なら、何とか出来るかも知れないのに。

こうして鍵を外してくれただけでも、彼女にしてみれば精一杯の好意と、ふり絞るような勇気だということは分かっている。それでも、気の毒だと思う一方では、どうしても苛立ってくる。あの様子を見ていると、とてもではないが二人を分かつことなど無理な気がしてくる。いざとなったら、加恵子はまず間違いなく、貴子ではなく堤を選ぶのに違いなかった。

7

午前十一時二十分、滝沢たちは五階のフロアーにまで上がってきていた。四階から確認した通り、辺りに人気はなかったが、それでも細心の注意を払い、足音を忍ばせ、口を噤《つぐ》んで歩く。まず、廊下とすべての客室から、上階の様子を探った。そして今は、配膳室《はいぜん》、従業員控え室、リネン室、倉庫などに取りかかろうとしている。コンクリートマイクは微細な音も拾うから、他の部屋を調べている捜査員が、少しでも天井に押しつけているマイクを動かしたりすれば、そのノイズが入ってしまう。途中で喋《しゃべ》ったりすることなど、以《もっ》ての外だった。真上の音を拾うつもりが、隣の部屋の音を拾ってしまったのでは、どうしようもない。それだけに、各部屋に散らばっている捜査員たちは、互いの時計を合わせ、一斉に同じ動作に移る必要があった。

緊張感は極みに達しようとしていた。上の六階にいなければ、敵は最上階にいることになる。だが、最上階の浴場には、外から見た限りでは人の気配はないというのだ。同じ階に、あと二、三の部屋があるにはあるが、残り少ないことは確かだった。

「東丸班は配膳室、安江班はリネン室、滝沢班は控え室を当たってくれ。俺は倉庫に行く」

建物の見取り図を睨《にら》みながら、係長が指示を与える。残った班も、それぞれに布団《ふとん》部屋、階段踊り場、手洗いなどを割り振られた。

「三分後にスタートだ。五分たったら相方と交代。一分後にスタート」

互いに頷きあい、脚立《きゃたつ》を持って持ち場に向かう。ただでさえ蒸し暑かった。その上、滝沢たちに割り振られた控え室は、たっぷりと湿気を吸っている畳や布団類が詰め込まれていて、かび臭い嫌な匂《にお》いを放っている。

最初の五分は、保戸田が脚立に上った。滝沢は、拳骨《げんこつ》を作って腰を叩《たた》いたり、肩を回したりしながら、交代の時間を待っていた。下から見上げていると、保戸田の髭《ひげ》ぼうぼうの顎が見える。その髭の間から、汗の滴《しずく》が伝っていた。どんな音も聞き逃すまいと、イヤホンに神経を集中させる間は、汗を拭《ぬぐ》う気にさえなれないのだ。

五分経過した。滝沢は、保戸田の足を軽く叩いて合図を送った。憂鬱《ゆううつ》そうな表情で、首を傾《かし》げながら保戸田は脚立を下りてきた。

「何か——聞こえるような気はするんですよね。ボリュームを目一杯上げてるから、ノイズがすごくて、それが人の声のような気がしたり、何か動いてるような気になったり」

「天井と床の間に隙間《すきま》があるんだろう。そうなると、音は拾いにくいやな」

滝沢も口を歪めて答えた。慎重を期するのは分かるが、果たしてこのコンクリートマイクが、どこまでの性能なのか、どうも今ひとつ懐疑的にならざるを得ない。実は、本当にこのマイクを使って、こんな風に人の気配を探ったことはないのだ。練習と称して試しに使用したことはあっても、それは人の動きの絶えることのない署内でのことだから、「おお、聞こえる、聞こえる」という程度で、ここまで息を殺し、神経を張りつめて何かの音を捜し求めたわけではない。

保戸田からコンクリートマイクを受け取って、滝沢は、今度は自分が脚立を上がった。本体から伸びている直径二、三センチほどのボタンのようなコンタクトマイクには、中央に小さな突起が出ている。その突起をコンクリート面などに押しつけて、音を拾うのだ。どんな音でも聞き逃すまいと思うから、ボリュームを目一杯に上げている。ざあっというノイズが耳の中に広がり、コンタクトマイクを押さえる指をほんのわずかに動かしただけでも、強烈な音になって響いてくる。

――ここも駄目か。すると、残りは最上階だぞ。

まさか、どこにも見あたらないなどということはないだろうな、ここまで大騒ぎをしておいて、煙のように消えちまったなんて、そんなことにでもなったら、それこそ目も当てられない。思わずため息が出たとき、耳の中で何かが響いた。明らかに、ただのノイズとは異なる、何かだ。心臓が、とん、と跳ねた。滝沢は素早く保戸田を見下ろし、小さく頷いて見せた。憂鬱そうだった保戸田の顔が、さっと変わった。滝沢は、天井を睨みつけたまま、イヤホンだけに意識を集中させた。ざあざあというノイズの向こうで、確かに、ただのノイズ以外の音が聞こえる気がする。再び頷いて見せると、保戸田は素早く部屋を出ていった。その間も、滝沢はひたすら階上の音を聞き取ろうとしていた。

——いる。

がさがさという音。何か人の声らしいものも聞こえる。何を話しているのかまでは分からないが、間違いなく男の声だ。このマイクを通して、初めてざあざあという耳《みみ》障《ざわ》りで単調なノイズ以外の、明らかに何かの意味を持つ音を聞いた。

柴田係長が慌ただしく部屋に入ってきた。そして、自分も脚立を立ててコンタクトマイクを天井に押しつける。滝沢と係長とは、天井近くでお互いに見つめ合い、そして、頷きあった。

「何を話しているのかまでは分からんが、確かに人がいる気配だな」

「この真上に、間違いないですかね」

脚立を下り、他の捜査員も集まったところで、滝沢たちは話し合った。どうも今ひとつ、確信が摑《つか》みにくい。見取り図によれば、この上も同じスペースの控え室ということになっている。この部屋と同じ造りだとすると、畳敷きなのだろうか。天井と床との間に隙間があって、その上に畳が敷かれているとなると、余計に音は拾いにくいかも知れない。

「だが、他の場所からは、こんな音は聞こえてきていないしな」

係長が腕組みをしてため息をついた。やはり、係長も不安に思っている。他の捜査員たちも銘々、脚立に上がったり壁に向かったりして、コンクリートマイクを押しつけ始めた。滝沢は首筋を掻《か》きながら、室内を見回した。

部屋の奥には、幾つもの段ボール箱が乱雑に積み上げられていた。その向こうに、かなり旧式の、最近では滅多にお目にかからないようなヒーターが見えている。何気なく、そのヒーターを眺めていて、ふと思いついた。滝沢は段ボール箱をかき分けて、そのヒーターの前に屈《かが》み込んだ。そして、壁から出てヒーターにつながれている金属製のパイプに、コンタクトマイクを押しつけた。スイッチを入れる。途端に、迷いは晴れた。今度はかなり明瞭《めいりよう》に、人の声が聞こえている。それに、耳障りなほど大きな音で、カンカン、カンカン、という音が混ざった。

「います、間違いない」

大袈裟《おおげさ》な身振りで係長を手招きする。全員が段ボール箱をかき分けて集まってきた。そして交代で、ヒーターの鉄パイプにマイクを押しつけた。

「あの、カンカンいってるのは何ですかね」

「何か叩いてるのかな」

「でも、人がいるのは間違いないですよね」

「男の声も聞こえた。間違いない」

「女の声も聞こえるような気がしますけど」

「音道刑事ですかね」

保戸田に聞かれて、滝沢は首を傾げた。音道がどんな声をしていたのか、聞けば分かるとは思うのだが、さっと思い出せるかというと、いささか自信がない。ノイズの混ざった、さっきのあの程度では、よく分からなかった。

「柴田から警視八八」

〈警視八八、どうぞ〉

「見つかりました。六階の従業員用の休憩室です。どうぞ」

〈了解。人数その他は、分かるか、どうぞ〉

「そこまでは確認がとれません。ただ、男の声と、女の声が微《かす》かに聞こえました。他の部屋からは聞こえてこないので、ここに集まっている可能性が高いように思われますが」

〈警視八八、了解、ご苦労さん。二人だけ残して、戻ってきてくれ。今後の対策を練る。どうぞ〉

「了解しました。以上」

無線による報告が終わるとすぐに、係長は平嶋と、もう一人の若い刑事にこの場に残って階上の様子を聞き続けているようにと指示を出した。平嶋は、いつにも増して張り切った表情で「はいっ」と大きく頷いた。

「頼んだぞ」

今回ばかりは本心だった。滝沢は、つい彼女の肩を叩いて声をかけた。再び階段を下り、要所を固める機動隊員たちの隙間を縫って、およそ八時間ぶりに翠海荘の外に出たときには、緊張が解けると同時に、どっと押し寄せた疲労感で身動きさえ出来なくなりそうになっていた。

「まいったなあ。いや、まいった」

年だろうか。思わずため息が出た。喉《のど》もからからなら、腹も減っており、全身は汗だくで気持ちが悪く、それらに劣らないほど、眠くて仕方がないという、お手上げ状態だ。もうすぐ昼になる。朝は曇っていた空が、今は綺麗《きれい》に晴れ渡って、真夏のような陽射《ひざ》しが頭上から容赦なく照りつけていた。

宿舎まで戻る、ほんの数分の道のりでさえ、歩くのが辛《つら》かった。それにしても、何という長丁場になったものだろうか。だが、まだやっと音道か犯人、または両方がいる部屋の目星がついたというだけだった。問題は、ここからだ。こんなことで疲れていてどうすると思う。滝沢は、誰が何と言おうと、自分が真っ先に音道にたどり着きたいのだ。絶対に、その気持ちは変わらない。だが、こうも疲れていては、気持ちはあっても身体《からだ》がいうことを聞きそうになかった。

「あとは交代要員に任せて、暗くなる頃まで休んでくれ」

宿に着いて、まず申し渡されたのはそれだった。滝沢だけでなく、他の誰からも、「いや」とか「大丈夫です」などという言葉は出なかった。手早く風呂《ふろ》に入って汗を流し、よく冷えたビールを一気に飲んで、昼食をかき込むと、後はエアコンの効いている部屋で、死んだように眠った。

8

うとうととしては目覚め、目覚めては周囲の気配を探って、時間ばかりが過ぎていく。昼近くだというのに、状況はまるで変わっていなかった。

「なあ、外の様子、見てこねえか。いくら何でも、おかしいよ」

堤が苛立った表情で言った。彼が目覚めてからは、加恵子はまた貴子の近くに戻ってきている。明らかに機嫌が悪くなり始めている彼から、自らの身を守ろうとするかのように、彼女は気配さえかき消そうとしているかに見えた。

「そんなことして、もしもすぐ目の前にサツがいたら、どうすんだよ」

「せっかくの切り札も、何の役にも立たないってことになる」

井川と鶴見が、非難がましい顔でそれに答えた。だが、彼らにも苛立ちが募り始めていることは、見ていて分かった。鶴見は何度か「腹が減った」と言い、加恵子の持っていたスナック菓子を食べたりしていたが、今度は「喉が渇いた」と言い出して、それだけでも落ち着かない様子になっていた。

「だったら、いつまで、こんなところに閉じこもってなきゃなんねえんだよ、ええ？　そのデカを、どう使うか、考えてみたのかよっ」

堤はライフルの尻《しり》で畳をどんどんと突きながら、さらに表情を険しくした。

「どっちみち、もう駄目なんじゃねえかよ、そうだろう？　一生、ここから出ないってわけに、いかねえんだぞっ」

「そんなことは、分かってる。だが、向こうがどう出てくるかによって、こっちの出方だって違ってくるだろうが」

「だから、どう出るんだって！　あんた、考えるって言ったんだから、早えとこ考えろよっ」

男の怒鳴り声程度のことで、そう怯《おび》えたことはなかったが、今は大きな声が響く度に、全身がびりびりと痺《しび》れるような気がする。貴子だって空腹だったし、喉も渇いていた。さっきから何度も、口の中に唾液《だえき》を溜《た》め、それを飲み下して耐えている。

「本当にサツがいたのかよ。あれ、サツだったのかよ」

「だから、たとえそうじゃなかったとしたって、銃声を聞きゃあ、そいつがサツに通報するだろうが。何度言ったら分かるんだ」

井川の言葉に、堤は、今度は鶴見を睨みつけた。

「やっぱ、てめえのせいなんだよっ。畜生、全部、てめえが悪いんだ！」

突然、堤の声は悲鳴のように上擦った。

「俺はなあ、五人も殺《や》ってんだぞ、五人！　ええっ、捕まりゃあ、死刑に決まってるんだっ」

顔は青ざめ、唇が震えている。手はきつくライフルを握りしめ、その尻をぎりぎりと畳に捻《ねじ》りつけるようにして、堤は肩で息をしていた。興奮の極みにいるとき、この男なら確かに何をするか分からないと思った。加恵子に暴力を振るったり、貴子に襲いかかったときの堤とは、また違う。彼の目は、明らかに常人のものとは異なる光を放っていた。

「──捕まってたまるか。死刑になんかされて、たまるかよ──俺は、何が何でも、捕まりたくなんか、ねえんだ！　どうしてもロスに行くんだ！」

もはや、鶴見も井川も何も言おうとはしなかった。堤の様子が尋常でないことを、彼らも見て取ったのかも知れない。これ以上、興奮させたら、それこそ彼は、この場でライフルを乱射でもしかねない勢いだ。

張りつめた空気が室内を支配する。窓一つ開けていない部屋は、普通の精神状態の人間でさえ苛々《いらいら》するだろうと思うくらいに蒸し暑かった。静寂さえも恐ろしい。

「──じゃあ、どうする。俺らまで人質にとって、二対三で、取引でも申し出るか」

数分後、井川が押し殺した声で呟《つぶや》いた。

「二対、三？」

堤は、引きつった顔に三白眼で井川を睨《にら》みつけている。

「だから、ほら、俺と鶴見までを人質に数えてな、彼女とお前と、二人だけ逃げおおせりゃあ、それでいいか」

「冗談じゃねえっ」

叫んだのは鶴見だった。

「何で、俺が人質にならなきゃならねえんだよ。何で、こんな野郎のために犠牲になる必要があるっ。俺だって、夢があるんだ！」

「てめえは責任とる必要が、あるんじゃねえのか？　てめえのせいで、こんなことになったんだから」

「あの時は、最初にお前がクソ生意気なことを言うから、あんなことになったんじゃねえか！」

「うるせえ。そんなことより、ライトを照らされたくらいで慌《あわ》てふためくのが、悪いんだ！」

うんざりするほど果てしない怒鳴り合いだった。聞いているだけで消耗する。貴子はそっと目を閉じ、膝《ひざ》を抱えて俯《うつむ》いた。下の客室でつながれていたときの方が、まだ精神的には楽だった。あの時は限界だと思ったが、今の方が、さらにひどい。

――一体、いつまで続くんだろう。

悪いのは警察だと思った。何をぐずぐずしているのだろうか。お陰で、この部屋はもうすぐ修羅場と化すかも知れないではないか。

暑かった。息苦しいほどだ。もう、嫌だ。もう、駄目になる。殺されることなどなくても、自分が内側から壊れていってしまいそうな気がした。この際、後先も考えずに、何か叫んでしまおうかと思ったとき、小さく携帯電話の鳴る音が聞こえた。

「おい、静かにしろっ」

井川が鋭く言った。

「――加恵子の電話じゃねえのか」

全員が一斉に加恵子を見た。それまで、ひと言も口を開かず、片隅にうずくまっていた加恵子が、初めてわずかに表情を動かした。すぐ脇《わき》に置いてあった布製の袋に手を伸ばし、鳴り続けている電話を手にとる。

「――どうしよう」

彼女は怯えたように堤の方を見た。堤もまた、他の二人を見る。狭く暑い部屋に、電子音ばかりが響いた。

「――出てみたら、いいんじゃないのか」

井川が言い、加恵子が電話に視線を落としたとき、だが、電話は切れてしまった。奇妙な沈黙が流れる。加恵子は困惑した表情のまま、のろのろと腕を下ろしかけた。その時また、鳴り始めた。

「出ろよ」

今度は堤が言った。加恵子は怯えたような表情のまま、しばらく手の中の電話を見つめていたが、意を決したように、それを耳にあてた。

「——もしもし」

かすれた声を絞り出すようにして、加恵子は電話に出た。だが次の瞬間、慌てたように電話を切ってしまった。

「何だよ。誰だった」

堤に聞かれても、ただ首を振るばかりだ。

「誰だったって、聞いてんだよ！」

「——分からない。分からないわ」

「何て言ったんだよっ」

「——私の、名前を呼んだ。『中田加恵子だね』って」

いよいよだ。いよいよ動き出した。それにしても、何と焦《じ》れったいことだろうか。今やっと、加恵子までたどり着いたということか。不安そうに顔を見合わせている連中を眺めながら、貴子一人が苛立っていた。感情を表してはいけないと思うから、出来るだけ目を伏せてはいるが、連中の様子も見ていたい。

「男の声だったかい」

井川が尋ねたとき、今度は違う電子音が聞こえてきた。明らかに怯えた表情で、男たちが顔を見合わせる。堤が、ポロシャツの胸ポケットから携帯電話を取り出した。

黙ったままスイッチを押し、電話を耳に当てる。誰もが身動き一つせずに、堤を見つめていた。汗ばんで鈍く光って見える堤の喉仏が大きく上下する。そして、まるで幽霊でも見たような顔で、黙ったまま電話を切った。

「――サツだ。俺の名前を、呼びやがった」

怯えたように大きく目を見開き、堤は囁《ささや》くように呟いた。

「面まで割れてるのか」

小さく舌打ちをして、井川が腕組みをする。すると、また電話が鳴った。鶴見の電話だ。ほぼ同時に、井川の電話までが鳴る。

「畜生、何でだっ！」

悲鳴を上げたのは鶴見だった。それを「しっ」と制して、井川の方が先に電話に出た。喉が貼《は》りつきそうだ。貴子は、速まる鼓動を耳の奥で聞きながら、井川の顔を凝視していた。

「――そうだ」

数秒後、井川が嗄《しわが》れた声を絞り出した。そして、眼鏡の奥の目を、ちらりと鶴見に向け、さらに、こちらに向ける。

「――ああ、いる――そうだ。よく知ってるじゃないか――勿論《もちろん》、生きてる。ええ？

そうだな。まあ、溌剌《はつらつ》としてるとまでは、言えんがね」

泣き出したいような、叫び出したいような衝動が、胸の奥から突き上げてきた。早く、早く助けに来て、早く！　思わず身を乗り出そうとして、鎖が引っ張られた。咄嗟《とっさ》に、今、南京錠《なんきん》が外れていることを知られるのは得策ではないと思った。貴子は唇を噛《か》み、じっと井川を見つめていた。

「生きてるって言ってるのが、信じられないのかね。生きてますって、ここで、私を睨みつけてますよ」

井川はそう言った後、黙って腰を浮かし、貴子に電話を差し出してくる。だが、貴子が両手で受け取ろうとすると、井川はその手を邪険に振り払い、自分の手で貴子の耳に押しつけてきた。

「――音道です」

自分の声がかすれ、震えていることに、初めて気がついた。呼吸が乱れて、上手に話すことさえ出来そうにない。受話器の向こうからは「無事か」という野太い声が聞こえてきた。

「捜査一課の吉村だ。音道、聞こえるか」

「――はい」

「もう少しの辛抱だ。その部屋の位置は特定した。今現在、説得工作と、突破、両方向から進めている。苦しいと思うが、もう少し我慢してくれ。いいか」

本当は、もう駄目ですと答えたかった。とうに限界は超えている。一分一秒でも早く、ここから出して欲しい。だが貴子は「はい」としか答えられなかった。「あの」と言いかけたとき、電話機は耳から離された。

「どうだい、生きてるでしょう」

井川が、開き直ったような冷ややかな笑みを浮かべながら、再び電話に向かう。貴子は、急に緊張の糸が切れそうな不安定な気分になって、目を閉じた。

――捜査一課の、吉村。

聞いたことがあるような気がする。顔も見知っているかも知れない。多分、偉い人なのだろう。だが、明確な像が結べなかった。その人は、本当に助けてくれるのだろうか。貴子の知っている人は、誰も助けに来てくれていないのだろうか。たとえば捜査本部の人たちは、どうしているのだろう。せめて、カラオケ好きの守島キャップの声でも聞けたら、もう少し安心できたかも知れないのに。

「ああ――だけどね、私らだって、もうここまで来て、はい、そうですかってわけには、いきませんよ――こっちだって、生命《いのち》がけなんだよっ！」

急に大声で叫ぶと、井川は電話を切った。それから、ふん、と小さく鼻を鳴らして、額に滲《にじ》み出ていた汗を手の甲で拭《ぬぐ》う。

「悪いことは言わねえから、おとなしく出てこいとさ。安手のドラマみてえな台詞《せりふ》、吐きやがって」

吐き捨てるように井川が呟いた時、またもや加恵子の電話が鳴った。今度は加恵子は、さっきほど怯えた表情は見せず、それでも堤の顔色を窺《うかが》うような素振りを見せる。堤が何も言わないのを見て取ると、ようやく決心したように、おずおずと電話を耳に近づけた。それから一分近くも、彼女はずっと黙ったままだったが、やがてようやく「聞こえてます」と言った。それからバッグに手を伸ばし、手帳を取り出す。はい、はい、と小さく繰り返しながら、何かを書き留めた。

「——皆に、聞いてみないと」

最後にそう言って、彼女は電話を切った。

「向こうの電話番号を教えられたわ。何か、欲しいものはないかって」

男たちは顔を見合わせている。全員、相当に空腹を感じている、喉《のど》だって渇いているはずだった。こんな籠城《ろうじょう》が、そういつまでも続けられるはずのないことくらいは、皆が承知しているはずだ。

「向こうが、ただでこっちの要求を呑《の》むはずがねえ。絶対、条件を出してくるに決まってるんだ」

堤が歯を食いしばるようにして言った。

また電話が鳴った。今度は鶴見だ。さっきは悲鳴を上げていた鶴見が、落ち着かない表情で「もしもし」と言う。それからしばらくの間、やはり彼も黙って相手の話を聞いていた。視線だけが落ち着かなく動き回っている。

「――そりゃあ、分かってますけど」

ようやく口を開いたとき、鶴見の声は情けないほどおとなしくなっていた。身体《からだ》は誰よりも大きいし、見た目は男っぽい方だと思うが、彼は、三人の中でもっとも気が小さい。酒さえ飲まなければ、凶暴性もさほどでなく、むしろ、もっとも犯罪などと関わりにくいタイプに見えた。鶴見は小さな声で「はい」と繰り返した後、静かに電話を切った。そして、そのままうなだれている。

「今度は、何だって」

堤が尋ねても、彼は「いや」と言うばかりだ。

「いやってこと、ねえだろうが。何だって言うんだよ」

「何でもねえ」

「てめえ、裏切ろうとしてるだろうっ！」

ついに堤が立ち上がった。ライフルを脇に置き、大股《おおまた》で鶴見に近づくと、鶴見も驚くほど素早く立ち上がった。自分に向かってきた堤の拳《こぶし》を軽くかわして、彼は「うるせえっ」と怒鳴りながら、見事なパンチを繰り出した。たった一発で、堤は大きく背をのけぞらせ、そのまま後ずさって尻餅《しりもち》をついた。鶴見は両腕を曲げて拳を作った格好のまま、堤を見下ろしている。彼はボクシングの経験者なのだろうか。貴子は、息をひそめて二人の男たちを見つめていた。

「――やめて」

ほとんど消え入りそうな声が聞こえた。加恵子が、怯えたように口元を押さえている。止めることなど、ないではないか。良い気味ではないか。なのに、やはりこういう場面になると、止めずにいられないのだろうかと思ったとき、堤が放り出していたライフルに飛びついた。そして銃口を鶴見に向けた。

「やめろって、仲間なんだぞ」

「――仲間なんかじゃねえ」

「今になって、何、言ってんだ」

ついに井川が立ち上がりかけた時、加恵子が言葉にならない声を上げた。貴子がほんのわずかに視線を移動させ、鶴見の姿がさっと動いたと思った瞬間、乾いた銃声が部屋中に響いた。

9

「それで、堤の野郎は」

午後六時、久しぶりにゆっくり眠って、ようやく活力を取り戻した滝沢は、もぐもぐと口を動かしながら隣の係の家森という係長を見た。手早く飯をかき込んでいる間を利用して、これまでの経過を聞いている。柴田係長とは対照的な、人の好《よ》さそうなセールスマン風の容貌《ようぼう》を持った家森係長は、困惑したような笑みを口の端に浮かべて、「生きてるさ」と言った。

「だが、相当やられたな。鶴見がボクサーだったってこと、知らなかったのかも知れん。最初のうちは、うんうん唸《うな》ってたがね、それっきり、中田加恵子にだけ八つ当りして、あとはおとなしくしてる」

滝沢たちが宿に引き上げて間もなく、犯人たちは仲間割れを起こしたという。再び発砲があったと聞いたときには、まだ半分、寝ぼけていた頭が一瞬のうちに凍りつきそうになったが、よくよく聞いてみれば、弾は誰にも当たらずに済んだようだ。

表面上は、事態には変化は見られない。だが、警察側は確実に、人質の救出に向けて動いていた。

まず、説得工作の準備に取りかかることになった。そんな矢先の仲間割れだったらしい。きっかけは、吉村管理官が犯人たちの携帯電話を鳴らしたことによる。

喜ぶべきは、その時点で、音道の生存が確認されたことだった。すぐに電話を代わられたから、あまり話は出来なかったが、こちらの呼びかけに対してはきちんと返事をし、口調はしっかりしていたという。それを聞いて、滝沢は、まず胸を撫《な》で下ろした。よし、よく頑張ったと言ってやりたかった。ここから先は、自分たちの腕次第ということだ。

犯人たちそれぞれの性格を可能な限り把握し、交渉の糸口なり、突破口を見つけ出すために、管理官はまず一人ずつに電話をかけた。その結果、やはり最年長の井川がリーダー的な存在らしいことが分かった。崩しやすいのは中田加恵子か鶴見明だろうと思われたが、中田に関しては、堤の言いなりになっているという印象が強い。結局、管理官の語りかけに、いちばん激しく動揺すると同時に、気の弱さも露呈したのは鶴見だった。

という。管理官は鶴見に対して、今ならば大した罪にはならないという意味のことを言ったという。君は殺人の実行犯ではないんだろう、君のスポーツマンとしての誇りを信じるから、と。ほんの少し前に、東京から鶴見の身上についての報告があったばかりだった。管理官は、それに目を通した上で、鶴見に話しかけたのだ。

鶴見明は高校時代からボクシングを始め、一時期はウエルター級の日本チャンピオンを狙《ねら》えるところまでいった男だという。だが、途中で挫折《ざせつ》、二十六歳の時にひと回り近く年上の女と所帯を持ち、喫茶店を始めたものの、二年ほどでつぶれた。その後、妻はホステスになり、自分は半ばヒモのような暮らしを続けていたものの、三十二歳の時に離婚。原因は、鶴見のギャンブル好きと借金だった。鶴見の別れた妻は、現在、千葉でスナックを経営しており、鶴見との間に出来た娘と暮らしている。説得工作が長引くようであれば、その元妻に、熱海まで来て欲しいと要請しているという話だ。

鶴見は、その女というよりも、一人娘に対して、ある程度の思いが残っているらしく、年に一、二回、思い出したように縫いぐるみや洋服などを送ってきていたという話だからだ。

「とにかく派手好きのお人好《ひとよ》し、優柔不断で新しいものにはすぐに飛びつく、そういうタイプらしい」

離婚後の鶴見は、時には仲間と新しい事業を興《おこ》したりしたこともあるが、ことごとく失敗、その後も職を転々として、事件前は運送会社でトラックの運転手をしていた。借金は三千万近くまで膨らんでいたという。それが、五月の連休明けには二千五百万が一括して返済されている。また、別れた妻のところにも、養育費と称して現金で二百万円が送られていた。

管理官との会話を終えたあと、動揺を隠せなかった鶴見に対して、堤が食ってかかった。興奮した堤が、手にしていたライフルを発砲したというわけだ。鶴見、堤と、言葉で二人の名を聞いていると、発音が似ていて混乱しそうだ。

「その音が聞こえたときには、本当に肝が冷えたよ。寿命が縮んだ」

家森係長は苦笑混じりに言った。だが、ライフルの弾は鶴見にも、他の誰にも当たらなかった。その代わり、怒り狂った鶴見が、得意のパンチで、堤をさんざん殴りつけたということだ。

結果として、堤が発砲したことは、捜査側にとっては有り難いことだった。それまで、滝沢たちと交代した捜査員たちは、翠海荘の見取り図を睨《にら》みながら、彼らが立てこもっている部屋の内部を覗《のぞ》く方法を探っていたという。天井裏、窓の隙間《すきま》、どこでも良い、ほんのわずかな隙間さえ見つかれば、そこからピンホールカメラなりファイバースコープなりを使用して、中の様子を撮影することが出来る。だが、鉄筋コンクリート製の建物に、そんな隙間を見つけ出すことは至難の業だった。無理に穴を開ければ音で気づかれる、何とか方法はないものだろうかと思案している最中に、堤がライフルを発射した。そして弾は、天井に穴を開けた。もしやと思って天井裏に忍び込み、密《ひそ》かに探った結果、それが分かったのだという。人が這《は》って通るのが精一杯という天井裏に、いちばん小柄で身の軽い捜査員が入り、その弾痕《だんこん》にピンホールレンズを装着したカメラをはめ込んだ。

「忍者ですね、まるっきり」

「えらく、時間がかかったよ。まあ、そのお陰で室内の様子が分かるようになった」

家森係長は、満足そうにそう言った。現在、天井裏にはカメラと共に高性能マイクも設置されている。これで、犯人側の会話や動きは把握できたことになる。

それによれば、犯人グループが立てこもっている部屋には半分以上、布団《ふとん》が詰め込まれており、その布団を崩したり、隙間を利用したりしながら、音道を含めて五人がいるという。窓際《まどぎわ》の音道はほとんど動かず、また、鶴見に殴られた堤も、その後は部屋の隅の方でうずくまっているようだ。中田加恵子は堤の傍にいて、時折、堤から突き飛ばされたり蹴《け》られたりしている。部屋のほぼ中央には井川がおり、鶴見は入り口付近にいるという。

「興奮は冷めたが、いちばん落ち着きがないのが、やっぱり鶴見だ。落とすんなら、あいつからだろうとは思うんだがな」

「相手が一人なら、集中して説得も出来るんだが、とにかく四人もいたんじゃあ、誰かが崩れそうになっても、誰かが引き締めにかかる。それが厄介だ」

「窓一つ、開いてないんだ。この蒸し暑さの中で、飲まず食わずなんだから、相当に消耗はしてる」

滝沢たちと交代するために翠海荘から戻ってきた捜査員たちは、口々にそんな感想を洩《も》らした。座卓の上には、翠海荘の見取り図を拡大したものが広げられている。滝沢は、改めてその見取り図を睨みつけていた。

犯人たちが立てこもっている部屋は、北側の十二畳間で、小さな高窓が三カ所にあるが、外にベランダや手すりなどはない。部屋の外には短い廊下があり、鉄製の扉によって、一般客が利用するスペースとは仕切られている。その廊下を挟んで、手洗いと倉庫があり、手洗いにも小さな窓がある。倉庫と手洗いには、共に天井に取り外し可能なパネルがはめ込まれている。だが、相手の人数を考えると、そのパネルを外して一人ずつ潜入するのは、まず無理だ。その前に、物音などで気づかれるに違いなかった。

「差し入れの要求は、ないんですか」

「一時間に一度の割合で、こっちから電話をかけてるが、『その手にはのらない』とか何とか言ってな」

「ドアを開けたくないんでしょう」

なるほど、なるほどと、頷《うなず》きながら食事をとり終え、滝沢たちは、再び翠海荘に向かった。今度は、普通の背広にネクタイだ。久しぶりに普段の格好に戻った気がする。時間の感覚がおかしくなっているのだろう、この服装で都内を走り回っていたことが、もう遠い昔のように思えた。

「もうじき暗くなる。そうなったら余計に厄介だな」

一足先に現場に入っていたらしい柴田係長が苛立《いらだ》った表情で滝沢たちを迎えた。

「せめて、壁一枚隔てたところまででも近づければいいんだが、電話じゃあ、何度かけても一方的に切られちまう」

「奴《やつ》ら、丸一日、ほとんど何も口にしてないんじゃないですか。音道は、大丈夫ですかね。怪我《けが》なんか、してないんですか」

「上から見てるだけだから、よくは分からん。何度、電話を代わってくれないかと頼んでも、駄目なんだ。誰に電話をしても、井川にとられちまう」

「一体、何が望みなんですか」

「さあな。もうこうなったら、ただ意地になってるだけなんだろう」

六階の、鉄の扉にいちばん近い客室が、今や最前線の本部だった。大きな座卓を二段重ねにした上に、カメラの受像機やマイクの受信機などが置かれている。受像機は、不鮮明ながらもかろうじて室内の様子を映し出しているが、受信機の方は、ざあっというノイズばかりで、今は何も聞こえていなかった。しばらくの間、滝沢も黙ってモニター画面を眺め、受信機に耳を傾けていた。カメラは赤外線仕様だから、暗くなっても彼らの居場所くらいは摑《つか》むことが出来る。だが、天井裏から眺めている格好の画面では、今だってどれが誰だか、もう一つはっきりしなかった。

「——ああ、何か食いてえ」

ざあざあというノイズの向こうから、呻《うめ》くような声が聞こえてきた。入り口近くに座っている人物が、脇《わき》にライフルを置き、足を投げ出してうんざりしたように顔を上に向ける。これが鶴見だ。

「このまま、ここでミイラになるのかよ。それまで待つのか？」

だが、他の人物はまるで動こうともしなかった。全員が、かなり消耗していることは間違いがない。犯人は勿論《もちろん》、それは音道も同様のはずだった。いや、音道の方が数段、消耗しているはずだ。時間がたちすぎている。息苦しい部屋で、極限まで追い詰められたら、何が起こるか分からない。下手をすれば無理心中だってしかねないだろう。それだけは避けなければならなかった。

「私に、電話させてもらえませんかね。音道に声を聞かせてやりたいんです。知り合いがいると思えば、励みになるでしょう」

腕組みをしたままの管理官と柴田係長に、滝沢は提案してみた。吉村管理官も、疲れ切った顔をしている。この人は、一体いつ眠っているのだろうかと、滝沢はふと不思議になった。どう見ても滝沢よりも年長なのに、何日くらい徹夜の出来る人なのだろうか。

「いいだろう」

管理官が頷く。

「話させてくれたら、飲み物を運ぶからと言います」

「方法は」

「外から——上から吊《つる》して、取れるように」

滝沢は、鶴見の電話番号を選んだ。気弱なボクサー崩れの声を聞いてみたい。何なら励ましてやっても良いと思った。緊張が高まる。小さな携帯電話のボタンを押すのがもどかしいほどだ。少し間を置いて、コール音が聞こえてくる。滝沢の会話を聞いていた他の捜査員たちも全員が息を殺していた。

「——もしもし」

やがて、男の声が出た。管理官がすかさず、確かめるように紙に書き込まれた鶴見の名を指さす。滝沢は目顔で頷いた。

「滝沢っていうもんなんだがね」

「——ああ？　誰だ、あんた」

「そこにいる、女刑事のさ、仲間なんだ」

「——そりゃあ、そうだろう。あんたら皆、仲間じゃねえか」

「いや、俺は特に仲がいいんだよ。コンビだったんだ」

「——コンビ」

「ああ、タッグを組んでた。あんた、鶴見だろう？」

相手の声はかすれ気味に「ああ」と答える。小さな電話機を押しつけている耳が、早くも汗ばんでいた。もう片方の手で握り拳《こぶし》を作りながら、滝沢はモニター画面を睨みつけていた。

「なあ、ちょっとでいいから、音道の声、聞かせてくれねえか」

「そんな必要、ねぇ」

「話させてくれたら、飲み物を差し入れる。何がいい、酒でも何でもいいぞ、好きな物を言ってくれ」

　相手が一瞬、黙り込んだ。

「そこは暑いだろう、ええ？　ただでさえ、この陽気だ。おまけに窓を閉め切ってりゃあ、息苦しいんじゃないか？　約束する。飲み物を運び入れるだけだ。絶対に下手な真似《まね》はしない」

「——本当か」

「ああ、どうする。ドアの外に置こうか？」

　モニター画面の中で、鶴見がそわそわと周囲を見回している。井川が、鶴見に向かって手を差し出していた。電話を代われというつもりらしい。鶴見がそれに応じてしまう前に、滝沢は急いで「何がいい」と続けた。

「——冷たい——ウーロン茶、缶コーヒー、ビールだ。全部缶だぞ」

「分かった。全部、缶でだな、届けよう。だから、なあ。ちょっとでいいんだ、声、聞かせてくれねえか」

数秒の沈黙が続いた。苛立ちと緊張とで、また腹が痛くなりそうだ。滝沢は、唇を嚙《か》んで相手の反応を待った。その時、女の声が「もしもし」と言った。画面の中で鶴見が動き、それに応じるように、身動き一つしなかった女が動いた。一瞬、髪の毛が逆立つのではないかと思うような感覚が身体《からだ》を駆け抜けた。音道だ。生きている、音道だ。

「久しぶりだな、立川中央にいた滝沢だ」

「滝沢──さん」

間違いなく、音道の声だった。クソ生意気で無表情の、何を考えているか分からない女刑事の声が、消え入るように滝沢の名を呼ぶ。

「災難だったな。だが、俺らがついてる。何があっても、救い出すからな」

「──はい」

「それまで、頑張れるか」

「──分かりません」

今度は、首筋から耳までが、ぞくぞくとしてくる。あの音道が、こんなに気弱な反応しか出来ないとは。いつだって、絶対に弱みを見せないようにしていたはずの女ではないか。まずい。相当な追い詰められ方だ。

「俺らを信じろ、なあ。音道、聞こえるか」

「——分かりません」

「何だって？」

「もう——分かりません」

何が分からないのだ、警察が信じられないというのだろうか。そこまで追い詰められているのか。ああ、焦《じ》れったい。壁を突き破って、今すぐに飛び込む方法はないのだろうか。自分でも予想もしなかった。胸が詰まって、涙が出そうだ。

「音道——電話を離すな。よく聞くんだ」

「——」

「これから、飲み物を差し入れる。こっちの要求を呑《の》めば、食い物も差し入れると伝えるんだ」

「——もう、喉《のど》が渇いて」

「分かってる。これは、取引だ。いいか。俺たちが何よりも大切なのは、お前なんだぞ。ええ、分かってるか。お前を守るため、そこから助け出すために、皆で来てるんだからな、分かるなっ」

「——多分」

こっちが熱くなればなるほど、音道の声そのものから体温が奪われていくように感じられた。

「それより、音道、怪我はしてないのか、ええ？　出血してるような怪我は」

「もう――止まりました」

何ということなのだ。声は音道に間違いがないと思う。だが、滝沢の知っている音道とは、まるで別人のようではないか。改めて怒りが湧《わ》いてきた。このままでは、あいつは壊れてしまう。もう、限界が近い。

「いいな、音道、俺がついてる。皆もいる。信じろ。待つんだ」

音道が返事をしたかどうか、分からなかった。何度でも繰り返して声をかけたいと思ったのに、滝沢の耳に、「もう、いいだろう」という声が届いた。今度は鶴見ではなく、井川の声だった。

「ドアの外は駄目だ。他の方法を考えろ。いいな、十分以内に持ってこい」

それで電話は切れた。全身、汗みずくになったまま、滝沢はしばらくの間、呆《ほう》けたようになっていた。音道の「分かりません」と言った声が、耳にこびりついて離れなかった。

10

午後六時五十分、ほとんど暗くなりかけた窓の外に、バケツに入れられた数本の飲み物が届けられた。井川たちは、飲み物を要求した時点で、まず窓を細く開けて外の様子を窺《うかが》った。その結果、ベランダも手すりもない窓の外は、がらんと開いていて、隣の建物までも相当な距離があることが分かった。飲み物が届いたとき、夕方からはほとんど喋《しゃべ》らなくなっていた犯人たちは、加恵子も含めて飛びつくようにして飲み物をあさった。貴子にも、スポーツドリンクが与えられた。まるで、焼けた砂浜に水をまくように、ドリンクは一気に喉を伝ったかと思うと、まだ癒《い》えきらない渇きだけを残した。

「生き返った——ああ、助かったな」

顎《あご》に滴《したた》る飲み物を手の甲で拭《ぬぐ》いながら、深いため息と共に呟《つぶや》いたのは、鶴見だった。堤にライフルを向けられ、それに逆上して相手に殴りかかったときには、ほとんど狂ったように見えたものだが、その後は比較的、落ち着いている。さっきまで彼は、自分の半生を語っていた。プロボクサーになるために上京してきたこと、才能はあると言われたが、対戦相手には恵まれなかったこと。別れた妻との間に子どもがいること。いつか、その娘をブラジルに呼び寄せてやりたいと思っていること――。

「あんたがいる限り、俺たちは、日干しになることはないってわけだ」

どこか皮肉な口調で言われて、貴子は複雑な心境になっていた。そうだ。自分がいれば、彼らは無事でいられる可能性が高い。それならば、ずっと傍にいてやっても良いのではないかという気がしてきている。そうすれば、彼らはここから出て、さらに遠くまで逃げ延びることだって出来るかも知れない。貴子の覚悟次第では、彼らの夢は途切れないかも知れないのだ。

――何を考えてるんだろう、私。

自分で自分が分からなくなっている。とうに空になったスポーツドリンクの缶を持ったまま、貴子は呆けたように宙を眺めていた。

――滝沢。

皇帝ペンギンのように腹を突き出して歩く、嫌味で不潔たらしい中年の刑事。人を小馬鹿《こばか》にして、女だというだけで、ろくに口もきいてくれなかった親父《おやじ》だ。あの滝沢が、どうしてこんな場所にいるのだろうか。それにしても、どうして滝沢なのだろう。何故《なぜ》、捜査本部の人たちや、機捜の仲間は来てくれないのだろうか。それを考えると、情けなさが募った。

——俺たちが何よりも大切なのは、お前なんだぞ。

確か、滝沢は、そんなことを言っていた。大切ですって。笑わせてくれる。大切にしてくれているのなら、どうしてもっと早く動いてくれないのだ。何故、もっと迅速に救い出すことが出来ないのだ。それも、あんな滝沢などを寄越すなんて、日本の警察はどうかしている。

午後七時過ぎ、予《あらかじ》め電話で告げられていた通り、窓の外が明るくなった。昨夜の投光器ほどではないが、小さな窓から白い光が飛び込んでくる。

「俺たちが不自由しないようにってさ。勝手なこと吐《ぬ》かしやがって」

井川が吐き捨てるように言った。だが、彼がもはや何の頼りにもならず、貴子を利用するにしても何のアイデアも思い浮かばないらしいことを、鶴見も、そして堤も勘づき始めているようだった。実際、井川は「考えてる」を連発しながら、さっきから何の案も出してはいない。

午後八時過ぎ、再び鶴見に電話がかかってきた。しばらくの間、「うん」とか「いや」を繰り返した後、彼はまた、貴子の耳に電話を押しつけてきた。

「滝沢だ」

例のしわがれ声が聞こえてきた。貴子は小さく「はい」としか答えなかった。言葉など見つからない。聞きたいのは、あんたの声なんかじゃないのにと思った。

「今な、食い物を差し入れる交渉をした。三分間、話をする条件でな。音道、聞こえるか」

「――はい」

「頑張ってくれ、頼む。いいか、お前から連中に言って欲しいことがある。鶴見には別れた女房がいる。今、近くまで来てる。井川には息子がいる。これも、来てる。中田加恵子には亭主が来てるし、堤には親父だ。全員、説得のために呼んできた。それを、連中に伝えるんだ。自分たちが馬鹿なことをしたら、家族に迷惑がかかるっていうことを分からせろ」

すぐに返事が出来なかった。そんなエネルギーは残っていない。それに、家族まで呼び寄せていると言ったら、彼らはかえって逆上するのではないかという気がした。

「聞こえるか、音道」

「――はい」

「出来るな。いいな、説得するんだ」

「――分かりません」

相手が口を噤《つぐ》んだのが分かった。鶴見が自分の時計に目を落としている。

「しっかりしろっ、音道！　お前は刑事なんだぞっ」

「――はい」

返事はしている。だが、反射的に口が動いているだけだった。もう、どうなっても構わないような気がしているのだ。とにかくこの状態から解き放たれるのなら、目をつぶり、何も考えずに休めるのなら、たとえばそれが死ぬことを意味するのでも、どうでも良いような気がしてきている。

「音道、聞こえるか。ご両親も心配なさってる。だが、我々と、音道を信じると仰《おつしや》って、ここには来ないで、自宅で待機しておられるんだ」

心の底が疼《うず》いた。両親。妹たち。自分は一人ではないのだということを、実に久しぶりに思い出した。

「もう少しの辛抱だ。頼む、頑張ってくれ」

「――話せば、いいんですね」

「そうだ。だから、馬鹿な真似はやめて、自分から出てくるようにと説得するんだ。そうでなけりゃあ、いずれ強行策に出なけりゃならん。怪我人《けがにん》は出したくない。そっちの様子は、モニターで監視できている」

この期《ご》に及んで、まだそんなことを言っている。いずれですって。いずれって、いつなの。自分に説得できるくらいなら、とっくにやっていることを、どうして分かってくれないのだろう。

「――出来るかどうか」

「出来る。音道、たった一人でいいから、心を摑《つか》め。相手の気持ちを取り込むんだ。中田加恵子はどうだ？　女同士で、何か通ずるものがあるんじゃないのか、ええ？」

ぼんやりと、加恵子の姿が浮かび上がっている。彼女は、堤がさんざん殴られているのを見て、泣いていた。そして、自分のために鶴見が買ってきた薬を、彼の傷に塗りつけ、それ以来、ほとんど傍を離れなくなっていた。

「無理だと――思います」

「諦《あきら》めるな、音道！　お前らしくないだろうが！　じゃあ、鶴見はどうだ、ええ？　井川はっ」

滝沢という男は、こんな声をしていただろうか。覚えている声と、どこか違う気がした。だが考えてみれば、貴子は滝沢と電話で話したことなど、ほとんどないはずだ。無線でやり取りをしたことはあったが、確か電話では、一度くらいしか話したことがないと思う。

「俺たちがついてる。その部屋のすぐ外にいるんだよっ。何とかして中に入れる方法を探ってるんだ」

「——はい」

「音道、いいか、よく聞け。はいか、いいえで答えるだけでいい。ドアの内側は、どうなってる。バリケードでも作ってあるか」

「はい」

「バリケードだな」

「はい」

「分かった」

滝沢がそこまで言ったとき、電話は取り上げられた。目の前に立った鶴見は、低い声で「はい、三分」と言った。貴子は素直に手を下ろし、俯《うつむ》いた。

——この部屋を選んだのは、私だ。

自分で自分の首を絞めている。それは分かっていた。あのまま上の大浴場にいれば、今頃はもうとっくに助け出されていたかも知れないのに。一体、自分がどうなってしまったのかが分からない。疲れ果てて、空っぽになりそうな自分の中に渦巻いている思いがあるとしたら、それは怒りだけだ。

「滝沢っていったよな、あんたとはコンビだったたって？」

もとの位置に戻ってから、鶴見が話しかけてきた。冗談じゃない、たった一度、短い期間、組まされただけのことだ。

「どんな、奴《やつ》だい」

「――しつこくて、陰険で、意地悪い人。見た目は、お腹《なか》が突き出してて、頭が薄くなってきて、ずんぐりむっくりの、脂《あぶら》ぎった感じの中年男だわ」

薄明かりの中で、鶴見は一瞬ぽかんとした表情になり、それから声を出して笑った。

「そんな、おっさんと組んでるのかい。可哀想《かわいそう》になあ。せめて、もうちょっと若くて見栄《みば》えのいい刑事さんてえのは、いないのかね。ドラマみたいなわけには、いかないのか」

急に星野を思い出した。見た目は結構なものだった。背も高く、一見スマートに笑う男だった。だが、そんな男と組んだお陰で、こういうことになったのだ。あいつだけは生涯、許すまいと思う。何があっても、絶対に許さない。どういう形でも、きっと復讐《ふくしゅう》してやりたい。

――それに比べれば。

滝沢と組んだときのことを思い出した。とっつきにくい、あんな嫌な親父はいないと思ったが、後から考えると、意外なほど不快な思いは残らなかった。ひどいことも言われたが、滝沢は、絶対に貴子を見放したりはしなかった。どんな場面でも、腹の中では何を考えていたとしても、彼は必ず、貴子を見ていた。その滝沢が、今、部屋の外にいるという。諦めるなと、彼は言った。

——あいつに弱みは見せたくない。

ふと、そう思った。こんなに疲れ果てていても、滝沢にだけは、弱り切った自分を見せたくなかった。刑事でありながら、ただおろおろするしか能のない女だなどとは思われたくないのだ。不甲斐《ふがい》ない、情けない奴だと言われたくない——だが、どこまで力が残っているだろうか。

——たった一人でいいから、心を摑め。相手の気持ちを取り込むんだ。

言われるまでもなく、貴子だって、それを加恵子にするつもりだった。だが現実には、加恵子は、まるで召使いのように、堤に仕えるばかりではないか。もう、こちらを見ようともしなくなっている。

滝沢は、それぞれの家族が来ていることを言ってみろと言っていた。だが、それを全員に話しても良いものかどうか、誰に言うのが、もっとも効果的かを考える必要がある。別れた妻。捨ててきた夫。父親。息子——。

「タイへは、一人で行くつもりだったの」

呟くように話しかけてみた。ずっとうなだれていた井川が、ゆっくりと顔を上げる。

「家族は」

「――何だ、いきなり」

井川の声はかすれていた。光の加減もあるのだろうが、目は落ちくぼみ、憔悴《しょうすい》し果てた顔に見える。

「鶴見さんは、いつかブラジルに、娘さんを呼び寄せるつもりだったんでしょう。あなたは」

「俺は――そういうつもりはない」

「じゃあ、息子さんは」

井川の肩がぴくりと動いた。眼鏡の奥の目をわずかに細めて、彼は貴子を睨《にら》みつけている。つい目を逸《そ》らしそうになる。それだけで恐ろしいと思ってしまう自分に苛立《いらだ》つ。冗談ではなかった。こう見えても、こんな状態になっても、貴子はあくまでも警察官だった。たとえ一時の気の迷いでも、彼らを逃がしてやりたいなどと考えたのは大間違いだ。

「――何を聞かされた」

井川の声が、独特の凄《すご》みを持って響いてくる。呼吸が乱れそうになるのを、大きく深呼吸することで誤魔化し、貴子は「来てるそうよ」と呟いた。

「心配して、来てるって」

静寂が重い。やがて、「嘘《うそ》だ」という囁《ささや》きが聞こえた。

「そんなはずがない。あいつが俺のために来るなんて、そんなはず、ない」

「——嘘じゃないと思うわ。さっき電話で、そう言ってたもの」

「信じられるかっ！」

「じゃあ、確かめてみればいいじゃないっ」

自分でも驚くほど大きな声が出た。ああ、もう駄目だと思っているはずなのに、この肉体は、まだ何の機能も失ってはいなかった。

「——これだけ、時間が過ぎてるのよ。警察だって、ただ手をこまねいてるだけのはずがない。あなたの息子さんだけじゃなくて、きっと他にも、色んな人を呼び寄せてるはずだわ」

「冗談じゃねえっ！」

突然、叫んだのは堤だった。その声を聞いただけで、貴子は反射的に身構えた。狂犬が目を覚ましたと思った。

「何で、そんなことするんだよ！　俺が勝手にやったことで、どうして親父まで呼ばれなきゃ、ならねえんだっ！」

今や堤の自慢の顔は、見る影もなくなっていた。瞼《まぶた》は両方とも膨れ上がり、唇も腫《は》れ、痣《あざ》が広がっている。さっき、鶴見に殴られた時、彼は血まで吐いていた。その堤が自分の腹を押さえ、変形した顔を歪《ゆが》めながら、ぐらりと立ち上がった。そして大股《おおまた》で、こちらに近づいてくる。貴子は思わず後ずさって「来ないで！」と叫んでいた。

「どうして――お父さんが来てると思うの」

「うるせえっ！　お前ら、どうしてそういう卑怯《ひきょう》な真似《まね》、するんだ！　親父なんか呼んで、どうしようっていうんだっ」

次の瞬間、脇腹《わきばら》に強い衝撃があった。貴子は思わず、その場にうずくまった。今度は背中に、また腹に、「くそっ」「くそっ」と言いながら、堤の足が蹴《け》り込まれる。

「よせって！　馬鹿《ばか》野郎っ」

口から内臓が飛び出すかと思ったとき、井川の声がした。貴子は布団《ふとん》の上に倒れ込み、全身を小さく丸めた。こんな奴を逃がしてやろうと思ったなんて。一瞬でも、自由にしてやりたいと思ったなんて。愚かにもほどがある。

「もう、おしまいだっ！　もう、駄目だっ！」

　きつく目を閉じたまま、何とか痛みをやり過ごそうとしている貴子の耳に、堤の悲鳴のような声が聞こえた。

「畜生ぉ――死にたくねえ――死刑なんて、真っ平だぁ！　親父なんかに、会いたくねえよぉ――」

　半分、泣きべそをかいているような堤の声に、覆《おお》い被《かぶ》さるように、加恵子の「健ちゃん」という声がする。だが、堤の嗚咽《おえつ》の方が勝っていた。泣いている。助かりたくて、泣いている。さんざん人のことは痛めつけておいて。五人もの生命を奪っておいて。その上で。

「俺、死刑なんて、嫌だよぉ、絶対にロスに行くんだぁ――親父なんかに、会いたくねえ――」

「健ちゃん、きっと大丈夫よ。きっと、行かれるから、ねえ」

「気休め言うなっ！　クソババアッ、あっち行ってろっていうんだ！」

　鈍い音がする。また加恵子が殴られたのだろう。ごめんなさい、ごめんなさいと、哀願する声と、どす、どす、と殴る音の饗宴《きょうえん》。

「健ちゃん――やめて。お願い」

　このまま、いつまでもこんな状態が続いては、生きて出られたとしても、気が変になる。

――どうすれば、いい。どうしたら、チャンスが出来る。しっかりするのよ。刑事なんだから。

腹を押さえてうずくまったまま、貴子は「刑事なんだから」という言葉ばかりを、何度も繰り返して自分に言い聞かせていた。あまりの痛みに滲《にじ》んだ涙が、目尻《めじり》から伝って落ちる。その温かさが、やはりまだ生きていると伝えていた。

11

なす術《すべ》がない。手も足も出ないとは、このことだった。滝沢たちに出来ることといえば、不鮮明な画像とマイクを通して、歯ぎしりしながら痛めつけられる音道を見守ることしかなかった。

「野郎、絶対にただじゃおかねえ」

世の中に腹の立つ奴は少なくないが、ここまでホシを憎んだことはないと思った。

このままでは、遠からずして音道は殺されるだろう。どうにか生きているうちに発見できたというのに、このまま見殺しにするような形になったのではたまらない。

「銃さえ、持っていなけりゃな」

滝沢だけではない、唇を嚙《か》み、握り拳《こぶし》を震わせながら、捜査員たちは自らの不甲斐なさを感じ、悔しさを露《あら》わにしていた。わずか数メートルの距離にいながら、こんな情けない話があるだろうか。説得も結構、差し入れも結構だが、そんな生ぬるいことをしている間にも、音道の生命は、確実にすり減っている。

「せめて音道が自由に身動き出来ればな。身動きならん上に、銃が二丁もあるんじゃあ——くそっ」

時間ばかりがいたずらに過ぎる。井川一徳は、息子と話すことに応じなかった。管理官からも再三にわたって電話をかけてみたが、彼は「冗談はやめてくれ」「絶対に話さない」などと答えるばかりで、その都度、すぐに電話を切ってしまった。

午後八時四十分。前回と同様の方法で、五人分の弁当と新しい飲み物が差し入れられた。一時は、弁当に薬でも仕込めないかという案が出たが、相手もそれなりに知恵を働かせているらしく、弁当はすべてコンビニエンスストアーで売られている、パッケージの切れていないものにせよと指定してきた。

——どうした、刑事さんは食わないのか。

——腹が痛くて食えないんだろう。

──まったく。おい、堤。お前、本当に考えた方がいいぜ。そんなに強くもねえくせに、相手が女とみると、すぐにそうやって暴れるっていうのは。

──うるせえ。そんなこと言うんだったら、てめえも、やってやろうか。どうせ俺は、ここから出たらおしまいなんだ。

──いいのかよ、そんなこと言って。さっきで分かったろう。俺は素人《しろうと》じゃないんだよ。

──油断するなよ。俺には武器がある。ライフルは取り上げたかも知れねえが、まだ、これは持ってるんだからな。

──馬鹿。これ以上、仲間割れしてどうすんだ。

──言ったろう。仲間なんかじゃねえ。くそったれ。汚えとこは全部、人に押しつけやがって。

──それは、若松の指示だったんじゃないか。俺らが決めたことじゃない。

──だから、野郎もああいう目に遭ったんじゃねえか。俺をだましたり裏切ったりする奴は、ああいうことになるんだよ。結局、損をするのは俺だけだ。仲間だって言うんなら、俺と一緒に死刑になるかよ、ええ？

不鮮明なモニター画面の中で、確かに鈍く光る物が見えた。ナイフだ。

「やっぱり、いちばん危険なのが、堤か。完璧《かんぺき》に自棄《やけ》になってる」

「野郎を何とかすれば、どうにか出来るかも知れないんですがね」

「撃ち殺しても飽き足らないような奴ですよ」

「だが、あの部屋じゃあ、どうしようもない。よくもあんな場所にこもってくれたもんだ」

彼らの様子を観察している捜査員の間から、ため息混じりにそんな言葉が洩《も》れる。狙撃《そげき》班も待機はしているのだ。追い詰められ、前後の見境もなくなって、犯人がいつ、差し入れを行っている窓から外に向けて発砲するかも知れないから、それに対しては十分に警戒している。だが、連中は覚醒剤《かくせいざい》中毒でも、錯乱者でもなかった。無闇《むやみ》に発砲するつもりはないらしい。だが、現状を打開するためには、むしろ、そういう手段に出てくれた方が良いようなものでもあった。人質の精神状態を考えても、もう強行策しか残っていないのだ。管理官は上のクラスと、その方法を協議し始めている。粘り着くような疲労感と焦燥感が、汗になって滲んでくる。滝沢は、ひたすらモニターの画面を睨みつけていた。音道は、さっきからほとんど動かなくなった。差し入れられた弁当にも手をつけず、ずっとうずくまったままだ。

ひょっとして、内臓に損傷でも受けただろうか。または骨が折れたか。痛々しくて、見ていられたものではなかった。せめて、自分が身代わりになってやれないものだろうかと思う。だが、相手はとにかく扉を開かないのだ。ただ、見ているだけ。ただ様子を窺《うかが》うだけ。こんな焦《じ》れったい話があるものだろうか。

午後九時三十分。ようやく管理官から、今後の方針が伝えられた。強行突入。やれやれ、やっとだ。

「機動隊員が天井裏から伝って倉庫と手洗いに潜入、催涙弾を使う。連中が怯《ひる》んだ隙《すき》を狙《ねら》って、内側からバリケードを撤去、同時に我々が突入する。ただし、きっかけを作らなけりゃならん。まったく音をたてずに、それだけのことをするには無理がある。かなり危険な賭《か》けだ。気づかれれば、相手は間違いなく発砲してくるだろう」

捜査員たちは、固唾《かたず》を呑《の》んで管理官を見つめていた。

「連中だって人間だ。そのうち油断もする。弁当を食って腹も膨れたことだし、眠くなってくるかも知れん。こんな緊張状態が、そういつまでも続くものじゃない」

管理官がそこまで言ったとき、犯人との交渉用の電話が鳴った。固い表情のまま、管理官が電話をとる。通話を聞くためのイヤホンを通さなくても、相手の声は、天井裏にしかけたマイクを通して滝沢たちにも聞こえてきた。

「テレビかラジオが欲しいんだがね」

井川の声だ。

「テレビかラジオ？　どっちだ」

「テレビがいいかな。俺たちのこと、ニュースでやってんだろう？」

「やってるなんてもんじゃない。どこの局も特別報道番組って奴《やつ》に切り替えて、大騒ぎしてるさ」

「――そうか。じゃあ、テレビだ。あんたたちの動きも、分かるだろうからな」

「分かった。用意しよう」

しばらくの沈黙。モニター画面の中では、井川らしき人影が立ち上がって室内をうろうろと歩き回っている。

「俺らの名前も、もう出てるのか」

「今現在は、発表は差し控えてる。こっちが発表しなけりゃあ、マスコミだって報道のしようがないからな」

「じゃあ――俺の場合なら、息子以外には、まだ知られてないんだな」

「そういうことだ」

「息子は――どうした」

そのひと言を聞いて、捜査員たちがにわかに慌《あわ》ただしく動き出した。チャンスかも知れない。向こうから何か言い出したときは、心が揺れ始めている証拠だ。息子の説得に応じて、諦《あきら》めて出てきてくれるなら、それに越したことはない。

「もう、帰したのか」

「いや。親父《おやじ》を心配して、ずっと外で待機してる」

「ちょっと、話したいことがあるんだが」

捜査員の一人が、外に待機している警察官に連絡をとっていた。管理官は、それらを確認しながら「いいだろう」と答えている。

「どうだ、直接、話してみないか。今、連れてくるから」

「いや――電話でいい」

「分かった。少し、待ってくれ――ああ、それから、音道に代わってくれないか」

また沈黙があった。そして、「駄目だ」という声。

「いいか、テレビだ。用意が出来たら、話させてやる」

電話は切れた。ほう、と、室内にため息が洩れた。管理官が誰をともなく振り返る。

柴田係長が、すかさず「今、連れてきます」と言った。

「井川が投降する気になれば、あとは何とかなりますかね」

「息子に説得してもらうしかないが」

数分後、捜査員に伴われて、ひょろりとした面長の二十二、三に見える青年が、固い表情のまま前線本部に現れた。「井川の息子さんだね」と確かめると、小さく頷《うなず》く。それから問われるままに、青年は井川宗一郎と名乗った。

「立派な名前だ。お父さんがつけたのかい」

「ああ——はい。よく知りません」

緊張しているのだろう、声は震えており、顔が真《ま》っ赤《か》に紅潮していた。

「お父さんが、話をしたがってる」

「——はい」

「そこで、君に頼みがあるんだ。こんなことをしていても、何の解決にもならないっていうことを、分からせてくれないか。今なら、まだ遅くはない。悪いようにはしないから、そこから出てくるように、君から説得して欲しい」

井川宗一郎は、何度も喉仏《のどぼとけ》を上下させながら管理官の話を聞いていた。

「お父さんだって、つい、はずみで、こういうことになったんだと思う。出てくるきっかけが摑《つか》めなくなってってね。こういう言い方をしては悪いが、一人で勝手に立てこもってるっていうんなら、警察だってこんなに騒ぎはしない。だが、中には人質がいる。若い女性だ」

青年の顔がわずかに歪《ゆが》む。彼は唇を噛み、何度も肩を上下させていた。

「人質にもしものことがあったら、お父さんだって今以上に、ただでは済まん。せめて人質を無事に解放して欲しい、こっちの願いは、まず、それなんだ」

井川宗一郎は素直に頷いている。苦悩に満ちた顔。馬鹿《ばか》な男だ。こんなに若い息子に、何という思いをさせるのだ。滝沢は、つい自分も伜《せがれ》のことを思い出しながら、立てこもり犯の息子を眺めていた。

「君は、お父さんと同居してるのかな」

「いえ——僕は、もう結婚してるんで」

「じゃあ、お父さんはお母さんと？」

「母は——もう亡《な》くなりました。父とは、もう何年も会ってません」

まだ学生のように見えるのに、青年は、昨年の暮れには子どもが生まれたとも言った。つまり、井川には孫がいるということだ。滝沢たちは、青年の話を聞きながら、密《ひそ》かに期待を抱き始めていた。息子がいて、孫がいる。そんな男が、そういつまでも無茶なことをするとは思えない。息子が説得してくれれば、きっと気持ちを動かされるに違いないという気がした。

「じゃあ、お父さんに電話するからね。冷静に。落ち着いてね。頼むよ」

管理官は静かな口調で語りかけ、井川宗一郎がゆっくり頷くのを確かめてから、彼を伴って隣の部屋に向かった。ここでは、滝沢たちが室内の様子を探っているのが分かってしまうからだ。滝沢たちは二人の後ろ姿を見送り、早速、ボリュームを下げていたスピーカーの音量を上げた。

――井川だね。

少しして、まず管理官の声が聞こえてきた。

――宗一郎くんが、ここにいる。今、代わるからな。

他人の会話を盗み聞きするというのは、ただでさえ、ある程度の緊張を伴うものだ。その上、あの青年の言葉次第で事件の成り行きが変わるのだと思うと、否応《いやおう》なしに身体《からだ》が固くなってくる。

――もしもし、親父？

――ソウか。

――何、やってんだよっ！　こんなところで、何しようっていうんだよっ！

突然、ヒステリックな怒鳴り声が聞こえた。滝沢は思わず隣室の方を見ながら「馬鹿っ」と声に出していた。管理官の説明を聞いていなかったのか。

――あんた、どれだけ俺たちに迷惑かければ気が済むんだよっ！　あんたのお陰で、俺や母さんが、どんな思いしてきたか、分かってんのか！

——ソウ、聞いてくれないか。

——冗談じゃねえからなっ！　俺は毎日、必死で、真面目《まじめ》に働いてるんだ。やっと少しはまともに暮らせるようになったんだ。それを、どうしてまた、あんたにぶち壊されなきゃなんねえんだ！

宗一郎の声は、明らかに涙を含んでいた。あの青年を責めることは出来ないと、滝沢は重苦しい気分で考えていた。よほどのことがあったのだろう、辛《つら》い思いをさせられてきたのに違いない。あの若さで、こんな場所まで連れてこられて、罪を犯した父親を冷静に諭すなど、無理な要求かも知れなかった。

——済まないと、思ってる。

——嘘《うそ》つくなよっ！　あんた、いつだってそうじゃないか。夢みたいなことばっかり言って、結局は周りに嘘ばっかりついて、迷惑かけて。

——だから、父さんは今度こそ。

——今度こそ、何なんだよ。今度こそ、何したと思ってんだよっ。

そこで会話は切れた。誰からともなくため息が洩れる。無理もないとは言いながらも、やはり恨めしい。管理官に伴われて戻ってきた井川の息子は、少年のように泣いていた。管理官が、その肩をぽんぽんと叩《たた》いているが、彼は激しく泣きじゃくり、手の甲で涙を拭《ぬぐ》っていた。そして、声を詰まらせながら、「すみません」「すみません」を連発する。

「四年ぶりだったんだそうだ。どこにいるかも分からなくて、どうしてるかと思っていたら、こういうことになったって」

諦めたような表情で、管理官が言った。その間も宗一郎は声を出して泣いている。滝沢は、思わず胸のふさがれる思いで、青年を眺めていた。あの父親の元に生まれたのは、何も彼の意志ではない。

「下まで、送ってきますわ」

とにかく、いつまでもここに残しておくわけにもいかない。管理官から宗一郎を預かる形で、滝沢は今度は自分が彼の肩に手を置き、ゆっくり歩き出した。骨っぽい肩をしている。青年とはいえ、まだ少年のようだ。そう言えば、自分の息子の肩はどうだったろうと思う。もうずい分、息子の身体になど触ったことはない。

「まあ、しょうがないわな」

歩きながら、滝沢は呟《つぶや》いた。隣からは、まだ鼻をすする音が聞こえてくる。

「あんまり、いい親父さんじゃ、なかったんだな。おふくろさんも、さぞ苦労したんだろう」

長く薄暗い廊下を歩き、制服の警察官が立つ角を曲がる。バリケードに使用していた什器《じゅうき》類が散らばる階段を、ゆっくり下りる間に、「でも」という小さな声がした。

「小さい頃は——可愛《かわい》がってくれたんです」

それだけ言って、宗一郎はまた泣いた。滝沢に出来ることは、その肩に手を置いてやることだけだった。この青年には何の罪もない。本人の言う通り、おそらく人一倍真面目に、地道に暮らしているのだろう。女房と子どもを守って、必死で日々を過ごしているのに違いない。それなのに、こんな目に遭わなければならない。

「そういう、小さい頃の親父さんのことだけ、思い出すようにするんだな。そのうち、許す気になるときも来るさ。親父さんだって、あそこまで言われりゃあ、今度という今度は、考えるだろう」

翠海荘の建物を出て、中継本部になっている駐車場まで送り届けると、宗一郎は涙で濡《ぬ》れた目をこちらに向けた。

「父は——死刑になりますか」

滝沢は思わず微笑《ほほえ》みながら、首を振った。

「親父さんは、確かにやっちゃいけないことをやった。だが、人を殺したり、そんなことはしてない。心配するな」

宗一郎の顔に、初めて安堵《あんど》の色が浮かんだ。だからこそ今のうちに、お前の力を借りたかったんだぞ、という言葉は、ついに口に出来なかった。彼を担当の警察官に預け、さて翠海荘にとって返そうとしたとき、意外な人間が視界に飛び込んできた。

「何、してんだ。こんなところで」

滝沢は思わず眉《まゆ》をひそめて、その男に近づいた。嫌な相手に見つかったというように、星野は顔を背け、肩を縮めて「いえ」と言う。

「いえ、じゃねえだろうが。何、してんだって聞いてんだよ」

「ですから――上の指示で。応援に」

応援だと？　笑わせることを言うではないか。滝沢は、ぐいと星野に歩み寄り、ほとんど腹が当たりそうな位置まで近づいて、「そうかい」と唸《うな》った。

「だったら、応援してもらおうか」

「――」

「お前なあ、今、音道がどういう目に遭ってるか、知ってるか」

「――」

「犯人どもに殴られたり蹴《け》られたりして、死にかかってるよ。可哀想《かわいそう》に、あいつはもう、ぼろぼろだ」

目の前で、星野の喉仏が大きく動く。その首を、今すぐにでも捻《ひね》り上げたい衝動が突き上げてきた。

「応援するっていうんならな、お前、今すぐ音道の身代わりになれ」

星野は何も答えなかった。答えられるはずがないのだ。滝沢は、思わず彼の足下に唾《つば》を吐き出すと、行く手をふさがれているわけでもないのに「どけ」と奴の胸を突き飛ばした。翠海荘に戻りかけ、ふと思いついて振り返る。そして、真《ま》っ直《す》ぐに星野を指さした。

「ここに、いろよ。絶対」

「——分かってます」

プレスのきいたスーツなんか着やがって。こっちは、汗と脂《あぶら》でどろどろだっていうのに。

「音道が無事に助け出されるまで、必ずいろ。いいな。音道は、きっとお前に用があるはずだ」

もう一度、唾を吐いて、滝沢は再びきびすを返した。

前線本部に戻ると、管理官が、既に機動隊に対して上階での待機を要請しているところだった。

「こっちも準備に取りかかる。まず、テレビを運び入れるときに音道を電話口に呼んで、連中をよく見ておくように言い含める。このカメラの位置では、奴らが寝てるか起きてるか分からないからな」

いよいよだ。滝沢は、思わず大きく息を吸い込んだ。隣にいる保戸田も、他の捜査員たちも、一様に目をぎらつかせている。

「下に、星野がいやがった」

テレビが調達できるのを待つ間、滝沢は煙草《たばこ》をふかしながら唸るように言った。仲間たちは一様に顔をしかめ、今、この場に星野が来たような視線を向けてきた。

「あの、クソ野郎が。『僕も応援に』、とか吐《ぬ》かしやがってよ」

どの面《つら》下げて来られるのだ。誰の応援をするつもりなのだろうか。ふざけやがって。口々に吐き捨てるように言い、やり場のない苛立《いらだ》ちを抑えるように、腕組みをする者、舌打ちをする者がいる。滝沢も、室内を歩き回っていた。土足で畳の部屋を踏むのは、どうも気色が悪いものだ。足下がぶわぶわとして落ち着かない。その上、マスコミがカメラを向けている可能性があるから、窓はすべてふさいでいた。本当なら、窓の外には海が見えているはずだ。そういえば、熱海に来てから、まだ一度も波の音さえ聞いていない。おそらく、音道もそうなのだろう。いや、もしかすると熱海にいることさえ、分かっていないのかも知れない。

——何だよ、馬鹿にしょげちゃって。

鶴見の声が聞こえてきた。

——息子に、何か言われたのかい。

——まあな。

——まあ、しょうがねえんじゃねえの。こんな騒ぎまで起こしゃあ、さ。

——話しておきたいことが、あったんだ。

——今さら、用はないってか。分かるんだ。多分、俺だって娘がもう少しでかくなってたら、そう言われるんだろうな。

——話なんて、しなきゃよかった。

その後、井川はまた黙り込んでしまった。時折、鶴見が誰にともなく「テレビはまだか」などと言っているが、答えるものもいなかった。

午後十時五十分。ようやく液晶小型テレビが用意できた。管理官の指示で、今度も滝沢が鶴見の携帯電話を鳴らした。

「何だよ、馬鹿に待たせるじゃねえかよ」

鶴見は、もはや開き直っているのか、または元来が馬鹿なのか、妙に自信たっぷりの声で電話に出た。

「時間が時間だったんでな、店が開いてなくて、苦労したんだ。約束だ、音道と代わってくれ」

滝沢の言葉に、彼は「三分だぞ」とだけ言った。そして、また音道の声が聞こえてきた。だが、「もしもし」というその声は、さっきよりもさらに弱々しく、かすれて聞こえる。

「滝沢だ。誰も、盗み聞きしてないな」

「――はい」

「よく聞いてくれ。こちらの準備は完了してる。だが、外からじゃあ、きっかけが摑めん。分かるか。強行突入だ」

「――はい」

「上を見るなよ。カメラは取りつけてあるが、天井だ。だから、連中の表情までは分からんし、眠っちまってたとしても、見えない。だから音道、いいか、合図は、お前が送るんだ」

「――分かりません」

またか。滝沢は苛立ち、受話器を握る手に力を込めた。

「分からないって、どういうことだよ、おい。芝居してるのかっ」

「――はい」

意外な返答だった。周囲で会話を聞いている捜査員たちも、互いに顔を見合わせている。声の割には、しっかりしているのかも知れない。

「芝居なんだな。俺の言うこと、分かるな」

「――そうです」

思わず周囲と頷《うなず》きあう。

「だったら、そうだな――何か、叫べ。今だと思ったら、『今だ』でもいいし、人の名前でもいい」

管理官が隣から、「決めておけ」と囁《ささや》きかけてくる。滝沢は慌《あわ》てて頷き、「名前を決めよう」と提案した。日常会話に使うような言葉では、下手なときに口にしてしまう可能性がある。チャンスは一度きり、失敗は許されない。

「恋人の名前でもいいし――いや、この際だ、大嫌いな奴《やつ》の名前でもいいぞ。今、お前が思い浮かぶ名前で、金輪際、もう二度と口にしたくもないような名前でいい。それなら、思い切り大声で怒鳴れるだろう。誰かいないか。思いつかないか」

「——星野です」

「星野だなっ」

「——はい」

　ぞくぞくするような喜びとも興奮ともつかない感情がこみ上げてきた。そうだ。怒れ。怒って当然なのだ。その怒りをエネルギーにして、爆発させろ。

「音道、だったら、今だと思ったときに、野郎の名前を叫べ。いいか。目一杯だ。それを合図に、俺たちは一斉に入る。心配するな、もう少しの辛抱だ」

「——はい」

「ああ、いいこと、教えてやろう。あいつは今、ここに来てる。お前に殴られるのを、待ってる」

「——はい」

　音道の声は、あくまでも静かなものだった。あいつは、そういう奴かも知れん。追い詰められれば追い詰められるほど、肝が据わってくるのだ。そして、そんじょそこらの野郎どもではかなわないような力を発揮する。

「音道」

「はい」

「俺らを信じろ。俺らも、お前を信じてる」

「――はい」

午後十一時ちょうど。犯人たちの部屋にテレビが差し入れられた。同時に、滝沢たちは鉄の扉の前に詰めた。これからは、物音ひとつも立てるわけにはいかない。ひたすら音道の合図を待つ。それだけだった。

12

星野が来ているという。一体、どういうつもりなのだろうか。滝沢からの電話の後、貴子は布団《ふとん》に寄りかかり、うずくまったままで考えていた。

――でも、皆には分かってる。

それが、意外なほど嬉《うれ》しかった。凍りついていた心の底に、久しぶりに温かいものが流れ始めたような気がする。それは、確かに健《すこ》やかな、心穏やかになる温《ぬく》もりとは異なっている。だが、胸の底が熱くなり始めているという点では同じだ。それに、あの滝沢から星野の話を聞くとは思わなかった。滝沢は確かに、彼を「野郎」と呼んだ。貴子に殴られるのを待っているとも言った。貴子は誤解されていない。それが分かっただけでも、胸が震えるほど、嬉しかった。

さっきから、男たちは小さなテレビの画面に見入っている。貴子のいる位置からは画面などは見えないが、彼らがどのチャンネルを回してもこの事件に関する報道番組が流されていることだけは間違いないようだ。

「――すげえな。これ全部、サツカンか」

「そうだろうな」

「とんでもねえ数だぜ。俺らのために」

テレビからは、熱海、二十三時間、人質、安否、交渉などといった言葉が絶え間なく聞こえてくる。犯人たちでなくとも、それらすべてが、今ここにいる自分に関係していることだとは、にわかには信じがたいくらいだ。ここに、こうしている自分を、外から見ている人たちがいる。電波に乗って日本中に伝えられているなんて、どうも実感が湧《わ》かない。だが恐らく、実家では両親や妹たちも見ていることだろうし、昴一のところへだって、きっと連絡は行っているはずだ。何しろ、さっき滝沢は、「恋人の名前でもいい」と言った。

――さらし者。

そうなったのはすべて、星野のお陰だ。目をつぶり、呼吸を整えながら、貴子はあらゆる場面での星野の顔を思い浮かべ、胸の底に流れ出した熱いものを、丁寧に、注意深く育て始めた。あらん限りの声で、あいつの名前を叫んでやる。その時を待つのだ。滝沢は、信じろと言った。そして、自分たちも貴子を信じていると言った。ほんのわずかでも、彼らを憎み、呪《のろ》い、裏切ろうとした貴子を、彼らは命がけで救い出そうとしている。犯人と仲間たちと。どちらを選ぶかなど、考える必要さえない。

——私は、刑事だから。

人質ではあるし、被害者ではあるが、その一方では、仲間と協力して、容疑者の検挙にあたるべき立場にいる。

〈——午前零時を回りました。引き続き、静岡県熱海市で起きました、人質立てこもり事件について報道特別番組を続けます〉

男たちがチャンネルを替える度に、聞こえてくる声は違っている。だが、話している内容はほとんどが同じ、この事件に関するものだった。

〈なお、犯人グループはテレビの差し入れを要求しておりまして、午後十一時過ぎ、警察官が届けたという情報が入りました。繰り返します。立てこもり犯人たちは、テレビの差し入れを要求したということです。現在、この番組を見ているのかも知れません〉

声には聞き覚えがあった。民放のチャンネルの、女性アナウンサーだ。

〈ええ――では、ここでこれまでの事件の概要につきまして、まとめてありますので、ご覧いただきたいと思います〉

何か不吉な雰囲気の音楽が流れた。男の声が語り始める。

「――六月七日。杉並区阿佐谷で、男性の射殺死体が発見された。殺されたのは元銀行員の若松雅弥さん。自宅マンションで、腹部と頭部を散弾銃で撃たれているという、むごたらしい姿だった。その後の警察の捜査により、事件現場にいち早く駆けつけていたはずの女性刑事の行方が、若松さんが殺害されたのとほぼ同時刻から分からなくなっていることが発覚。翌日になっても連絡がとれないままであることから、警察では若松雅弥さんを殺害した犯人に連れ去られたものとみて捜査を開始した――」

そんな簡単な説明では言い切れないことが山ほどある。貴子は、阿佐ヶ谷の駅に降り立ち、曖昧《あいまい》な住所を頼りに、足を引きずるようにして歩いた晩のことを思い出していた。腹が立っていたし、とにかく疲れていた。そんなときに、加恵子と会った。加恵子は、今にして思えば不思議なほどに幸福そうな笑みを浮かべていた。そして、人生をやり直したかったなどと言ったと思う。

「何だ、最初から分かってたってことじゃねえのか」

「指紋は全部、拭《ふ》き取ってきたって言わなかったか」

鶴見と井川が口々に言っている。

「加恵子が、ちゃんとやったはずなんだ」

「それにしても、最初から分かってて、昨日まで見つけられなかったっていうのも、結構、間抜けな話だよな」

「あと一日。本当になあ、あと一日だけ、見つけるのが遅れてくれりゃあ、こんなことにはならなかったのによ」

テレビを見ながら、男たちはいかにも悔しそうだった。そして、この建物の外観や、周囲を慌ただしく動き回る警察官の姿が映し出される度に感心したような声を上げた。

どのチャンネルを回しても、報道されている内容に大きな違いはないようだった。

犯人は女性一人を含む四人組。四月末に武蔵村山市内で発生した占い師殺人事件にも関与しているとみられる。その後、容疑者のうち二名は占い師の銀行口座から現金二億円を引き出している――。だが、架空名義口座であることも銀行名も、明かされてはいなかった。

〈ええ――容疑者の身元については、既に判明している模様です。繰り返します。容疑者については、捜査本部では既に身元の割り出しは済んでおり、現在、各容疑者の

身内が、説得のために待機しているとの情報が入りました〉

　男たちが次第に無口になってゆく。午前一時を回った。民放の各局は、ほとんどが通常通りの深夜の番組に戻ったが、NHKだけは同じ内容を何度も繰り返し、ニュースを続けていた。男たちに寝る気配はない。どうしたら、彼らの隙《すき》を突けるのだろうか。滝沢たちは、本当にドアの外で待機してくれているのだろうか。

　痛む腹の、その奥は、もう十分にエネルギーを貯《た》め込んだと思う。それなのに、テレビのお陰でチャンスが訪れなかった。彼らは、この部屋に移ってきてから午前中のかなりの時間、眠っている。それだけに、体力の限界は、まだ遠いのかも知れない。

　――早く。早く、眠って。

　時折、誰かが放屁《ほうひ》をする。うんざりしたようなため息を洩《も》らすこともあった。だが、彼らは動かなかった。

〈――時刻は、午前二時を回りました。ここで五分間、ニュースをお届けします。静岡県熱海市で発生しております、人質立てこもり事件につきましては、二時五分から、引き続きお伝えします――〉

　加恵子は男たちから少し離れて、ぼんやりと布団に寄りかかっている。無表情というよりも呆《ほう》けたような顔で、彼女は誰のことも見てはいなかった。まるで、自分たちのことがテレビで報道されていることにさえ気づいていないかのように、彼女はただ虚《うつ》ろな目を宙に向けている。考えることも、感じることも、すべてを放棄したような顔にも見えた。

〈――繰り返してお伝えいたします。静岡県熱海市で発生しました人質立てこもり事件は、事件発生から七日目の朝を迎えようとしておりますが、依然、犯人と警察とのにらみ合いが続いております――〉

七日。いつから数えて七日なのだろう。七日間という時間は、こんなに長かっただろうか。せっかく内側に貯め込んだエネルギーが、どこからか洩れていってしまいそうだ。テレビ局が、いつまでもこんな番組を流しているせいだ。いや、テレビを差し入れた方が悪いのだろうか。すべては八つ当たりなのだろうか。本当は、いちばん駄目だったのは、自分自身なのではないか――そこまで考えそうになって、慌ててその思いを振り捨てた。今、そんなことを考えている場合ではない。ここでしぼんでしまっては、チャンスを作れない。仲間が待っているのだ。貴子を信じて、外にいる。

――信じる。

自分にまだそんなエネルギーが残っているかどうか、分からなかった。だが、仲間たちは、最大限の力で貴子を信じている。ただ、ここで手をこまねいているだけでは、あまりにも不甲斐《ふがい》なさ過ぎる。きっかけが生まれないのなら、自分から作るしかない。

「――いつまで見てても、一緒じゃないの」

声に出して呟《つぶや》いてみた。男たちはゆっくりとこちらを見た。

「あなたたちが動かない以上、いくらテレビを見てたって、何も変わりはしないでしょう」

そりゃあ、そうだなと一人で納得した顔になったのは鶴見だった。井川は忌々《いまいま》しげな顔をしたが、またテレビの方を向いてしまう。

「それに、いちばん面白いところは、あなたたちには見られない」

「いちばん、面白いところ？」

鶴見の言葉に、貴子は無理に微笑《ほほえ》んで見せた。まだ腫《は》れの引いていない頰が痛む。小さく息を吐き出そうとするだけで、腹が痛んだ。

「もちろん。あなたたちが捕まるところでしょう。テレビを見てる人たちは、その瞬間が楽しみで、こんな夜中まで起きてるんだから」

男たちの顔が一様に強張《こわば》った。井川が苛立《いらだ》ったように舌打ちをする。そして、すっと立ち上がった。身構える貴子の方は振り向きもせず、彼はそのまま手洗いに行った。不躾《ぶしつけ》な放尿の音、そして、水を流す音が続く。

「流すなって、言わなかったか」

戻ってきた彼に、鶴見が不審そうな表情で言った。

「もう、どこにいるか知れちまってるんだから、隠す必要もない」

ああ、そうか、と鶴見が呟く。テレビからは、今度は貴子の安否についての報道がされていた。怪我《けが》をしている可能性はあるが、生存は確認出来ている。音道貴子巡査長。警視庁刑事部勤務。交通部時代は白バイ隊員だった経験もある――何も、こんなことまで教えなくても良いではないか。

「あんたも、災難だったよな」

鶴見が疲れた声で呟いた。

「俺らだって、まさか、こういうことになろうとは、夢にも思ってなかった」

貴子は、黙って鶴見を見つめていた。今度は井川が口を開いた。

「金が、欲しかった。それだけだ。どうしても、このままで人生を終わりにしたくなかった――そりゃあ、まっとうな稼ぎ方じゃないことくらい百も承知だ。だが、金を貯めてた方だって、とてもまっとうな奴らじゃないかも知れん。少なくとも、若松は俺たちに、そう言った。『そんな連中から、ただ銀行に預けてあるだけの金を引き出したところで、世の中の誰が困るっていうんだ』ってな」

「それが、まさか、こんなことになろうとはよ。ただの泥棒っていうのと、まるっきり違っちまったもんなあ」

鶴見が大きくため息を吐き、背をそらして天井を見上げた。それだけで貴子はひやりとした。天井のどこかには、カメラが設置されている。それを見つけられたら、また状況が変わってしまう。だが、鶴見は何も気づかなかったらしく、また姿勢を元に戻した。

「ゼロからやり直すったってさ、この世の中、何もないところまで戻るのさえ、そう楽なことじゃない。俺の人生は、マイナスだよ、マイナス。大赤字だ。それを、ちゃらに出来るだけでも、御の字だと思ったんだがな」

「ゼロからやり直せるのは、若いうちだ。もう、俺くらいになっちまってたら、何もないところからは、とてもとても、身動きはとれん」

そうかも知れない。貴子の友人がぼやいていたことがある。かつては仕事仲間だったが、今は自分で店を持っているゲイだ。あんたは公務員で幸せね。自分がいくら守られてるかって、感じたこともないでしょう。だけど、この世の中っていうのは、ただ息して暮らしてるっていうだけで、金がかかるように出来てるのよ。やれ税金だ、保険料だ、年金に、受信料だなんだって。

彼は、自分は世間から何一つしてもらっているわけではないと言った。それでも、ただ、ひっそり暮らしてるだけで、ある程度の金額が出ていく。何も払わないというわけにはいかない――。その時の貴子は、そんなに文句を言うのなら、警察をやめなければ良かったではないか、などと言い返した記憶がある。確かに、生活の保証がなされているという点では、恵まれているとは思う。だが貴子は、ことに警察官としての仕事は、それだけでは済まされないだけの犠牲を払う覚悟がなければ務まらないものだと思ってきた。生活の心配をしたり、年金の支払いのことなど思い悩んでいたのでは、全力で市民の生活を守ろうなどという気にはならなくなるではないか。

「だが、もう――どうしようもないな。ここまで来ちまったら。俺たちは、日本中に名前の知れ渡った、強盗殺人誘拐立てこもり犯だ。馬鹿《ばか》に長い名前がついちまった――もう、これ以上、息子に迷惑もかけられん」

井川の言葉に、肩の力がわずかに抜けそうになった。そういう気になってくれたのなら、何よりも有り難い。強行突入などしなくても、自分たちから扉を開けて出てくれれば、こんなに助かることはないはずだ。「そうよ」と言いかけ、口を開きかけたときだった。ふいに堤の身体《からだ》がさっと動いた。一瞬のうちに、井川が自分の肩にもたせかけて抱えていた散弾銃を奪い取り、彼は「嫌だっ」と叫んで立ち上がった。

「勝手に決めんなよ、ええ？　あんたらは、いいだろうよ。ここでも得点かせいで、そうすりゃあ、少しでも懲役が軽くなるとでも思ってんのか。だが、俺は違う。誰のために、五人も殺《や》ったと思ってんだっ！　お前らだって、短い間でも、いい思いをしたんだろうが」

「おい、堤――」

鶴見が腰を浮かせかけた。だが、堤の「動くなっ」という悲鳴に近い声が、それを制した。

「俺の将来を何とかしろよ！　お前ら全員で、分担しろ！　それなら、出ていってやってもいいさ。だが、今のまんまじゃあ、絶対に駄目だ！」

「何、言ってんだ！　大体、こんなことになった原因は、全部、お前にあるんじゃないか。勝手にデカなんか連れてくるから、こういうことになったんだ！」

堤も負けじと怒鳴り返す。

「うるせえっ！　この場所なら、絶対に誰にも見つからないって言ったのは、どこのどいつなんだっ！　俺に任せておけっていったのは、誰なんだよ！」

貴子は全身を強張らせながら、追い詰められた男たちのやり取りを聞いていた。鶴見もまたライフルを構えている。相打ちか。だが、こんな場所で発砲されたのでは、たまらない。

「大体、最初から気に入らなかったんだ。俺らの計画に、女連れなんかで加わるなんて、どうかと思うって、俺は若松に言ってたんだっ！　見てみろ、その女の何が役にたった？　足手まといなだけじゃねえかよ。それで結局、その女が顔を知られてたから、こういうことになったんだろうっ！」

それまで気配を消していた加恵子が、わずかに背筋を伸ばした。男たちの視線が自分に向けられていることに初めて気づいたかのように、彼女は怯《おび》えた表情になり、そろそろと手を伸ばして、堤にすがろうとした。

「——そうだよな。元はと言えば、加恵子が悪いんだ。この、クソババアがよ」

堤の声が、急に静かなものになった。貴子は息を呑《の》んで、彼らを凝視していた。もうすぐ、合図を送るきっかけがあるに違いない。その時を、絶対に見逃してはならない。心臓が苦しい。手足が震えそうだった。

13

「そうだよ。なあ、加恵子」

　堤は、ゆっくりと加恵子の前に立ち、散弾銃を構えたままで、その銃口を彼女に向けた。加恵子は信じられないといった表情で、銃口と堤の顔とを見比べている。

「お前が、そこの刑事と顔見知りなんかじゃなかったら、こういうことにはならなかったんだ。なあ」

「健ちゃん——やめて。危ないじゃない」

「そう、思わねえか？　なあ、加恵子。俺は最初、この仕事は一人でするからって、そう言っただろう？　それを、お前が、離れていたくないからって言ったんだよな。ずっと一緒にいたいからって」

　貴子は固唾《かたず》を呑み、堤の手元だけを見つめていた。今はまだ、指は引き金にかかってはいない。

「そう、言ったわ——言ったけど、私だって、まさか健ちゃんが人殺しまでするなんて、思ってなかったし——」

「その言葉を使うなって言ってんだよ！　誰のお陰で、そうなったと思ってんだよ、ええ？　お前が、こんな国は捨てて、亭主もガキも全部、忘れて、どこか遠い国に行きたいって、そう言ったんだぞ」

「ア——アメリカに行きたいって言ったのは健ちゃんじゃないの——私は、何とか夢

をかなえさせてあげたいと思ったから、だったら、私も、どこへでもついていくって
——一緒に行こうって言ってくれたのは、健ちゃんでしょう?」

貴子の角度からでは、堤の腫れ上がった顔は、はっきりと見ることは出来なかった。ピアスをした耳と、わずかに横顔が見える程度だ。その横顔の、頰の辺りが動いたのが分かった。確かに、彼は、笑っている——。

「一緒にな。なあ、加恵子、お前、そんなに俺が好き?」

「何——言ってるの」

「好きかって、聞いてんだよっ!」

「——好きよ」

すると、堤は加恵子の前に身体を屈《かが》めた。井川も鶴見も、今はテレビそっちのけで二人の方を向いている。貴子は、そっと後ずさり、手探りで自分をつないでいる鎖をたどった。ヒーターの陰にパイプが通っている。そのパイプに、鎖が回されている。南京錠《なんきんじょう》。

——本当に、外れてる。

貴子の指先で、U字形の金具の下の四角い南京錠が回った。加恵子は、本当に外してくれていたのだ。喉《のど》が鳴る。貴子は、音を立てないように南京錠を鎖から外し、そ

っと、少しずつ鎖を手繰り寄せた。

「だったら、なあ、加恵子。こうしないか」

堤の声は、背筋が寒くなるほど柔らかい囁《ささや》きに変わっている。

「殺したのは、お前っていうことにするんだ」

加恵子の細い目が精一杯に見開かれた。貴子は、気づかれない程度に手を脇《わき》に回し、指先だけで、少しずつ鎖を引き寄せていった。ああ、焦《じ》れったい。手錠のお陰で、これ以上、動くと、気取られる心配があった。

「そうしろよ、ね、加恵子」

「そんな——」

「だって、目撃者なんて、いないんだ。俺たちにしか分からないことだろう？　いいか、加恵子、五人を殺したのは、加恵子だ。俺は止めたけど、興奮したお前が、つい、やったんだ」

加恵子の顔が小さく左右に揺れる。

「そんなの——無理だわ。それに、刑事さんには、分かってるじゃないの」

怯えたまなこが、こちらを向いた。貴子は全身を強張らせ、動きを止めた。堤は、ちらりとこちらを振り返り、ふん、と鼻を鳴らした。

「あんな女、始末すれば、それまでさ。勿論《もちろん》、撃ったのは、お前ってことにしてな。なあ？　お前は全部で六人殺ったことになるんだよ」

なあ、と言いながら、彼は今度は井川たちを振り返った。彼らは、やはり表情を強張らせたまま、「お前」と呟いただけだった。

「この期《ご》に及んで、まだ、そんなことする気なのかよ」

鶴見は呆《あき》れた表情で呟いた。

「当たり前だろうっ。お前らに俺の気持ちが分かってたまるかよ！　俺は、死刑なんて、いやなんだ。絶対に生き延びてやる！　お前らが、それを認めないっていうんなら、お前らの生命も、ないからなっ！」

「私――いやよ」

加恵子が震える声で言った。堤は再び加恵子の方に向き直る。

「何が、いやなんだよ。俺のためなら何でもするって言ったのは、あれは嘘《うそ》だったのかよ、ええっ。俺のことが好きなんだろう？　俺が死刑になんかなっちゃっても、いいと思ってんのか？」

加恵子は、小さく嫌々をするように首を振っている。その目から涙がこぼれた。さんざん殴られ、利用されて、その上、今度は殺人の罪まで着せられようとしている女は、小さな声で「いやよ」を繰り返した。

「あの刑事さんを殺すなんて――出来っこない。もう、やめて。ねえ、健ちゃん、もう、無理だわ」

「何が、無理なんだよ。お前は俺の夢をかなえさせたいんだろう？　それが、お前の夢でもあるんだろう？」

そうだけど、そうだけど、という加恵子の声は激しく震えていた。

「大体、お前みたいな女を、誰が本気で相手にすると思う？　てめえみてえな、冴《さ》えない不細工なババアをよ」

「――健ちゃん――だって――」

「俺はなあ、まともにつましく暮らしてる奴《やつ》っていうのが、たまらなく嫌いなんだよ。ちんまりまとまって、小せえことで文句とか愚痴ばっかりこぼしながら、結局は仕事が終わると亭主が迎えに来てるみたいな、そういうお前を見てたらな、全部、ぶち壊してやりたくなったんだ。馬鹿が。ちょっとからかったら、すぐ本気になりやがって。お前はなあ、俺が今までつき合った女の中で、記録的に最低の女だよ。どっから見ても、あっちもこっちも、最低。何を好き好んで、そんな女とロスに行かなきゃならねえんだ、ああ？　この俺が。冗談じゃねえや」

加恵子は、声を出さずに泣いていた。痣《あざ》に囲まれた細い目から、じくじくと涙がしみ出てきている。

星野も憎いと思っている。生涯、許すまいと思っている。だが、もっとも憎むべき相手は、今、目の前にいた。人の生命、人の人生、何もかもを玩具《おもちゃ》にして、一体、この男は何のために生まれてきたのだ。

「さあ、話は決まった。朝になりゃあ、デカどもも動き出すだろう。その前に、決めようぜ」

散弾銃を構えたまま、堤がこちらを向いた。笑っている。鶴見に殴られて、腫《は》れて、切れて、変形して、その顔は異様な迫力を生み出していたが、それでも堤は、にやにやと口元を歪《ゆが》めていた。

「せっかく人質になってもらったんだ。味見は出来なかったけど、せめて、これくらいで役に立ってもらわなきゃな」

堤が呟《つぶや》きながら、こちらに散弾銃の銃口を向けかけたときだった。貴子が思わず顎《あご》を引き、背を反らした瞬間、堤はふいにバランスを崩した。反射的に目をつぶった貴子が次に見たのは、堤の足下に食らいついている加恵子だった。

「駄目っ、この人に、そんなこと、させないっ！」

堤は振り返るなり、「てめえっ」と言いながら、散弾銃の尻《しり》で加恵子を殴り、次の瞬間には蹴《け》り上げた。この薄暗い明かりの中でも、加恵子の口元から血が飛び散ったのが見えた。

「なに、デカの味方してんだよっ！　てめえ、俺を裏切るんだなっ。それなら、てめえから殺ってやる！」

貴子に背中を見せ、堤が散弾銃を構えた。咄嗟《とっさ》に、貴子は立ち上がって両手のひらに包み込んでいた鎖を鞭《むち》のように堤の背中に振り下ろした。確かな手応《てごた》えを感じるのと、堤の「痛てえっ」という声が上がるのが同時だった。貴子は、もう一度、両手を振り上げ、輪にした鎖を振り向きざまの堤に向かって振り下ろした。

「それが、あんたの正体なんじゃないのっ！　人の人生を弄《もてあそ》んで、生命を奪って！」

堤の顔に、確かに鎖の当たったのが見えた。

「星野！」

力の限りの声で叫んだ。額から血を流した堤が、驚いたようにこちらを見た。彼の口がわずかに開き、何か言いかけたときだった。部屋の外でがたん、という音がしたかと思うと、突然、宙を何か黒いものが飛んだ。どん、と鈍い音がして、室内に煙が充満した。

14

午前三時四十五分。部屋の中が大分、騒がしくなっているという無線が入った直後だった。頭上でガタガタという音がしたかと思うと、耳の中で「突撃っ」という声が響いた。滝沢たちは、予《あらかじ》め鍵《かぎ》を外しておいた鉄製の扉のノブを回し、一気に肩からぶつかっていった。

だん、だん、だん、と音がする。扉の向こうからも、ガタガタという音が響いていた。ほんのわずかな隙間《すきま》が出来たと思った瞬間、その隙間は大きく開かれ、滝沢たちは我がちになだれ込んだ。

「音道っ！」

この五時間近く、たまりにたまっていた声が、爆発するように出た。室内には催涙ガスが充満し、そこここから激しく咳《せ》き込む声が聞こえてきている。

「音道っ！」

背後からも、様々な怒号が聞こえてくる。誰かが滝沢の背を押した。肩を押す奴もいる。だが滝沢は、誰よりも先に、室内に飛び込んだ。

「無事かっ、音道っ！」

片手でハンカチを口元に押し当て、もう片方の手は宙を搔《か》くようにして大股《おおまた》で突き進む。手前にうずくまる男の姿が見えた。その向こうに、立ち尽くしている男がいる。そして、その男の背後から、「ここです」という声がした。滝沢は二人の男を蹴飛ばすようにしながら、音道に駆け寄った。痣の出来た顔を催涙ガスのために苦しげに歪め、髪も乱れている音道が、すがりつくようにこちらを見た。その瞬間、滝沢は何も考えずに堤を突き飛ばし、音道に抱きついていた。すると、腕の中から「いたたたたた！」という悲鳴が上がった。だが、なだれ込んできた捜査員たちが、四方八方から走り寄ってきて、音道を押し潰《つぶ》さんばかりの勢いで飛びかかってくる。こらえにこらえていたエネルギーを爆発させ、この時のために血をたぎらせてきた捜査員たちの「てめえ」「この野郎」という怒号が溢《あふ》れかえった。

「痛い！　痛いってば！　お願い、痛いですっ！」

さらに音道が悲鳴を上げる。その時になってようやく、滝沢たちは押し潰されそうな音道から少し身体《からだ》を離した。

「お前——」

改めて見て、滝沢は言葉を失った。手錠を回された音道の手首からは、血が滲《にじ》んでいる。その手は一本の鎖をしっかりと握りしめ、その鎖は、堤の身体に回されていたのだ。

「おい、誰か手錠の鍵《かぎ》っ！」

滝沢は仲間を振り返り、声を上げた。すぐに若い捜査員が飛んできて、音道の手錠を外しにかかる。その間も、音道を中心にして、まるで押しくら饅頭《まんじゅう》のような状態が続いた。手錠が外され、堤と引き離されて初めて、音道の身体から力が抜けたのが感じられた。滝沢たちは、その彼女を数人で取り囲むようにして、足早に部屋を出た。とにかく催涙ガスのお陰で、目が痛くてかなわない。背後ではまだ、仲間たちの怒号と咳き込む声とが続いていた。

廊下には、前線本部に陣取っていた管理官を始め、それまで建物の外に待機していた捜査員たちまでが溢れかえっていた。それらの人々にもみくちゃにされながら、とにかく滝沢は音道の傍からは絶対に離れなかった。

「とにかく、目を洗え。目をな」

予め用意してあった生理食塩水のボトルを差し出し、滝沢は初めて正面から音道を見た。

「久しぶりだな」

音道は、小さく頷いただけで、あとは俯いたまま滝沢の手から水の入ったボトルを受け取り、客室の外れにしつらえられていた流し台に向かった。滝沢は、その後ろ姿を、ずっと眺めていた。この数日の間に、さらに痩《や》せたのに違いない。細っこい、今にも折れそうな姿だ。この身体で、よくも七日間も持ちこたえた。

音道は、いつまでも目を洗っていた。もう良いのではないかと思い、彼女の様子を眺めて、滝沢は、初めて気がついた。彼女は、洗面台に手をかけて、全身を震わせていた。滝沢は、その背中に手を置いてやりたい思いを堪《こら》えていた。あいつが抱きしめられたいのは、この自分ではない。あの後ろ姿に、どんな声をかけてやれるというのだ。彼女がこの一週間に体験した恐怖や屈辱は、とても滝沢などに吸い取ってやれるものではない。

「辛《つら》かったな。よし、よくやった」

すっと隙間に割り込んできたのは柴田係長だった。滝沢が呆気《あつけ》に取られている前で、係長は音道の背中に手を回し、埃《ほこり》っぽく汚れた頭を撫《な》でてやっている。音道は、崩れ落ちそうな風情《ふぜい》で、係長に抱き留められていた。畜生。やっぱり、俺が行けば良かった。だが、やはり、どう考えても柄ではない。無論、あの柴田係長にしても、とても似合った図とは言えないが、まあ上司でもあることだ。我慢することにしようと自分に言い聞かせた。

「怪我《けが》はどうだ、どこか痛むか、うん？」

こんな猫撫で声を聞いたのは初めてだった。それに対して、音道はやはり「分かりません」と答えている。まだ緊張しているのだろう。大怪我をしていても、気がつかない場合もあるものだ。

「とにかく、これから病院へ搬送する。もう少し、待てるか」

「大丈夫です」

「今、外もすごい騒ぎなんでな。ちょっと整理してから、すぐに運んでやるから」

音道は、このつぶれた旅館のどこからか探し出してきたソファーに横たえられた。廊下の外には、まだ人が溢れている。順番に一人ずつ、容疑者を連れ出さなければならないが、それに際しても、マスコミとの申し合わせもあり、すぐにというわけにはいかないのかも知れない。何しろ、まだ四時を過ぎたところだった。

——四時、か。

つまり、突入そのものは五分とかからなかったということだ。その五分のために、どれほどの時間を費やしたことかと思う。それにしても、あんなに興奮したのは、生まれて初めてのことかも知れなかった。自分の口から発せられている声が、自分自身の声とも思えなかったし、目で見ていたものも、結局、音道の姿以外は何も覚えていないくらいだ。

平嶋が、冷たい濡《ぬ》れタオルを持ってきて音道の目の上に置いてやった。音道の口から「すみません」という小さな声が洩《も》れた。それ以降、音道はおとなしくソファーに横になっている。片手を額にあて、もう片方の手は腹の上に置いて、彼女はぴくりとも動かない。その手首に滲んだ血が痛々しい。滝沢は、彼女の傍から離れがたい気持ちで、何となく傍をうろうろとしていた。無線の交信が頻繁に行われている。管理官の電話が鳴り、係長も大声を上げながら何かの指示を出している。誰も彼も、疲労の極地にいるはずだった。それでも、意外に足取りが重くないのは、こうして無事に音道が救出されたからだ。

「滝沢、さん」

何分くらい過ぎただろうか。ようやく廊下が静かになった頃、聞き覚えのある声が滝沢を呼んだ。滝沢は「ああ」と振り返った。音道は、タオルをのせたままの格好だ。

「ご無沙汰《ぶさた》しました」

タオルからはみ出した彼女の細い顎が動いた。滝沢は、また「ああ」と答えた。

「でも、どうして、ですか」

「俺か？　どうして、ここに来たかってか。柄でもないんだが、俺は今、ＳＩＴにいてな」

ＳＩＴというのが、特殊班の通称だ。何でもかんでも英語みたいな言い方をするのは好きではないが、一応は、そういう言い方をすることになっている。音道の首がわずかに動いた。

「どういうわけだかなあ。向いてるとも、思えんのだがね。俺は所轄《しょかつ》で、のんびり小悪党を追っかけてる方が好きなんだがな」

「でも――」

手首に痣を作った音道の手が、その腹の上で大きく上下した。細い首が脈打っているのが見える。

「有り難うございました」

音道の声は小さく、しかもかすれていた。

「滝沢さんの声を聞かなかったら、私――自分が警察官になったことを後悔して――刑事であることも、忘れていたと思います」

胸が詰まった。こんな、ちっぽけな娘っこが、よくも耐え抜いたものだと思う。全国にあまたいる警察官の中でも、あの状況で、あそこまで自分の職務に忠実に動ける奴は、そうはいないのではないかという気さえした。だが、そんなことを口に出来るはずもない。

「その割には、俺のこと、何だかんだって言ってたじゃないか。頭が薄くて、腹が出てて」

「それは——その通りですから」

「それ言っちゃあ、おしめえだろうが」

言った後で、音道の腹がわずかに震えているのが分かった。よかった。こいつにはまだ、笑う元気が残ってる。滝沢はようやく少しだけ安心して、音道に近づいても良いような気になった。椅子《いす》を引き寄せてきて彼女の傍に座り、煙草《たばこ》に火をつける。うまかった。

「これからしばらくは、まあ、大変だな」

「——はい」

「落ち着いたら、また、戻るんだろう」

「——今は」

「分かりません、か。まあ、それもいいさ」

普通の娘なら、こんな経験はせずに済んだのだ。バツイチとはいえ、恋人がいるというのだから、この際、平凡な女の幸せというものでも追いかけてみれば良い。ただし、組織としては、惜しい人材を失うことになるだろう。そして、後にはクソのような奴《やつ》だけが残るのだろうか。

「ああ、そういえば、野郎に会うかい。あの、星野の大馬鹿《おおばか》に」

ふと思い出して言ってみた。

「思い切り殴るなり、指つめさすなり、やっていいぞ」

だが音道は、小さく首を振っただけだった。

「――死ぬまで、死んでも、二度と会いたくありません。それに今、あの顔を見たら――今度は私が犯罪者になるかも知れませんから」

音道の声は静かだった。静かな分、青い炎のような怒りが見える気がした。数分後、救急車が来たという連絡が入った。滝沢は「よし」と言いながら腰を上げた。

「お迎えだ。ゆっくり休めや」

音道は顔の上のタオルを外して、ひどく辛そうな表情で身体を起こした。

「歩けるか。担架で、運んでもらうか」

彼女は小さく首を振り、顔を上げているのさえ辛そうな表情のまま、「中田さんは」と呟《つぶや》いた。

「中田？　中田加恵子かい」

「彼女の怪我の方が、ひどいはずなんです。もしも、まだでしたら、彼女の手当を先にしてもらえないでしょうか」

それは滝沢の一存では、どうすることも出来ない。だが音道は、腫《は》れぼったい痣《あざ》だらけの顔のままで、必死でこちらを見つめてくる。

「彼女はいつも、堤の暴力にさらされていました。あの人は身も心も、ぼろぼろのはずなんです」

「そうはいってもなあ——被疑者を優先するっていうこともなあ」

滝沢は首筋を掻きながら、顔をしかめた。

「係長か管理官か、その辺に聞いてみねえと」

「あの人は——生命の恩人なんです」

だが音道は、頑として譲らない表情で、必死でこちらを見上げてくる。突入直前の室内でのやり取りは、滝沢たちには聞こえていなかったから分からない。その間に、何かあったのだろうか。音道は、がっくりと疲れ果てたようにうなだれて、「恩人です」と繰り返した。

「彼女がかばってくれなかったら、私は確実に、殺されてました。あの時、私は——

もう目の前に、散弾銃を突きつけられていたんです。鎖の南京錠を解いておいてくれたのも、あの人なんです」

再び顔を上げた音道の目は潤《うる》んでいた。滝沢は、思わず自分の方が目をそらした。相変わらず頑固で融通がきかない女だ。だが、筋は通っている。滝沢は「待ってろ」とだけ言い残して、管理官を探しにいった。この、胸のざわめきは何なのだろう。身体の奥から震えてくるような、この感覚は何なのだ。腹を揺すり、薄暗い階段を駆け下りる間も、妙に心臓がばくばくと波打っている気がする。

——女にしておくのは、もったいねえな。

この数日間、音道が実際にどんな目に遭い、どんな思いをしてきたのか、具体的なことはほとんど知らない。最後の数時間を知っているだけだ。だが彼女の存在が、明らかに滝沢の胸に響いていることだけは確かだった。ああいう奴と短い間でも組めたことは、幸せだった。同じ刑事として、誇れる存在だと思った。

午前四時二十七分、音道は救急車に乗せられ、そのまま都心の病院へと運ばれていった。救急車には、音道と中田加恵子との両方が乗せられていた。音道本人の、たっての希望だったからだ。管理官も、その上のお歴々も「前例がない」と渋い顔をしたらしいが、何しろ、ここまで頑張った音道への、それが小さな褒美《ほうび》なのかも知れなかった。

——信じて、よかったと思います。

救急車に乗せられる直前、音道が滝沢に残した言葉だ。痣だらけの垢《あか》まみれ、ぼろ雑巾《ぞうきん》のように疲れ果てた音道は、そう言って最後に薄く笑った。

「風呂《ふろ》、入って帰りたいですねえ」

今までどこに消えていたのか、ふいに保戸田が近づいてきて言った。

「入りてえなあ。がっとビールでも飲んで、マッサージ呼んでな、大の字になって眠りてえ」

東の空から夜明けが近づいてきていた。カラスが、都心で聞くよりは長閑《のどか》な印象の声で、それでもやはりやかましく鳴いている。一日半にわたって、昼夜の別なくライトに照らされ、人々に取り囲まれ、踏み荒らされた翠海荘は、ようやくもとの静寂に包まれつつあった。

エピローグ

年老いたその二人は、何度も涙を拭《ぬぐ》い、肩を震わせていた。こっつん、こっつん、と柱時計の音が聞こえてくる。広々とした和室は、柱や天井などを見る限り、いかにも時を経てきた重みが感じられた。床の間と違い棚の周辺には人形や色紙、貴石の置物など、細々とした物が置かれ、脇《わき》にはカラオケセットもあるものの、その他には余計な家具などもなく、すっきりとしている。雪見障子の向こうには縁側が伸びており、窓を隔てて広々とした庭が望まれる。庭木が育ち、大きな庭石なども置かれてはいるが、全体には土がむき出しの部分が多くて、いかにも何かの作業をするための空間、または、子どもたちが遊ぶのに、もってこいの空間だった。

「そろそろ、お暇《いとま》します」

冷めた茶を一口だけ飲み、貴子は手元の時計に目を落としてから、わずかに背筋を伸ばして口を開いた。ずい分長い間、お互いに言葉を発していなかったのに、その途端、二人の老人は、すがりつくような表情でこちらを見た。

「突然、こんなお話をいたしまして、申し訳なかったと思います」

薄茶色のポロシャツを着た老人は、目を逸《そ》らし、横を向いてため息をついた。きつく結んだ口元や、そう多くはないが、深く刻まれた皺《しわ》に、その人の人生が現れている。隣にいる妻の方も、淡い紫色のブラウスを着て、ただ目元の涙を拭い続けていた。

「ですが、あまり時間がありません。出来ましたら、なるべく早めにご決心いただきたいんです」

どうぞ、よろしくお願いしますと、畳に手をつき、深々と頭を下げる。頭の上から、「そんなこと、なさらないで下さい」という、嗄《しわが》れた声が被《かぶ》さってきた。貴子は、ゆっくりと顔を上げて、改めて目の前の二人を見た。特に妻の方に、面影があると思う。その目元、口元が、加恵子に本当によく似ている。初めて会った瞬間に、貴子は「ああ」と思った。言葉にならない切なさと、本当のことを話していた彼女の哀《かな》しさが、胸に迫った。

「怪我《けが》が回復すれば、中田さんは逮捕されます。そうなれば、送検、取調べと続いて、起訴されるでしょう。裁判を受けることになります。それまでに、あの人の人生を、きちんと一本にしておきたいんです。今のままでは、あの人は切れ切れの生き方をしてきたまま、中田加恵子という名前のままで、裁かれることになります。彼女が心に負っている傷は、もしかすると生涯、消えないものかも知れません。でも、その傷の根っこの部分に、こんな悲劇があったこと、それが結局は、今回の事件につながったことは、十分に情状酌量の材料になるんです。今のままでは——あの人は、何のために生まれてきたのかも分からないまま、死んでいるのと同じなんです」

二人は一層、苦しげな表情になってうなだれた。四十年近くも前に消えてしまった娘が生きていたと聞かされ、その上、その娘がほんの少し前に世間を騒がせた事件の犯人の一人だったと知らされれば、動揺しないはずがない。彼らはしばらくの間、直子という長女は死んだのだと言い張り、次には、もう、諦《あきら》めているとも言った。だが貴子が、あまり刺激的にならないように気をつけながら、その後の彼女の人生を語ると、真っ先に母親の方が肩を震わせて泣き始めた。

「あなただって——大変な思いをされたんでしょうに」

この家を訪ねる前に、予《あらかじ》め電話をかけたとき、例の事件の話をしただけで、先方はすぐに「ああ、あの」と言ったものだ。それほど、貴子はある種の有名人になってしまっていた。貴子は小さく微笑《ほほえ》んで腰を浮かせた。

「これから、また病院に戻ります。実を言いますと、内緒で抜け出してきたものですから」

老夫婦は驚いた顔で小さく頷《うなず》いた。

「必要でしたら、血液鑑定でも何でも出来ます。私に出来ることでしたら、可能な限り、お手伝いさせていただきます」

どうして、と、老婆《ろうば》が小さな声を出した。

「その——加恵子さんという人は、犯人なんでしょう？　あなたを、ひどい目に遭わせた人なんでしょう。それなのに、どうして、こんなことをしてやるんです」

浮かせかけた腰をもう一度、下ろし、貴子は少し間を置いてから「約束したんです」と答えた。

「犯人ですし——裏切られた思いも、腹立たしい思いも、まるでないわけではありません。でも彼女は、私の生命の恩人でもあります。監禁されている間、私は何回も、助けてもらったんです」

老夫婦は揃《そろ》って、髪の大半が白くなっていた。顔は陽に焼け、皺も深くて、確かに都心に暮らす人たちとは違っていた。ことに母親の方は、身体《からだ》に比べて手だけがずい分、大きく見える。年齢と共に、身体が小さくなってしまった証《あかし》のように思えて、切なくなる。ふと、両親を思った。事件以来、まだ二回しか会っていない。マスコミがうろうろしていることもあるし、心労のあまり、母が具合を悪くしたからだ。

「あの人には今、生きる希望も何もありません。自分のことさえ、信じられずにいるんです。信じるということが分からないとも言っていました。もちろん、罪は償わなければなりません。でも、せめてこれからの人生は、本当の彼女に戻って、生きていって欲しいんです」

玄関口で、最後にそれだけ言って、貴子はその家を辞した。門を出て振り返ると、老夫婦は玄関先まで出て、寄り添ってこちらを見ていた。

周囲には、似たような造りの可愛《かわい》らしい建て売り住宅が並んでいる。広々とした、長閑《のどか》な郊外の住宅地といった風情《ふぜい》だ。だが、かつては緑の田畑が広がっていたのに違いない。今でもところどころに、豊かな緑が残っている。

——待ってて。きっと会えるから。きっと会わせてあげる。

細いアスファルトの道を、ゆっくり歩く。田圃《たんぼ》に挟まれたその道は、かつて加恵子が妹と出くわした道なのだろうと思った。そのお下げ髪の少女は、今は近くに嫁いで三人の子どもの母親だそうだ。その上の娘は札幌にいるという。あの家は末っ子の長男が継いでいて、本当に、どこから見てもごく平凡な、平和な家庭に見えた。

細かい雨が、霧のように降り出した。電柱の立つ角を曲がったところに、赤いワンボックスカーを見つけると、貴子は足早に近づいた。助手席のドアを軽くノックする。シートを倒して眠っていたらしい昂一が跳ね起きた。

「早かったじゃないか」

彼は、助手席のドアを開けるなり言った。

「あんまり長い時間、抜け出してるわけにいかないから。往復だけでも時間がかかるもの」

貴子がドアを閉めるのと同時に、昂一はキーを回してエンジンをかける。そして、車は滑るように馴染《なじ》みのない道を走り始めた。

「どうだった」

「驚いてた。当たり前だけど」

「会うって、言ったか」

「少し、考えさせてくれって」

緩やかに伸びる細い農道を、車はゆっくりと進む。久しぶりの外出だったせいか、緊張したせいもあるのか、どっと疲れが出る。貴子はわずかに車のシートを倒して、ぼんやりと窓の外を眺めていた。

──この景色を見て、普通に育っていたら、あんな人生にはならなかった。加恵子は全身に及ぶ打撲傷の他、足の火傷痕《やけどあと》が膿《う》んでおり、しかも足首の骨にはひびが入っていた。その上、最後に堤に殴られた時、顎《あご》の骨も砕けたのだという。すぐに逮捕、送検しても、通常の取り調べが不可能であることから、現在は警察の監視下に置かれて入院加療という措置を受けている。彼女が入っている病院は、貴子がいる病院とは異なっていた。

「どんな人たちだった。似てたか」

「似てた。特にお母さんがね。写真を見せたら、向こうは首を傾《かし》げてたけど、本人同士で会えば、検査なんかしなくても、分かると思うわ」

「会わせて、やれるといいな」

そこで初めて、貴子は昴一の方を向いた。彼に会ったのは四月以来だった。貴子が入院してからも、彼の方からは連絡がなかった。すぐにでも駆けつけてきて、馬鹿野《ばか》郎、刑事などやめてしまえ、組織はどう責任をとってくれるのだと、ものすごい剣幕で怒られるかと思ったのに、三日たっても連絡がないから、仕方なく貴子の方から電話をした。その時は「よう」などと言い、「もう落ち着いたか」と言った程度だったのに、貴子が手伝って欲しいことがあると切り出して、加恵子が話していた新聞記事などを探してもらって、ようやく今朝、久しぶりに会ったとき、あまりに面やつれしていて驚いた。だが、髭《ひげ》だらけの顔で、彼は「スマートになったろう」と笑っただけだった。もっと緊張するか、ぎこちない再会になるかと思っていたのだが、その笑顔が、貴子を楽にしてくれた。

今、彼は穏やかな横顔を見せて、静かにハンドルを握っている。貴子の視線を感じたのか、彼はちらりとこちらを見て、「うん?」と言った。

「ありがとね」

「久しぶりのドライブだ。俺の方が、ありがとうだよ」

「仕事の方、大丈夫なの」

「お陰さんでね、あんなに刑事につきっきりでいられりゃあ、仕事に精でも出してるより他、なかったからな。納期より前に仕上がったのなんて、初めてだ」

貴子の行方が分からなくなった直後から、昂一のところにも捜査員が出向き、いつ貴子から連絡があるかも分からないからという理由で、ずっとつきっきりだったのだという。

「俺の方が監禁されてる気分だったよ」

たちの悪い冗談だ。それでも彼が言うと、不思議に腹が立たなかった。第一、ひと回りも小さくなったように見える彼の顔が、言葉に出さない心労を物語っている。やせ我慢。貴子は深く息を吐き出し、髪を掻《か》き上げながら、また窓の外を眺めた。

不思議なものだ。両親に会うより、妹たちに会うより、こうして昴一といた方が心が安まる。やっと、ゆっくり眠れるような、そんな気がしてくる。

「眠くなったら、寝てていいぞ」

「大丈夫。ぼんやりしてるだけ」

昴一の声は耳に心地良かった。柔らかく貴子を包み込んで、恐怖心を抱かせない。彼の声が、井川や鶴見、堤の誰とも似通っていなかったことを、貴子は密《ひそ》かに感謝していた。声質など自分で選べるものではないにしろ、少しでも似ていたら、貴子はこうして言葉を交わす気にさえならなかったことだろう。

あの、夜明けの救出劇から十日が過ぎていた。マスコミの騒動も収まって、貴子の顔からも痣《あざ》が消えた。だが、それでも、眠れない晩が続いていた。担当の医師は薬を出しましょうかと言ってくれる。だが、睡眠薬と聞いただけで、すべての始まりとなった、あの夜のことを思い出すのだ。自然の眠りとは異なる、暗闇《くらやみ》に引きずり込まれるような眠りは、もう嫌だった。だから貴子はずっと、眠れないままに、毎晩を過ごしていた。

外傷は大したことはなかった。ただ、ひどく殴られたせいもあり、ストレスもあって、内臓の機能がかなり弱っているというのが、貴子に下された診断だった。その上、不眠が続く、寝汗をかく、自分でも知らない間にぼんやりしたり、突然、目の前にまざまざと堤の顔や、あの部屋の様子が浮かび上がってきて、飛び上がりたいほどの恐怖感に襲われる。医師は、そんな症状にＰＴＳＤと病名をつけた。しばらくの間は心と身体を休めて、カウンセリングも受けるべきだという。これまでただの一度も病院のベッドなど経験したことのなかった貴子にとっては、入院そのものもストレスになるのだが、それは仕方がないことだと諭された。

捜査本部からは、一日に何度も誰かが顔を出して、取り調べの状況などを話してくれた。貴子自身に対する事情聴取は、大まかな部分だけが済んでいて、後はもう少し貴子の体調と気持ちが落ち着いてから行うことになっている。今はまだ、最初の事件である御子貝および内田夫妻の殺害、関東相銀からの金の引き出しに関しての取り調べが進んでいるという状況だった。

井川一徳は、自分を美術ブローカーと名乗っており、かつては地方の旧家などを回って、蔵に眠っている絵画などを掘り出してきては、画商に売りつけるような仕事をしていたのだという。店舗を持たない、流しの美術商のようなものだが、時には買い手を見つけてやると言って個人から絵画を預かり受けたまま、どこかに流してしまったり、贋作《がんさく》を売りつけたりすることもあって、画商の世界では悪評の立っている男だったらしい。事実、かつて一度だけ詐欺罪《さぎ》で服役したこともあるのだが、実際に彼の働いてきた詐欺行為は、数え上げればきりがないはずだというのが、捜査本部の見方だった。

何をやっても長続きのしない鶴見はインターネットで、労せずして大金を手にしたいタイプの堤と井川は、それぞれ競輪場で若松と知り合い、濡《ぬ》れ手で粟《あわ》のような儲《もう》け話に飛びついた。それぞれが、現在の生活に行き詰まりを感じていた矢先だったのだろう。

若松が殺害された理由については、まだ詳しい取り調べは始まっていないが、金の取り分について、仲間割れが起こったらしいというようなことを、堤ではなく鶴見が匂《にお》わせる供述を行っているという。堤は、自分は人まで殺しているのに、鶴見や井川と取り分が同じなのでは不公平だというようなことを言っていたらしい。

一方、堤本人は、最初のうち自分は誰一人として殺害などしてはおらず、すべては加恵子のやったことだと言い張っていた。それが、立てこもっていた室内でのやり取りを警察がすべて傍受し、録音もしていたと聞かされて、初めて最初の四人の殺害だけは認めた。だがそれでも、加恵子にそそのかされた結果であり、自分にはまったく殺す気はなかった、若松雅弥殺害に関しては、本当に自分がやったわけではないと言い張っているのだそうだ。

——あの男とは、法廷で対決しなきゃならなくなる。加恵子も。私も。

加恵子に対する暴行傷害、貴子に対しての傷害罪でも、堤を起訴することは可能だった。だが貴子は、五人に対する殺人で起訴されれば、少なくとも自分の件での起訴は見送ってもらえないものかと思っている。公判が長引くばかりだし、貴子自身も法廷に呼び出されて証言するようなことになれば、本当にいつまでも、事件のことを引きずらなければならなくなりそうだからだ。憂鬱《ゆううつ》というよりも、それが怖かった。今でも貴子の中では、堤に対しては怒りや憎しみよりも、まだ恐怖心の方が勝っている。おそらく、加恵子もそうなのではないかと、貴子は考えていた。

——あなたを守れなかったら、もう、死のうと思ってた。

救急車の中で、加恵子は苦しげな息の中で、そう言っていた。口からの出血は止まらなかったし、二人が寝かされているストレッチャーの隙間《すきま》には救急隊員と警察官が乗り込んでいたから、それ以上の会話は出来なかったが、救急車が病院に着いて、隊員たちが先に降りた隙に、彼女は確かにそう言った。腫《は》れて、痣だらけで、その上、変形もしていて、とても表情など分からないはずなのに、あの時、貴子は、確かに彼女の瞳《ひとみ》の奥が、柔らかく揺れたように思った。

だから、貴子も彼女との約束を守る。何としてでも、彼女にもう一度、新しい人生を歩んでもらいたい。彼女のためというよりも、それは貴子の願いのような気がしていた。そうでなければ、この世の中はあまりにもむごすぎる。たとえ加恵子でなくとも、何を信じれば良いか、分からなくなる。

「起きてるか」

常磐《じようばん》自動車道に乗り、すいている高速道路を東京に向かって走り始めたところで、昂一が口を開いた。貴子は小さな声で「うん」と答えた。

「あのさ」

「なあに」

「貴子さ」

「うん」

「警察、やめないだろう？」

「――どうして」

さっきまで細かく降り続いていた雨はやんだようだった。いつの間にか路面も乾き始めて、遠くには雲間に青空が見え始めている。

「やめない方が、いいと思ってさ」

首を巡らし、貴子は昴一を見上げた。今すぐにでもやめろと言われると思っていた。それなのに、まるで正反対のことを言う。

——面倒は、見切れないっていうこと。

やめろと言ってしまえば、まるで自分が貴子の人生を引き受けるように聞こえるかも知れない。それを、彼は警戒しているのだろうか。まさか、そんなことを頼むつもりはないのに。頼んで引き受けてもらえるものとも、思ってはいない。だが、こんな風な拒否のされ方は、やはり切ない。何も、そんな遠回しな言い方をしなくても良いではないか。愛想が尽きた、心配するのはもう嫌だ、そんな風に言われる方が、まだましだ。

「どうして、そう思うの」

道路の継ぎ目が、時折、ごとん、ごとん、と振動を伝えてくる。左車線から、気が狂ったような猛スピードを出して、黒い車が追い抜いていった。貴子は「危ない」と思わず呟《つぶや》いた。

「俺って、意外に正義の味方が好きなわけよ」

——

言いながら、昂一はウィンカーを点滅させ、左の車線に寄る。

「でさ、そういう正義の味方が活躍するところを、近くで見てるってのも、なかなかいいもんだしな」

思わず自分が上目遣いになったのが分かった。まったく。この人は何を言っているんだろう。つまり、貴子を正義の味方と言いたいわけだろうか。

「ああ、俺って正義の味方を抱いてるわけか、すると、正義の味方って感じかな、なんて思える男、そうはいないだろう」

内心ひやりとした。昂一には、細かい話は聞かせていない。だが、思い出したくないことだらけだということは言った。レイプはされていないけれど、気持ちとしては、されたのと変わらないとも。

「――当分、正義の味方は誰にも抱かれたくないみたい」

「まあ、そんなときもあるだろう。でも、添い寝くらいなら、出来るよな」

ああ、添い寝をしてくれたら、どんなに嬉《うれ》しいだろうか。あの無味乾燥な病院のベッドから抜け出して、馴染みのある自分の部屋の自分のベッドで、日がな一日、ずっと昂一とくっついていられたら。

「試して、みようか」

つい、言っていた。だが即座に「駄目」という言葉が返ってくる。

「まずは身体《からだ》をきっちり治してからだ。そうしたら、添い寝でも何でもしてやるから。風呂《ふろ》にも入れてやるし、髪も洗ってやるし。何だったら、マニキュアでも塗ってやろうか」

「昴一が?」

「塗装はうまいんだぜ。シンナーの匂いにも強いしな」

その時の様子を想像して、つい嬉しくなった。そんな日が来れば良い。いや。来る。来るようにする。

「いいよなあ、正義の味方の背中を流す男」

「まだ言ってる」

「お前、幸せだよ。運がいいよ」

「どうして? あんなひどい目に遭ったのに?」

「だって、俺がもう少し若くて血気盛んだったら、ただの添い寝じゃ我慢出来なかったろう」

「じじいでよかったっていうこと?」

「そうそう」

病院までの道は、楽しかった。昂一のお陰で、貴子は久しぶりに声を出して笑い、窓の外の景色を新鮮な思いで眺めることが出来た。病院に戻り、看護婦に少しばかり小言を言われる間も、昂一は傍にいてくれた。

「たまには、来てくれる？」

「ここへか。それは、今日だけにしておく。警察の人が年中、来てるだろうし、貴子の家族も来るだろう」

「会いたくない？」

「何だかな。皆の気持ちが、不安定な時だろうから」

その代わり、電話でならばいつでも話せるではないかと励まされて、二人で病室に向かいかけたときだった。大きな花束を持った男が、廊下の向こうから歩いてきた。その途端、貴子の足は凍りついた。笑いながら何かを言いかけていた昂一が、耳元で「どうした」と囁《ささや》く。

「――死んでも会いたくない奴《やつ》」

答えている間に、星野は大股《おおまた》でこちらに近づいてくる。急に鼓動が激しくなってきた。手と足が細かく震え出す。やがて、向こうでも貴子に気づいたようだ。無表情だった顔がわずかに動き、妙に人なつこい笑顔に変わった。

「やあ、音道巡査長。抜け出してデートできるくらい元気なんじゃないか。これなら職場復帰も——」

その時、貴子は頬に小さな風を感じた。気がついたら昂一が貴子の前に走り出ている。そして次の瞬間、星野の身体は廊下に倒れていた。バサッと耳障《みみざわ》りな音がして、恥ずかしいほど大袈裟《おおげさ》な花束が飛んでいる。仁王立ちになっている昂一は、次には星野を引きずり起こし、襟元をねじ上げながら廊下に押しつける。星野よりも大柄な昂一は、そのTシャツの背中で、星野の姿を完全に隠していた。

「ほら、見えないだろう。今のうちに病室に入れっ」

貴子は小さく頷《うなず》いて、小走りに二人の前を通り抜けた。背後で、「どの面《つら》下げて来やがった」という声が聞こえた。

個室の病室に戻り、まだ動悸《どうき》が治まらないままうろうろとしていると、すぐに昂一が現れた。髭《ひげ》もじゃの顔が真《ま》っ赤《か》に紅潮している。目は、かつて見たこともないくらいに、ぎらぎらと燃えていた。仁王立ちのまま、彼は身体の脇《わき》で拳《こぶし》を作っていた。

「さっきの話だ」

「——何だっけ」

「お前、警察、やめるな」

昴一の顔は、そのまま貴子まで殴られるのではないかと思うくらいに怖かった。貴子は目を逸《そ》らすことも出来ずに、その顔を見つめていた。

「やめるな。いいな。貴子が警察やめたら、俺、テロリストになって、警視庁の建物ぶっ壊しにいくからな。俺は、正義の味方は好きだけど、はっきり言って、警察は嫌いなんだ。ああいう野郎がいると思うと、前よりももっと嫌いになったんだから」

「じゃあ——やめない。その時に、昴一の取り調べ、してみたいから」

「馬鹿《ばか》。やめなかったら、テロには走らないんだよ」

太い眉《まゆ》を寄せ、目をぎょろぎょろとさせて、昴一は大威張りで言った。あまりに恐ろしすぎて、つい笑いそうになったとき、看護婦が慌《あわ》ただしく駆け込んできた。すっかり顔なじみになった、小柄でよく動く看護婦だ。年齢はまだ若いが、彼女を見る度に、貴子は加恵子を思い出す。白衣の彼女は、もう二度と見られないかも知れない。だが、加恵子は結局、看護婦のままだったとも思う。

「困ります。病院内で、あんなこと。あの方、口から血、流してましたよ」

「じゃあ、手当してやったら。薬なら売るほどあるだろう」

昴一は澄ました顔で答える。だが看護婦は、彼はもう帰ってしまったと言った。

「花束、落ちてましたけど」

「うちじゃないからね、捨ててよ」

「でも、あの方は、音道さんの病室を訪ねて来られたんじゃあ――」

「いい？　教えておくけど、あいつがね、この綺麗《きれい》で優しいお姉さんを、こんな風にした原因なの。分かる？」

若い看護婦が驚いた顔になる。

「だって、あの方も警察の――」

「警察にもさ、色んな奴がいるじゃない。あいつはね、給料泥棒みたいな奴なんだから。今度また来ても、追い返すくらいのこと、してくれなきゃ駄目だからね」

貴子は思わず微笑《ほほえ》みながら、のしかかるような姿勢で看護婦と話す昂一を眺めていた。彼が、どれほどの怒りを貯《た》め込んでいたか、どれほど我慢していたか、それが改めて感じられた。そして、その彼の思いは、そのまま貴子への思いに通じている。それが感じられることが嬉しかった。

――立ち直ってみせる。絶対。

目を丸くしている看護婦と昂一との珍妙なやり取りを聞きながら、貴子は自分に言い聞かせていた。実家の母は、今度こそ仕事をやめろと言っている。だが、ここに味方がいる。一人でも味方がいるのなら、踏みこたえられそうな気がする。

「退院したら、今度こそ、どこか行こうね」

病院を立ち去る前の昴一に、貴子はベッドの中から話しかけた。彼は「おう」とだけ答え、小さく手を振って出ていった。静かになった病室で、貴子は白い天井を見つめていた。

解 説

川本三郎

立川市の銀行で、二人の男が口座から二億円もの預金を引き出す。一方、立川市に隣接する武蔵村山《むさしむらやま》市の住宅街では、占い師夫婦ら四人の人間が殺される。二つの事件はどう関わってくるのか。その興味で、読者は冒頭から物語の世界に入り込む。事件そのものがまず簡潔に描き出される。ハードボイルド小説にありがちな気取りの多い会話もないし、余計なうんちくもない。まっすぐに事件に入り込む。単刀直入で小気味良い。

警察は殺人事件の捜査を開始する。二億円もの預金引き出しのほうは、警察はまだ知らない。

主人公、音道貴子が、殺人事件の捜査を担当することになる。直木賞受賞作『凍える牙《きば》』で登場した女性刑事である。警視庁機動捜査隊の立川分駐所に勤務する。離婚歴がある三十代。短大を出て警察学校に入り、刑事の道を歩んだ。

現場の占い師の家に行き、冷蔵庫のフリーザーを開けてみる。冷凍用保存容器が目にとまる。銀行が高額の預金者に配ったもの。そこから被害者の取引先の銀行を割り出してゆく。このあたり、女性らしい観察力が光る。

『凍える牙』では、警察という男性社会のなかにあって女性として苦労したが、人間を嚙《か》み殺す、あの大きなオオカミ犬の事件で活躍した結果、先輩の男性刑事たちの信頼をかちえた。だから今回は順調に仕事が、と思っていた矢先に、とんでもないことになる。

刑事はいつも二人で行動する。『凍える牙』では、滝沢という中年刑事が貴子の相《あい》棒《ぼう》になった。はじめは〝女となんか仕事したくない〟という態度が露骨だったが、もともと人情家の頼りになるベテラン。最後は、骨身惜しまず働く貴子を強く支えるようになる。

ところが今回は、星野という最低の男と組まされる。警視庁の捜査一課から来た若い刑事。叩《たた》き上げの滝沢に対し、こちらはエリートといっていいだろう。滝沢よりはるかに若いのに、もう滝沢と同じ警部補になっている。

はじめ貴子はいい印象を持つが、たちまち底の浅い、身勝手な男だと気がつく。貴子にいい寄って断られると、たちまちセクハラはする、仕事の邪魔はする、威張り散らす。

星野の身勝手さから貴子は単独で捜査せざるをえなくなる。そのために、犯人たちに捕われ、監禁される。

刑事が犯人に拉致《らち》される。思いもかけない展開に、物語の迫力が加速される。捕われた貴子と、彼女の身を心配して必死に行方を探す仲間の刑事たち。そのふたつがカットバックで描かれる。そこに、殺人事件と、預金引き出しが、からんでくる。三つの事件が重なり合う。重厚そのもの。クライム・サスペンスの王道を行っている。乃南アサの力量の凄《すご》さである。

捕われた貴子はまったく動けない。手錠をかけられ、鎖でつながれる。『凍える牙』では、さっそうとオートバイに乗り、オオカミ犬を追ったのと対照的である。動に対する静の面白さ。工夫されている。手錠と鎖で動けない貴子は、歌舞伎《かぶき》の「金閣寺」で有名な縛られたままの雪姫を思わせもする。

捕われたまま先のわからない不安、トイレや食事での屈辱、さらにはレイプの恐怖まで加わる。身体《からだ》だけではない、精神が持つか。

仲間の刑事たちが必死で彼女の行方を追う。ここで『凍える牙』の相棒だった滝沢が応援部隊として加わる。いまやすっかり貴子を認めるようになった滝沢は、まるで娘を思う父親のように、貴子の身を案じる。必ず助けると貴子に心の中で誓う。身勝手な刑事が多い中で、一見、無骨で荒っぽく見えるこの中年男の純情、熱血、正義感が泣かせる。身勝手なエリート、星野とは人間の出来が違う。苦労人の良さだろう。

会議の席で、貴子をかばい、「音道は、そういう奴《やつ》じゃないです」「頑固で融通のきかないところは、確かにありますが、仕事熱心な、いい刑事です。根性もあるし肝っ玉も据わってる、女だてらに、よくやってると思いました」と発言するところなど頼もしい限り。

やがて犯人たちは男性三人、女性一人と読者にわかってくる。かつて存在した架空口座をいまだ持っている人間の口座から、預金を引き出す。その計画に手違いがあって、四人もの人間、さらには仲間の一人も殺してしまった。貴子を捕らえ、監禁したことも彼らには、利用価値はあるものの重荷にもなる。

四人のうち一人だけの女性は、中田加恵子という。四十歳くらい。夫と二人の子供を捨てて若い男に走った。堤というその年下の男に引きずられるようにして犯行に加わった。

中年の女性がなぜそんなことになったのか。貴子は、そして読者もまた、次第にこの女性の存在が気になり始める。

ストックホルム・シンドロームという言葉がある。監禁された人質が、犯人にシンパシーを感じてゆくこと。一九七三年にストックホルムで起きた銀行強盗事件からこの名が付いた。

貴子は、一種のストックホルム・シンドロームで、自分を監禁している加害者である加恵子に同情するようになる。被害者と加害者の差異より、同じ女性という共通性のほうが強まってくる。

加恵子は、若い堤に殴られたり蹴《け》られたりする。それでも年下の男とのくされ縁を断ち切れない。なぜこんな男についてゆくのか。理解に苦しむ貴子に、加恵子は、二人きりになった時に、思いもかけない身の上話をする。

自分は、三歳の時に人にさらわれた。さらった夫婦を実の両親と思って育ってきた。母親は、血のつながっていない自分にずっとつらく当ってきた。

そういう過去を背負っていたとは。この瞬間、中田加恵子は、貴子と同等の重さを持って読者に迫ってくる。もう一人のヒロインになる。

「でも——もう、引き返せないのよ」と絶望的にいう加恵子に、貴子は、堤などという最低の男とのくされ縁を切って人生をやり直せ、と必死に訴えかける。監禁された貴子と、「さらわれっ子」という宿命に〝監禁〟された加恵子とのあいだに、徐々に、心のかよいあいが生まれてくる。このあたりは、女性作家ならではの人間味あふれる展開といっていいだろう。

貴子が、最後まで犯人たちによる監禁の痛苦に耐ええたのは、加恵子が男たちの目に見えないところで貴子をかばってくれたためであり、そして、貴子が、加恵子を助けなければならないと強く思ったからである。

いわば、それまでは被害者として、仲間の刑事たちの助けを待っているだけだった貴子が、ここではじめて、ひとりの薄幸《はっこう》の女性を助けなければならないという使命感を持ち、能動的になったのである。ストックホルム・シンドロームが、いいほうに働いたことになる。

クライム・サスペンスでは物語の舞台が重要になる。この小説では、まず立川、武蔵村山など東京の周縁《しゅうえん》が舞台になっているのが面白い。とくに殺人事件が起きる武蔵村山市は、東京の人間でも、その存在を知らないことが多いのではないか。

埼玉県との県境にある新興の住宅地。「市内には鉄道も高速道路も通っておらず」とあるように、東京のはずれの感がある。「主要な幹線道路といえば青梅《おうめ》街道と新青梅街道くらいのもので、住宅地を歩いていても、夜の闇はことさらに深く感じられ、見上げれば、星の瞬きもはっきり見ることが出来た」。

桐野夏生の『OUT』もこの武蔵村山市を舞台にしていたが、鉄道が一本も走っていない東京のはずれの寂しさが、事件そのものと引き合う。残虐《ざんぎゃく》な事件とはいえ、犯人たちは生きることに疲れ、追いつめられ、犯罪に走り、そして自滅してゆく。どこか哀れである。

貴子が監禁される場所が、熱海《あたみ》というのも興味深い。高度成長期には、大型観光地としてにぎわった温泉町も、バブル崩壊後は不景気が襲い、旅館やホテルが次々と廃業に追い込まれてゆく。町には廃業になった建物がいくつもある。ここにも寂しさ、哀れがある。

貴子が監禁されたのは、とうに営業をやめたかつての高級旅館。いまやホームレスが住むのにふさわしい荒れ果てた廃墟《はいきょ》になっている。その姿は、これまでの人生でいいことなどなにもなかったという、ボロボロになっている加恵子の姿と重なり合う。

『鎖』というタイトルは、貴子の監禁状態をあらわしていると同時に、加恵子の逃れがたい宿命もあらわしている。

また一方では、親子の絆《きずな》も意味しているのではないだろうか。妻に逃げられ、高校生の娘と暮らす中年刑事、滝沢の娘を思う心が随所に描かれている。ませた口をきく娘が、それでも父親のことを心配していて、電話で「危ないこと、しないでね」と父親にいうところなど、温かいものが流れる。

犯人の一人、「風呂敷《ふろしき》画商」の井川と、警察に呼ばれ、父親を説得に来た息子との関係も、短い描写ながら、父と子の強い絆を感じさせる。

そして何より感動的なのは、エピローグだろう。なんとか加恵子を立ち直らせたいという使命感、友情を感じ始めた貴子が、事件のあと、茨城県の小さな町で農業を営んでいる加恵子の実の両親を訪ねる。

思いがけない事実を知らされた両親の驚きと涙。訪ねてきた貴子を見送る二人の姿を読めば、読者は、加恵子がなんとか立ち直ってくれるのではないかと思う。ハードボイルドの真骨頂は、実は「情」にあると思うのはこんな時だ。

（二〇〇三年十月、文芸評論家）

この作品は平成十二年十月新潮社より刊行された。
文庫化にあたり、本文の一部を加筆した。

乃南アサ著
幸福な朝食
日本推理サスペンス大賞優秀作受賞

なぜ忘れていたのだろう。あの夏から、私は妊娠しているのだ。そう、何年も、何年も……。直木賞作家のデビュー作、待望の文庫化。

乃南アサ著
6月19日の花嫁

結婚式を一週間後に控えた千尋は、事故で記憶喪失に陥る。やがて見えてきた、自分の意外な過去――。ロマンティック・サスペンス。

乃南アサ著
家族趣味

家庭をかえりみず仕事と恋に生きる女、宝石に金をつぎ込む女――などなど。よくありそうな話。しかし結末は怖い。傑作短編5編。

乃南アサ著
トゥインクル・ボーイ

小学生の拓馬は、美しい笑顔で大人たちを喜ばせ、欲しいものを何でも手に入れたが――。少年少女たちの「裏の顔」を描いた短編七編。

乃南アサ著
再生の朝

品川発、萩行きの高速バス。暴風雨の中、走る密室が恐怖の一夜の舞台に。殺人者・乗務員・乗客の多視点で描いた異色サスペンス。

乃南アサ著
花盗人

「あなたが私にくれたものは、あの桜の小枝だけ」。夫への不満を募らせる女は逃げ場を求め――。10編収録の文庫オリジナル短編集。

乃南アサ著　団欒

深夜、息子は彼女の死体を連れて帰ってきた。その時、家族はどうしたか――。表題作をはじめ、ブラックユーモア風味の短編5編。

乃南アサ著　死んでも忘れない

誰にでも起こりうる些細なトラブルが、平穏だった三人家族の歯車を狂わせてゆく……。現代人の幸福の危うさを描く心理サスペンス。

乃南アサ著　ドラマチックチルドレン

子どもたちはなぜ荒れ、閉じこもるのか――。それぞれの問題から立ち直ろうと苦しむ少年少女の心理を作家の目で追った感動の記録。

乃南アサ著　凍える牙
直木賞受賞

凶悪な獣の牙――。警視庁機動捜査隊員・音道貴子が連続殺人事件に挑む。女性刑事の孤独な闘いが圧倒的共感を集めた超ベストセラー。

乃南アサ著　女刑事音道貴子　花散る頃の殺人

32歳、バツイチの独身、趣味はバイク。かっこいいけど悩みも多い女性刑事・貴子さんの短編集。滝沢刑事と著者の架空対談付き！

乃南アサ著　ボクの町

ふられた彼女を見返してやるため、警察官になりました！　短気でドジな見習い巡査の真っ当な成長を描く、爆笑ポリス・コメディ。

乃南アサ著

ダメージ
—そこからはじまるもの—

「ありがとう」と素直に言う。他人と自分を比べないこと。そうすれば、あなたは幸せになれる。若い女性へ贈る出色のモノローグ集。

乃南アサ著

行きつ戻りつ

家庭に悩みを抱える妻たちは、何かを変えたくて旅に出た。旅先の風景と語らいが、塞いだ心を解きほぐす。家族を見つめた物語集。

乃南アサ著

涙
（上・下）

東京五輪直前、結婚間近の刑事が殺人事件に巻込まれ失踪した。行方を追う婚約者が知った慟哭の真実。一途な愛を描くミステリー！

乃南アサ著

好きだけど嫌い

悪戯電話、看板の読み違え、美容院のトラブル、同窓会での再会、顔のシワについて……日常の喜怒哀楽を率直につづる。ファン必読！

乃南アサ著

パラダイス・サーティー
（上・下）

平凡なOL栗子とレズビアンの菜摘。それぞれに理想の〝恋人〟が現われたが、その恋はとんでもない結末に…。痛快ラブ・サスペンス。

乃南アサ著

チカラビトの国
—乃南アサの大相撲探検—

行司・呼出し・床山など力士を支える人から聞いた「へえー」という話を満載。初心者から相撲通まで、観戦が10倍楽しくなります！

新潮文庫最新刊

北原亞以子著
やさしい男　慶次郎縁側日記
江戸に溢れる食い詰め人も裏の事情は十人十色。望まぬ悪事に手を染めて苦しむ輩に「仏」の慶次郎が立つ。シリーズ第七弾！

山本一力著
辰巳八景
江戸の深川を舞台に、時が移ろう中でも変わらぬ素朴な庶民生活を温かな筆致で写し取る。まさに著者の真骨頂たる、全8編の連作短編。

乙川優三郎著
むこうだんばら亭
流れ着いた銚子で、酒亭を営む男と女。店には夜ごと、人生の瀬戸際にあっても逞しく生きようとする市井の人々が集う。連作短編集。

諸田玲子著
鷹姫さま　お鳥見女房
嫡男久太郎と鷹好きのわがまま娘との縁談、次女君江の恋。見守る珠世の情愛と才智に心がじんわり温まる、シリーズ文庫化第三弾。

松井今朝子著
銀座開化おもかげ草紙
旗本の次男坊・久保田宗八郎が目撃したのは、新時代の激流のなかでもがく男と女だった。明治を生きるサムライを名手が描く――。

椎名誠著
海ちゃん、おはよう
突然現れた天使を巡り、新米パパたちは右往左往。夫は果たしてちゃんと〈父親〉になれるのか？　しみじみ温かい体験的子育て物語。

新潮文庫最新刊

川上弘美著
センセイの鞄
谷崎潤一郎賞受賞
独り暮らしのツキコさんと年の離れたセンセイの、あわあわと、色濃く流れる日々。あらゆる世代の共感を呼んだ川上文学の代表作。

川上弘美著
吉富貴子絵
パレード
ツキコさんの心にぽっかり浮かんだ少女の日々。あの頃、天狗たちが後ろを歩いていた。名作「センセイの鞄」のサイドストーリー。

田口ランディ著
コンセント
餓死した兄は、私に何を伝えようとしていたのか。現代を生きる人間の心の闇をリアルに捉えてベストセラーとなった小説デビュー作。

垣根涼介著
君たちに明日はない
山本周五郎賞受賞
リストラ請負人、真介の毎日は楽じゃない。組織の理不尽にも負けず、仕事に恋に奮闘する社会人に捧げる、ポジティブな長編小説。

今野敏著
朱夏
―警視庁強行犯係・樋口顕―
妻が失踪した。樋口警部補は、所轄の氏家とともに非公式の捜査を始める。鍛えられた男たちの眼に映った誘拐容疑者、だが彼は――。

竹内真著
風に桜の舞う道で
桜の美しい季節、リュータと予備校の寮で出会った。そして十年後、彼が死んだという噂を聞いた僕は。永遠の友情を描く青春小説。

新潮文庫最新刊

山本伊吾著
夏彦の影法師
—手帳50冊の置土産—
その青春時代から晩年の秘めた恋まで——。遺された手帳を手がかりに、名コラムニスト山本夏彦の隠された素顔を伝えるエッセイ。

加藤 廣著
豊かさの探求
—『信長の棺』の仕事論—
仕事、仕事……それで「豊か」といえますか？ 独創的な信長・秀吉像を描いた著者が、歴史解釈を裏打ちする生活思想を大公開！

小和田哲男著
戦国軍師の合戦術
黒田官兵衛以前の軍師は、数々の呪術、占星、陰陽道を駆使して戦国大名に軍略を授けた……。当時の合戦術の謎を解き明かした名著。

白石良夫著
幕末インテリジェンス
—江戸留守居役日記を読む—
譜代佐倉藩の江戸留守居役依田学海の日記を読み解き、幕末の動乱を情報戦争という視点からリアルに描く。学海は藩を救えるのか！

M・パール
鈴木 恵訳
ポー・シャドウ（上・下）
文豪の死の真相を追う主人公の前に現れた犯罪分析の天才と元辣腕弁護士。名探偵デュパンのモデルはどちらか。白熱の歴史スリラー。

P・ブルックス
上遠恵子訳
レイチェル・カーソン（上・下）
歴史的名著『沈黙の春』で環境破壊を告発し、地球の美しさと生命の尊厳を守ろうとした女性生物学者の生涯と作品をたどる傑作伝記。

鎖《くさり》(下)

新潮文庫　　の - 9 - 22

平成十五年十二月一日 発行
平成十九年九月三十日 十刷

著者　乃《の》南《なみ》アサ

発行者　佐藤隆信

発行所　株式会社 新潮社

郵便番号 一六二—八七一一
東京都新宿区矢来町七一
電話 編集部(〇三)三二六六—五四四〇
　　 読者係(〇三)三二六六—五一一一
http://www.shinchosha.co.jp

価格はカバーに表示してあります。

乱丁・落丁本は、ご面倒ですが小社読者係宛ご送付ください。送料小社負担にてお取替えいたします。

印刷・二光印刷株式会社　製本・株式会社植木製本所

© Asa Nonami 2000　Printed in Japan

ISBN978-4-10-142532-0 C0193